時効警察

三木 聡
岩松 了
園 子温
ケラリーノ・サンドロヴィッチ
塚本連平

角川文庫 14617

時効警察

目次

脚本・監督／三木 聡
岩松 了
園 子温
ケラリーノ・サンドロヴィッチ
塚本連平
脚本／高山直也
山田あかね
ノベライズ／進藤良彦
イラスト・ロゴ提供／テレビ朝日

第一話

時効の事件には、おいしい御飯の湯気が似合うと言っても過言ではないのだ

その頃、三日月《みかづき》しずかが勤める総武《そうぶ》警察署管内では、全裸で逃げる空き巣の事件が話題になっていた。平和な住宅街の真ん中に突如現れた全裸の中年女性が最初に目撃されたのは、年の瀬も押し迫った十二月半ばのことだった。以来、脚立を抱えて走り去る全裸の女性の姿が、何度も目撃されている。

それと同時に、空き巣による盗難の被害届も急増した。空き巣の現場と全裸女性の目撃現場が非常に近接していることに気づいた総武署刑事課は、この全裸女性が連続空き巣事件の被疑者であると断定し、年末警戒を強めた。

そして、年明け早々の昨日、全裸女性が室内を物色している現場に帰宅したその家の住人が出くわしたことで、ついに両者の因果関係がはっきりしたのである。住人が居間に足を踏み入れたその時、肌色の人影が奥の寝室の窓から庭に飛び出す。瞬間、呆気《あっけ》にとられた住人が、はっと我に返って、室内が物色された様子に気づいたのだ。

「泥棒〜！」

慌てて玄関を飛び出た住人は、辺りを見回した。すると、少し離れた路上に、まだ全裸の中年女性はいた。女は、塀に立て掛けてあったはしご状の脚立を小脇に抱え、まさに走りだそうとしているところだった。

「待て〜！」と、住人が叫ぶと、女は脚立と大きめのボストンバッグを肩にかけ、脱兎《だっと》のごとく走りだした。正面から歩いてきた制服姿の女子高生が、目を丸くして女の姿を見つめる。住人は追いかけながら、辺りに向かって叫んだ。

「泥棒です！　捕まえて下さい！」

しかし、真っ昼間の住宅街を歩いていたのは、その女子高生と小さい娘を連れた主婦、それに買い物カートを押しながらゆっくり歩いている老女だけだった。住人の叫びはむなしく辺りに吸い込まれ、呆然《ぼうぜん》と見送る主婦たちを尻目《しりめ》に、女はまたしても悠々と逃げ延びたのだった。

それにしても、あんなに目立つ犯人がどうしてすぐに捕まらず、半月にもわたって犯行を重ねられるのか――？　しずかは、それが不思議でたまらなかった。

そんなことをぼんやり考えながら、刑事課のデスクの近くを歩いていたしずかは、不意に誰かに背中を押されて、思わず「きゃ……！」と声を上げた。振り返ると、刑事部長が数人の男たちに追いかけられながら、渋い表情で通り過ぎたところだった。

「刑事部長、何故、犯人は全裸なんですか？」

「いや、全然、わからんよ」

男に尋ねられ、刑事部長がしかめっ面で答える。

「犯人は若い女性ですか？」

「いったい、何を盗んでるんですか――？」

別の男たちも矢継ぎ早に尋ねた。どうやら記者クラブの連中のようだ。

「あ、三日月くん――」

不意に声をかけられ、しずかは振り向いた。時効管理課《じこうかんりか》の熊本《くまもと》課長がにやにや笑いながら、しずかのほうを見ている。四角い顔に小太りの、熊本という苗字《みょうじ》が妙にしっくりくる中年オヤジだ。しかし、しずかは不思議とこの熊本が嫌いではなかった。

「熊本課長……暇そうですね」

「ああ、ヒマヒマ。時効管理課は、いつも暇……もしかして、今日は交通課も暇？」

「ええ、まぁ……」と答えて、しずかは、そこだけがらんとした空間が広がり、大きな長机がふたつ置かれているだけの時効管理課のスペースを見回した。

時効管理課とは文字通り、時効になった事件を扱う部署である。捜査資料の後処理や遺留品などの返却手続きを行なうのが主な仕事で、別に捜査をするわけではない。総武署の時効管理課には、近隣の所轄署も含め総武地区のすべての警察署で扱った時効事件の捜査資料が送られてくるのだ。

「あれ？　霧山《きりやま》くんは？」

しずかは極力、平静を装ってそう尋ねた。もともと、しずかが刑事課のフロアを横切ってきたのは霧山修一朗《しゅういちろう》の顔を見るためだったのだ。熊本がからかうような口調で言う。

「また、霧山かぁ……ひょっとして好きなんじゃないの？」

「えぇ～、違いますよ」

　しずかはさりげなく否定しようとしたが、どこか声が上ずっているのに自分でも気づいて、引きつった笑みを浮かべた。

　熊本の斜め前には、やはり時効管理課のサネイエが座っている。彼女はいつも無表情で何を考えているのかよくわからないが、ときどき妙に鋭いことを口走るので、みんなから一目置かれている。しずかも自分より四歳も年下なのに、つい気を遣ってしまうほどだ。

「霧山さんなら、資料室ですよ」

　急に立ち上がったサネイエが、手動のシュレッダーをガリガリと回しながら言う。

「あ、そう……サネイエは何やってるの？」

「時効になった事件の捜査資料を処分するんですよ」と言って、サネイエは書類を次々とシュレッダーにかける。

　するとそこに、何やら紙切れを手にした又来《またらい》が不意に現れた。又来は、この時効管理課で資料管理を担当している総武署の古株である。資料管理の能力に関しては完璧《かんぺき》で、熊本課長も彼女には全幅の信頼を寄せているが、仕事以外の部分ではかなり強引でいい加減な性格の持ち主として知られている。

「じゃ～ん……見る？」

　又来はそう言うと両手で紙切れを広げ、しずかの目の前に突き出した。

「何ですか、それ？」

「……婚姻届」と、勿体《もったい》ぶったように又来が言う。確かによく見ると、茶色の印刷の婚姻届に間違いなかった。

「え？　又来さん、また結婚するんですか？」

しずかは思わず声を上げた。又来はバツイチで、小学生の息子がひとりいる。別れた元ダンナは、確か隣の所轄の交通機動隊にいた白バイ警官だったはずだ。しずかのぶしつけな疑問の声に、又来は顔をしかめた。

「またって……違うの、拾ったの」

「どこで？」と、熊本が訊《き》く。

「購買部の横の廊下」

その時、不意に何かが迫ってくる気配を感じて、しずかは振り返った。すると、目の前に軽く二メートル以上はあろうかという山積みになった書類の束が迫ってきていた。不安定な状態だった書類の山が長机の一角にドンと置かれ、その陰から霧山が顔を覗《のぞ》かせる。

「セーフ！」

霧山はそう言って、悪戯《いたずら》っぽく笑った。熊本が感心したような声で言う。

「霧山くん、いつもながら凄《すご》いねぇ……わんこソバの大会とか出ればいいのに」

「え？　なんで？」と、霧山がきょとんとした顔で熊本を見つめ返した。

「わんこソバってこんな感じだろう？」

「違いますよ」

熊本の言葉を、サネイエが即座に否定する。確かに、せいろを何枚も重ねて運ぶ競走ならば、霧山の技が活《い》かせないでもないだろう。熊本の頭の中のイメージでは、その絵づらが何故か〝わんこソバ〟という言葉に置き換わっているに違いない。

しずかが視線を霧山に戻すと、地味なことこの上ない黒縁の眼鏡の奥で、彼の瞳《ひとみ》が小さく笑っていた。しずかは何故だか照れ笑いを浮かべた。

霧山修一朗はこの時効管理課で、又来とともに捜査資料の管理を担当している。中途半端な長さの、中途半端なウェーブがかかった、中途半端にボサボサの髪の毛に、およそオシャレというものに縁遠い着こなしの制服姿、そして、いつも何を考えているのかわからない、ぼーっとした態度……。すべてがつかみどころのない男性だが、しずかは何故かこの霧山のことが、初対面の時から気になって仕方がなかった。

暇を見つけては時効管理課に通い、熊本や又来とも仲良くなって、霧山と話ができるようになってからしばらく経つが、相変わらず彼のプライベートなことは、よくわからないままである。年齢は三十歳だから、しずかよりも二つ年上。独身であることは間違いないようだが、家族構成も生い立ちも、趣味も特技も謎のままだ。

「あ、霧山くん……婚姻届、落とさなかった？」

又来が、さっきの婚姻届を霧山の目の前で広げる。霧山はちょっと考え込むような仕種《しぐさ》をしてから、ようやく口を開いた。

「……いや、僕じゃないですね」

「え？　考えるようなことなの？」と、しずかは思わず声を上げた。

霧山が困ったような表情でしずかのほうを見る。又来がたたみかけた。

「考えた罰として、霧山くん、この婚姻届に名前とか記入すること」

「えぇ～？　嫌ですよ」

「いいじゃない、独身だろう」

「関係ないじゃないですか」

霧山が口をとがらせて、又来に抗議する。すると、熊本が呑気《のんき》な声で割り込んだ。

「だったらさ……公平に、ジャンケンで負けた人が書くことにしようよ」

公平って何？　と、しずかは思ったが、霧山は熊本の言葉にすぐに相槌《あいづち》を打った。

「あ、そうですよ」

又来も瞬時に反応した。

「よし！　ジャ～ン、ケ～ン――」

「早い、早い、早い」

熊本と霧山が又来をなだめる。

「あのう……勤務中なんですけど」と、しずかはジャンケンの態勢に入ったみんなを制した。熊本が構わず言う。

「大丈夫、大丈夫……ジャンケン、ポン！」

しずかを除いたその場の全員が、熊本の掛け声に合わせて拳《こぶし》を突き出した。その瞬間、しずかは誰かが急に駆け寄ってきて、横をすり抜けるようにしながら、又来たちの輪の中に入るのを感じた。

「あ……!?」

霧山ひとりだけがチョキを出し、他はすべてグーだった。霧山はすぐに顔をしかめる。

「あいたぁ～……」

ところがよく見ると、グーを出している腕が、やはりひとつ多い。

「やった～!」と、奇声を上げて誰よりも喜んでいたのは、刑事課の蜂須賀《はちすか》だった。

「あれ？　蜂須賀くん、なんで喜んでるの？」

熊本がきょとんとした顔で訊く。蜂須賀は首を横に振った。

「うん？　知らない」

「いい加減だなぁ……刑事課の人間がそんないい加減なことでいいのか？」

「駄目でしょう……」と、蜂須賀は薄ら笑いを浮かべた。

蜂須賀は又来と同い年の三十八歳で、ふたりは警察学校の同期生だという。蜂須賀は決して人は悪くないが、とにかくいい加減な性格で、刑事課の中では少々浮いている。過去に大事件をひとつ解決に導いたことがあるらしく、本人はその一件で一生分の仕事をやりきったと思っているようだ。しずかと同じく頻繁に時効管理課に顔を出しているが、その目的が何なのかは、わからない。

いつまでも笑い続けている蜂須賀に呆《あき》れて、しずかたちが顔を見合わせていると、刑事課のデスクのほうから、蜂須賀を呼ぶ声がした。

「蜂須賀さん、ぼちぼち」

時効管理課のデスクに近づいてきたのは、刑事課の十文字疾風《じゅうもんじはやて》だった。

「お、刑事課の若きエース、十文字。トレンチコートが新しいねぇ〜」

又来がからかうように言うと、十文字はためらう様子もなく、照れてみせる。

「いやぁ……」

季節に関係なく、その日の天気にも関係なく、とにかく年がら年中、十文字は淡いベージュのトレンチコートを着込んでいる。それが刑事としてのこだわりらしい。正月に新品を買ったらしく、このところはこれでもかとばかりに見せつけているのだ。

「眉間《みけん》にしわ寄せてるねぇ〜」と、又来はさらにからかった。

「やめて下さいよ、又来さん！」

十文字がドンと又来の背中を叩《たた》く。力の加減というものがまったくわかってないのか、又来の細い体が長机に思い切り打ち付けられた。さっき霧山が積み上げた書類の山がグラリと揺れ、しずかと霧山は思わずそれを押さえる。

「また事件？」

熊本が尋ねると、十文字は渋い表情になり、小声で言った。

「これから、〝張り込み〟ってやつですわ……」

その横で、又来がしたたかに打ち付けた腕を痛そうにさすっていた。のたうち回っていた又来は、やがて背後の壁にかかっている時効管理課の黒板に近づくと、チョークを拾い上げる。黒板には又来の字で「十文字」と書いてあり、その横に書きかけの「正」の字があった。又来は必死に腕を伸ばし、そこに棒を一本書き加えた。どうやら、思いきりどつかれた回数、「四」を意味しているらしい。

「寒いのに大変ですね……」

しずかは、やや皮肉を込めてそう言ったが、十文字には通じなかったようだった。姿勢を正した十文字は、得意気な顔で、真っ直ぐしずかを指差す。

「ところが、三日月くん、張り込みは冬が最高なんだよ。張り込んでる時に、吐く息が白くなる。まさに男の張り込みじゃないか」

この十文字も決して悪い人間ではないのだが、なにしろ自慢話が多いナルシストで、勘違いした言動がとにかく目立つ。〝刑事課の若きエース〟には違いないが、三十三歳という年齢は本当に若いかどうか微妙なところだし、他にたいした人材のいない総武署の刑事課でエースと言ったところで、タカが知れているというものだ。本人はまったく悪気はないらしいが、何かと霧山のことをライバル視して小馬鹿にする発言が多いので、しずかはどうしても十文字によい印象を持てなかった。

そして案の定、十文字は、書類の山を床に下ろそうとしていた霧山に声をかけた。

「なぁ、霧山。お前もこんなところでスモークサーモンみたいにくすぶってないで、刑事課を目指せよ……ねぇ、ハチさん」

十文字は蜂須賀に同意を求める。蜂須賀はびっくりしたように見つめ返した。

「え？　あ、ごめん、全然聞いてなかった」

その時、十文字の携帯電話から『西部警察PART-II』のテーマ曲「ワンダフル・ガイズ」の着メロが、不意に流れだした。十文字は妙に勿体《もったい》ぶって電話に出る。

「もしもし、刑事課の十文字疾風です……何？　よし、すぐに行くから何とかしろ！　ハチさん、また犯行です！」

十文字は足早に出口に向かった。

「ねぇ、何の事件？」と、又来が蜂須賀に尋ねる。

「例の、全裸で逃げていく女の空き巣」

それを聞いて、又来は興味を失ったのか、机の上に置いてあった婚姻届を拾い上げた。

「あれ？　なんだよ……」

蜂須賀は悔しそうに独りごちながら、十文字のあとを慌てて追いかけた。ふたりの後ろ姿を見送りながら、サネイエがぽつりとつぶやく。

「なんか、損した気分ですよねぇ……」

時効管理課に再び静寂が戻り、又来が霧山の隣に腰を下ろした。

「さて、霧山くん……婚姻届に名前を書こうか」と、又来は霧山の前に婚姻届を滑らせた。

「えぇ〜……」

「ジャンケンで負けたじゃないか」

又来がきっぱりと言い切ると、霧山は渋々といった表情で、懐からペンを取り出した。

「わかりましたよ……」

しずかも霧山の真正面に腰を下ろし、ことのなりゆきを見守る。霧山は婚姻届の「夫」の欄にペンを走らせた。

「これ、意外とドキドキしますね」と、霧山が途中で顔を上げる。

「そういうことやってるから、刑事課とかに馬鹿にされるんですよ」

しずかは呆れてつぶやいた。熊本が笑みを浮かべる。

「平気なんだなぁ、これが。仕事は怒られない程度にやって、あとは趣味っていうのも、いい警察人生よ」

「そうですよねぇ」と、霧山。

「な～んか、志が低いなぁ」

しずかは呆れた。すると、熊本が急に思い出したように訊《き》く。

「そういや、霧山くんの趣味って、何？」

「あ……僕、趣味ないんですよ」

「えぇ～？　駄目だなぁ。趣味のひとつもないと、結婚できないぞ」

又来にそう言われ、霧山はまた顔を上げた。

「え？　そうなんですか？」

「そう、無趣味な男はケツの穴が小さい」

そう断言すると、又来は熊本のほうを見る。熊本が険しい表情で小さく首を横に振った。

霧山は不安そうな顔でつぶやく。

「まずいなぁ……なんか、いい趣味ありませんかね？」

「鶴でも折ったらどうだ？」

熊本がそう言って笑ったその時、交通課の後輩の下北沢《しもきたざわ》と吉祥寺《きちじょうじ》が、息を切らして駆け寄ってきた。

「あ、三日月先輩！」

下北沢が声を張り上げる。しずかは思わず立ち上がった。

「何？　どうしたの？」

すると、吉祥寺が屈託のない笑顔を浮かべた。

「駐車違反で車を取りに来たのが、ペ・サンジュンなんですって！」

「誰？　ペ・サンジュンって――？」と、熊本が怪訝《けげん》そうな顔でつぶやく。その言葉と同時に、又来がガバッと立ち上がり、出口に向かって駆けだした。やや遅れて、サネイエと霧山も同時に立ち上がる。下北沢と吉祥寺も慌てて出口に向かった。

「あ、しまった」

みんなが駆けていくので、熊本も焦った表情で立ち上がり、あとを追う。

「何なんだろう？」

一斉にいなくなったみんなの姿を目で追いながら、しずかはつぶやいた。そして、ふと机の上に視線を落とすと、ついさっきまで霧山がいたところに婚姻届が置きっぱなしになっている。もちろん、「夫」の欄には霧山の名前が書き加えられていた。

しずかは思わず辺りを見回した。時効管理課はもちろん、例の全裸空き巣騒ぎの影響で、刑事課にも人影はなかった。交通課に残っている同僚も、電話の応対で忙しそうだ。

しずかは誰も見ていないのを確認すると、書きかけの婚姻届を拾い上げ、ポケットに押し込んだ。


その夜、しずかはアパートの自分の部屋で、くすねてきた婚姻届を机の上に広げた。もやもやとした思いを吹き飛ばすように大きく息を吐くと、しずかはおもむろにペンをとり、霧山の名前が書かれてある隣の「妻」の欄に、自分の名前を記入した。

「霧山……しずかさん」

なんとなく、そう口に出してみる。しずかは初めて男性に告白した時のように、ドキドキしていた。つい笑みがこぼれたが、ふと、傍らに置いてある姿見に自分の姿が映っているのに気づいて、顔を強張《こわば》らせた。

「馬鹿か私は……つきあってもないし」

しずかは急に冷静になって、机に突っ伏した。

「う〜ん、苦しい〜なぁ、も〜う」

ふたりの名前が入った婚姻届を脇に寄せ、しずかはそのまましばらく動かなかった。

同じ頃、霧山もアパートの自分の部屋で、ぶつぶつと独り言を言っていた。

「……趣味かぁ……趣味ねぇ……趣味なぁ……」

霧山は黙々と手を動かしながら、何度もそう繰り返す。熊本に言われた通り、鶴でも折ってみることにした霧山は、署からの帰り道、文房具店で折り紙を大量に買い込み、夕食後、延々と鶴を折り続けていたのだ。

ふと手を止めた霧山は、でき上がった折り鶴を傍らに追いやり、机に突っ伏した。

「趣味かぁ……」

何度目かもわからなくなったその言葉をまた口にして、霧山もそのまましばらく動かなくなった。


翌日、出勤したしずかは、時効管理課の辺りがまた騒がしくなっていたので、思わず近づいた。見ると、長机に上った霧山が、巨大な七色の千羽鶴の束を照明のところに括《くく》りつけているところだった。

「何やってるのよ、みっともない」と、しずかは声をかけた。しかし、霧山は作業に夢中なのか振り返りもしない。熊本が代わりに答えた。

「霧山くんがね、願いごともないのに千羽鶴だって」

「おかしな話なのよ」

又来も呆《あき》れ顔でつぶやく。すると、霧山がようやく手を止めて振り返った。

「あ……願いごと、ありましたよ」

「え？　何の？」と、又来が食いつく。霧山は真顔で答えた。

「なんか、いい趣味ができますように――」

「なんじゃ、そりゃ」と、熊本が呆れた。

「とにかく降りなさいよ」

しずかは霧山を促す。するとそこに、サネイエがファイルを抱えて戻ってきた。

「検察からです」

サネイエは熊本にファイルを手渡した。

「お、また時効？」と、熊本が嬉《うれ》しそうに目を輝かせる。

「最近多いですよねぇ」

サネイエが無表情につぶやいたが、熊本はそれには構わずファイルをめくった。

「あ～、この殺しかぁ。懐かしいなぁ～」

すると、相変わらず机の上に仁王立ちになっていた霧山が、突然奇声を上げた。

「あぁ！」

思わず、その場の全員がびっくりして霧山を見上げる。

「……どうしたの？」と、しずかが訊くと、霧山はあたふたと机から降り立った。

「これを趣味にするのは、どうかな？」

霧山はそう言って、熊本が手にしたファイルを覗《のぞ》き込んだ。

「何の話？」

「だから、こういう時効になった事件を調べて、真相を突き止めるんだよ」

「なんで？」

「趣味で」

すると、熊本が合点したように言う。

「あ、わかった！〝漁師の趣味が釣り〟ってことだ」

「なるほど！」

又来も合意する。

「わかりやすいですね」と、サネイエ。霧山は得意気にうなずいた。

「うん、わかりやすい」

「全然、わからないですよ！」

しずかは四人で納得している霧山たちに割って入った。しかし、熊本は意に介した様子もなく、引き出しから判子を取り出す。そして熊本は、書類を綴《と》じたファイルの表紙に、バンと大きな音を立てて判子を押した。

ファイルの表紙には「西総武市における料理学校理事殺人事件（事件発生平成三年一月五日）」と書かれている。たった今、判子で押されたばかりの「時効」の文字が、そこに朱色で浮かび上がっていた。

昼休みになり、しずかは霧山に誘われ食堂にやって来た。ビーフシチュー定食を頼んだしずかは、麺類《めん》のコーナーで丼《どんぶり》を受け取った霧山が近づいて来たので、中身を覗き込んだ。

「また、素うどん？」

トレイの上に載っているのは、何の具も入っていないただの素うどんだった。ご丁寧に、霧山はネギすらも入れていない。

「そう」と、ためらいもなくうなずき、霧山は窓際の席に向かった。しずかもあとに続く。

「どう思う？」

空いている席を探しながら、霧山がそう尋ねた。

「何が？」と、しずかは思わず聞き返す。

「時効の事件を調べるのって」

霧山は、こともなげにそう口にした。

「やめなさいよ。そんなことしたってつまんないでしょう」

「いや、面白いよ。こう、一万粒の仁丹《じんたん》の中から、たった一粒の宇津救命丸《うづきゅうめいがん》を探す……感じ？」

そう言いながら、霧山は窓を背にして座った。しずかも向かい側に腰を下ろす。

「あのね、日本の優秀な警察をもってしても時効なのよ。そんなもん、趣味で解決できるわけないじゃない」

すると、霧山はやけにあっさりとうなずいた。

「まぁね」

「え……!?」と、しずかは霧山を見つめた。目の前で割《わ》り箸《ばし》を割った霧山が微笑む。

「解決できなくてもいいんじゃない？　趣味なんだからさ」

呆気《あっけ》にとられているしずかを横目に、霧山は小脇に抱えてきたさっきのファイルをテーブルに置き、表紙をめくった。うどんをすすりながら資料を目で追い、ページをめくっていく。しずかは、そんな霧山の様子を黙って見つめていた。

やがて、霧山が顔を上げる。しずかは、何故か気まずくて目を逸《そ》らした。照れ隠しにシチューを口に運んでいると、霧山が不意に説明を始めた。

「西総武市で、十五年前に起きた殺人事件なんだ……被害者の名前は曽根崎大輔《そねざきだいすけ》。背後から包丁のような鋭利な刃物で刺されて死亡しているところを、自宅で発見された。凶器は犯人が持ち去ったのか見つかっておらず、室内に特に物色された様子はなかった……」

霧山がページをめくる。しずかは食事も忘れて、彼の説明に聞き入った。

「死体の第一発見者は、夜十時頃に帰宅した被害者の妻、曽根崎ひろみ……彼女はその後再婚して、今は、笠松《かさまつ》ひろみというらしい」

その名前を聞いて、しずかは思わず声を上げた。

「え？　笠松ひろみって……あの笠松ひろみ？」

「知ってるの？」と、霧山はうどんを箸で持ち上げたまま、びっくりした表情でしずかを見つめた。

食事を終えたしずかは、霧山を連れて近所の本屋へ向かった。料理本のコーナーを探し、棚に並んだ中から一冊の本を取り出す。しずかはそれを霧山に差し出した。

「この人でしょう?」

〝笠松ひろみ〟の名前が大きく印刷され、微笑む女性の写真が載っている。笑顔の横には「家庭料理のカリスマ」という見出しが書かれていた。

「へぇ……こんな有名人なんだ」

霧山がぱらぱらとページをめくりながら、感心したようにつぶやく。しずかは目の前の棚に並ぶ、笠松ひろみが表紙を飾った本や雑誌を眺めた。

「彼女が注目されはじめたのは、バブル景気が終わった頃。高級料理に飽きてきた日本人が、もう一度、家庭料理に惹《ひ》かれるようになった……そんな時代にはまったのね」

「この人は?」

霧山がページをめくっていた手を止めて、ある写真を指し示した。笠松ひろみの横で、小太りの中年男性が微笑んでいる。その顔にもしずかは見覚えがあった。

「今のご主人の笠松道夫《みちお》さんよ……もともとは彼女の料理学校のスタッフだったんだけど、今や笠松ひろみの右腕として、なくてはならない存在。彼女がここまで有名になったのも、彼のおかげだそうよ……ご主人のために愛情料理を作り続けてるって話だったけど、笠松ひろみにそんな過去があったなんてね……」

霧山はしずかの言葉にもあまり反応せず、ずっと何か考えているようだった。

署に戻ってからも、霧山はずっと捜査資料とにらめっこを続けていた。その影響で事件そのものに関心を示した又来たちに、しずかは事件の概要や笠松ひろみのことを一から説明する羽目になってしまった。

「笠松ひろみも、容疑者のひとりだったんでしょう？」

又来に訊《き》かれ、霧山がうなずく。

「ええ……でも、完璧《かんぺき》なアリバイが成立しています」

「完璧なアリバイって？」と、サネイエ。

「殺人があった時刻に、別の場所で目撃されてるんです」

すると、机の周りをうろうろと歩き回っていた熊本が不意につぶやいた。

「完璧なアリバイは、アリバイじゃないかも……」

しずかは気になって訊いた。

「え？　なんでです？」

「いや、なんとなく……」

熊本は窓の外を眺めて腕組みした。又来もつぶやく。

「やっぱり、完璧なアリバイは作り物かも……」

しずかは又来にも訊いた。

「なんでです？」

「いや、なんとなく……」

「もう、さっきから、なんとなく、なんとなくって——」

しずかは口をとがらせた。サネイエが妙に醒《さ》めた口調で言う。

「いいんじゃないいんですか。霧山さんの趣味なんだし」

「そうだね」と、霧山も何故かさばさばしている。

「お願いだから、もう少し実のある話をしましょうよ」

しずかがそう言うと、熊本が急に笑いだした。

「三日月くんは固いなぁ〜」

「そう、貝みたいだもの。君はアサリか？」

又来がおどけて言う。霧山もうなずいた。

「ちょっと、そういうところがありますよねぇ」

みんなが一斉に笑いだす。

「笑うな！」と、しずかは声を張り上げた。

それからしずかは、後輩の神泉《しんせん》とコンビで、駐車違反の取り締まりに出かけた。神泉は警察学校を出たばかりの新人で、まだ研修期間中の若造である。幹線道路の路肩に違法駐車している車を見つけたしずかは、通り過ぎたところでスクーターを停めた。

「じゃあ、やって」と、しずかが違法車輛《しゃりょう》を指差すと、神泉はスクーターから降りてしゃがみ込み、チョークでタイヤに印をつけはじめた。

「あの……三日月さん」

神泉が手を止め、こちらを見上げる。しずかはぶっきらぼうに返事をした。

「何？」

「あの……時効管理課って、なんの仕事をしてるんですか？」

そう言いながら、神泉はチョークを持つ手に力をこめたが、チョークはアスファルトの上で真っ二つに折れてしまった。神泉は慌てて、自分のスクーターの荷台から新しいチョークを取り出す。

「なんか、時効になった事件の資料の後処理とか、遺留品の返却手続きとかやってるみたいよ」と、しずかが言うと、神泉は再びタイヤの傍らにしゃがみ込んだ。

「なんだか、ふにゃ～んとしてますよね、全員」

そして、地面に時刻を記録しようとした神泉は、再びチョークを折ってしまった。

「あ……」

ふにゃ～んとしてるのは、お前だろ！　と、しずかは心の中で毒づいた。

その晩、仕事を終えたしずかは私服に着替えて、とぼとぼと署の玄関から出てきた。真冬の陽が傾くのは早く、辺りはすでに真っ暗だった。

「あ、三日月くん――」

背後から声をかけられ、しずかは振り返った。霧山が自転車に乗って近づいてくる。しずかは思わず笑みがこぼれた。

「今日は早いのね」と、しずかが言うと、霧山はふてぶてしい笑みを浮かべる。

「残業なんてしてる暇ないよ……趣味ができたからさ」

「ちょっと……ホントに余計なことはやめなさい」

「どうして？」

「だって、時効の事件なんだから、関係者だって、もう首突っ込まれたくないでしょう」

「そうかなぁ……犯人は案外、調べてもらいたいと思ってるかも」

「そんなわけないでしょう。駄目よ。そんなことする権利ないわよ」

「まぁ、そうなんだけどさ」と、霧山は案外、素直に同意する。

そして、しずかはフラフラと不安定に蛇行している霧山の様子に気づいた。

「あ、私なら気にしないで、先に行って」

しずかがそう声をかけると、霧山は呑気《のんき》な声で返事をした。

「あ、そう……ねぇ、今度の日曜日、何やってる？」

「いや……別に」と、しずかは少し考えて答えた。

「ちょっと、付き合ってくれないかな？」

しずかは、思わず霧山を見つめ返した。

「え？　いいけど……」

「じゃあ、なんとな〜く、空けといて」

霧山はそう言い残すと、自転車のスピードを上げ、走り去った。しずかはしばらく事態が飲み込めずにいた。

「……あれ？　あれ？」

そして、ようやく実感が湧いてきたしずかは、思わずガッツポーズをした。

「……お！　おっしゃあ！」

アパートに帰った霧山は、たまたま点《つ》けたテレビでやっていた料理番組に、笠松ひろみが出演しているのに気づき、しばらくそれを眺めていた。画面の中の彼女は手際よく料理を進めながら、アシスタントの女性に笑顔で説明を続けている。

「結局、家庭の味というのは、自分で作るんじゃなくて、一緒に暮らすご主人との共同作業で生まれるものなんですよね」

「あ〜、なるほどぉ。さすが、笠松さん、深いですね」と、アシスタントが相槌《あいづち》を打つ。

笠松ひろみは、今や〝カリスマ主婦〟とも呼ばれ、全国的に有名な料理研究家として、マスコミに引っ張りだこだ。バブル期にはあまり顧みられなかった家庭料理のレベルを、格段に飛躍させたのが笠松ひろみだと言われているらしい。殺人事件が起こった十五年前は、料理学校がようやく軌道に乗り、まさに彼女が家庭料理研究家としてスタートラインに立った頃だったのだ。

霧山はベッドに寝転がって、捜査資料にもう一度、目を通した。

当時、この事件を追った西総武署の捜査員たちが注目していたのは、殺された曽根崎大輔の愛人問題だった。クラブのホステスをしていた水岡由起子《みずおかゆきこ》という女性が、曽根崎と愛人関係にあったのである。そのこともあり、捜査員は笠松ひろみの事件当日の動きも徹底的に調べたが、彼女には完璧なアリバイがあった。

笠松ひろみは事件の一年後に、料理学校のスタッフだった現在の夫、笠松道夫と結婚し、翌年、長男を出産している。もちろん、笠松道夫にもアリバイが成立していた。

「なるほど……」

霧山はファイルを閉じ、もう一度、テレビに目を向けた。笠松ひろみがにっこりと微笑みながら、器に盛りつけた料理を指し示している。霧山はじっと画面を見つめた。


日曜日になった——。

しずかは、電話で連絡を受けた私鉄の駅で、霧山が来るのを待っていた。少し早く着きすぎたが、しばらく待っていると、ほぼ約束の時刻に霧山は現れた。

「やぁ」と、どこか間の抜けた調子で、霧山が声をかける。中途半端にぼさぼさの髪の毛は相変わらずだが、制服に比べれば私服のセンスはまあまあだ。そして霧山は、トレードマークのようでもある黒縁のダサイ眼鏡を、今日はかけていなかった。

「今日は眼鏡かけてないんだぁ」

しずかがそう言うと、霧山は妙にはっきりした口調で答える。

「やっぱ、日曜日に眼鏡かけるっていうのは、どうもなぁ……イギリス人じゃないんだから」

「イギリス人……？」

しずかは首を傾げながら、口の中で声に出さずにつぶやいた。

ホームに向かって歩きだした霧山のあとを追うと、やがてホームに電車が滑り込んでくる。乗り込んだふたりは、ガラガラの座席に並んで腰かけた。

「ねぇ、日曜日に眼鏡をかけると、イギリス人っぽいの？」

しずかは我慢できずに訊《き》いた。

「イギリス人っぽいねぇ」と、霧山はこともなげにうなずく。

「あ、そう……ねぇ、どこに連れていってくれるの？　海の見えるレストラン？」

しずかは微笑んで、霧山を見つめた。すると、霧山は首を横に振る。

「ううん……犯行現場」

「は？」

「いや、ひとりで聞き込みとかは陰気くさいし……女の人がいたほうが何かといいからさ」

「ちょっと！　それどういうことなの？　デートじゃないの？」

しずかは思わず声を荒らげたが、霧山はどこ吹く風とばかりに、窓の外を流れる景色を見つめていた。


電車に揺られ、ようやく降り立った駅から歩くこと二十分。たどり着いたのは、西総武市内の北の外れにある田舎町の小さな駐在所だった。ふくれっ面のしずかとちょっと楽しそうな霧山を、初老の制服警官が出迎える。

「林田さん……ですよね」と霧山が尋ねると、林田というその警官はふたりを招き入れた。そう広くはない駐在所の中は、ごちゃごちゃとした物であふれている。壁には「検挙は謙虚に」とか「逮捕のためには退歩あり」という意味不明な手書きの標語があちこちに貼られていた。

霧山が渡した名刺を、林田は目を細めて見つめる。

「総武警察の……雲……霞《かすみ》……霰《あられ》……？」

「霧山です」

「あぁ〜、霧ですかぁ。失礼しました……普段は眼鏡を使うんですが、日曜日ぐらいはね。イギリス人じゃないんだから」

林田がそう言って笑う。

「え……？」と、しずかは思わず顔をしかめた。霧山はなんでもないように林田と笑い合っている。なんなの、この人たち？

「この事件はね、私が刑事課で担当した最後の事件なんですよ……確か、時効になったとか？」

「ええ……つい先日」

霧山がそう答えると、林田は座り直し、深くうなずいた。

「まぁ、物盗《と》りの犯行でもないし、争った様子もない。顔見知りの犯行ですよ、明らかに」

「でも、容疑者の特定には至らなかった……」

「お恥ずかしい限りです」と、林田は頭を掻《か》く。

「奥さんの、笠松ひろみさんは？」

「当然、容疑者の筆頭に挙げられてました。あの頃、笠松ひろみさんとご主人の大輔さんの間は冷え切ってましたからね……お嬢さん、私の口、臭いですか？」

いきなり林田は話の腰を折り、しずかの顔を見つめてそう言った。しずかは面食らって、ぽかんと見つめ返す。確かに、さっきから刺激臭がこの部屋に漂っていた。

「あ、はぁ……いえ」

すると、林田は表情を曇らせた。

「いや、臭いんですよ……昨日、うっかり大量のニンニクを食べましてね。さっきから、若いお嬢さんを前にして気にしてたんですよ。匂いませんか？」

「いえ、大丈夫です」と、しずかは答えたが、匂わないと言えば嘘になる。

「いや、でも、この狭い部屋だと臭いでしょう」

そして、林田はおもむろに立ち上がると、駐在所の奥の部屋に向かって声をかけた。

「おい、ちょっと……口が臭いから、出てくる」

それから、林田はしずかと霧山を促し、駐在所の表に出た。一度、建物の裏に引っ込んだ林田を待っていると、やがて彼が自転車を押しながら戻ってきた。

「いや、お待たせを……別に自転車はいらんのですがね、駐在所のおまわりさんは自転車を押してないと恰好《かっこう》つかんのですよ」

「あぁ〜、なるほどぉ」と、霧山がうなずく。

そして、しずかと霧山は、自転車を押す林田と並んで歩きだした。

「奥さんの笠松ひろみさんには、アリバイがあったそうですね？」

霧山が重ねて訊くと、林田はまたうなずいた。

「それが、不思議なんですなぁ……事件直後には、奥さんのアリバイはなかったんですよ。数日経ったところで、奥さんのアリバイを証言する者がね……」

「出てきた……？」

「ええ。殺害があった時刻に、駅で奥さんを目撃してる人物がおったんです」

「その人は？」

「水岡由起子という女性で、これがあなた、曽根崎大輔の愛人なんですなぁ……水岡由起子は、駅の反対側のホームに立っているひろみさんを、確かに見たと言うんですわ」

「それじゃあ……」

霧山が口ごもると、林田がなおも語気を強めた。

「そう、結果的には、愛人が本妻のアリバイを証言する形になったんですわ……あ、いや、すいません」

林田はまた匂いを気にしたのか、口を押さえた。しずかは横から口を挟む。

「水岡由起子が共犯者ってことは……？」

「可能性すらありません。事件が起こるまで、ふたりを結びつけるものは何もない。笠松ひろみと水岡由起子は、面識すらありません」

「誰も知らない接点があった可能性は？」と、霧山。

「当時、私もそれを必死で探してみたんですが、その可能性はゼロでした……いやぁ、捜査本部の指示に従わず、こだわったおかげで、今じゃ、口の臭いおまわりさんです……ハハハハハハ」

林田は豪快に笑った。そのおかげで吐息が直撃したのか、霧山がむせて咳《せ》き込む。林田はそこで立ち止まり、一軒の屋敷を指差した。

「……ここが犯行現場です。今は空き家です」

しずかと霧山は、立入禁止のロープが張られ、ところどころ朽ちかけているその屋敷をじっと見つめた。

林田の説明をひと通り聞き終えると、霧山は、今度はバスで笠松ひろみの家まで行くと言う。しずかはバス停のベンチに腰を下ろし、飲み物を買ってくると言って自動販売機を探しに行った霧山を待っていた。悪臭からは解放されたが、今度は寒さが身にしみる。やがて、霧山が缶を二本、手にして戻ってきた。

「どっちがいい？」と言って、霧山が差し出したのは、缶入りの甘酒とお汁粉だった。

「なんで、この二種類なの？」

しずかが呆《あき》れてそう言うと、霧山は口ごもった。

「え？　駄目？」

「もう、いいです……いただきます」

しずかはお汁粉を選んで受け取った。

「どうぞ」と、霧山は隣に腰を下ろし、甘酒の蓋《ふた》を開ける。しずかは釘《くぎ》を刺した。

「言っとくけど、これはお茶には入らないからね」

「わかってるよ」

「あとで、ちゃんとお茶するからね」

「わかりましたよ……あ、これから行く笠松ひろみの家で、お茶が出たらどうする？」

「そういうことじゃなくて！」

そこにバスが近づいてきたので、しずかは話を続けるのをやめて、立ち上がった。

笠松ひろみの家はさすがに豪華だった。古い日本家屋を改造したらしいその家は、どことなく和の香りを残しつつ、使い勝手がいい現代的な機能性を同時に有している。案内されたダイニングには、ヨーロッパ風の調度品がいくつも並んでいた。

「すみませんね、バタバタしちゃって……これから新しい本の撮影なの」

笠松ひろみはエプロン姿で慌ただしくキッチンとダイニングを行き来しながら、そう言った。そして彼女は、料理が載った大皿を霧山の目の前に差し出す。

「ほら、茄子《なす》を甘辛く煮たの。美味《おい》しそうでしょう？　でも、ごめんなさいね～……これも撮影用なの。食べてもらえないのが、本当に残念」

「いえ、お気遣いなく……」

霧山は軽く手を振った。茄子の甘辛煮をテーブルに置いた彼女は、ようやく落ち着いたのか、丁寧にお辞儀をした。

「どうも、笠松ひろみです」

にこやかに微笑む彼女を見つめ返し、霧山はポケットから名刺を取り出した。

「あ、総武警察の霧山です……こちら、三日月くんです」

怪訝《けげん》な顔で霧山の名刺を眺めていた笠松ひろみは、慌てて椅子を指差す。しずかと霧山は会釈をし、料理が並べられたテーブルを挟んで、彼女と向かい合って腰かけた。

「前の主人の事件のことだとか……」と、笠松ひろみが尋ねる。

「はい」

「先日、時効になったと、警察の方から連絡いただきました」

そこで、霧山は彼女の顔色を窺《うかが》うようにして、話しだした。

「最初にお断りしておくと、これは私の個人的な趣味で、お話を伺いに来ました」

「え？　趣味？」と、笠松ひろみが驚いたような声を出す。

「はい……趣味で捜査しています」

「ああ、そう……趣味でも、嬉《うれ》しいわ。時効になったから、もう事件は解決しないと思っていました。私でご協力できることでしたら、なんでも……」

彼女は明らかに面食らっていたが、気を取り直したように笑みを浮かべる。霧山は軽く頭を下げた。

「ありがとうございます……では、単刀直入にお伺いします。奥さんは、当時、殺されたご主人に愛人がいたことは、ご存じでしたか？」

いくらなんでも単刀直入すぎるって……！　しずかは呆れた。しかし、笠松ひろみは気丈に振る舞いながら答える。

「実は、うっすらとは……洗濯機のごみ取りネットってあるでしょう？」

「ごみ取りネット？」と、しずかと霧山は同時に聞き返した。

「ほら、洗濯機についているやつ。あれにね、髪の毛とか糸くずが溜《た》まるでしょう……その中に、私のものでない髪の毛が、何本か混ざるようになったんです」

なるほど……と、しずかは心の中でうなずいた。

「その頃、私は料理学校のほうが忙しくて、正直、曽根崎のために料理を作る時間もなくて……」

「ご主人のお仕事は？」と、霧山。

「一応、私の料理学校の理事をしてもらってたんですけど、名ばかりでしたから、あまりやり甲斐《がい》はなかったと思います」

そこで霧山は咳《せき》払いをひとつした。

「あの……少し立ち入ったことをお伺いするようですけど、殺されたご主人とのセックスは、いつ頃まで……？」

笠松ひろみは唖然《あぜん》として、霧山の顔を見つめ返していた。しずかも呆れて言葉も出ない。ただ沈黙だけが流れ、それを破ったのは不意に入ってきたひげ面の男性だった。

「ひろみさん、ちょっと……」

男性は彼女の夫の笠松道夫だった。霧山も本で見た写真を思い出したのか、納得したような表情を浮かべている。

「あ、はい……ちょっと、ごめんなさい」

笠松ひろみは引きつった笑顔で立ち上がった。彼女がダイニングから出ていくのを見届けると、しずかは霧山を小声でたしなめた。

「立ち入りすぎよ！」

「いや、まぁ、そうなんだけど……」と、霧山は曖昧《あいまい》にうなずく。そして、目の前に並んだ料理を見回し、茄子の甘辛煮を一本、指でつまみ上げた。

「ちょっと！」

しずかが止めるのも聞かずに、霧山は茄子を一口で頬張る。口をもぐもぐさせながら霧山がしずかのほうを見たその瞬間、笠松ひろみが戻ってきた。

「ごめんなさい、もう出版社の方がいらっしゃるみたいなの」

そう言われて、霧山は不自然に口を閉じたまま、ゆっくり立ち上がった。しずかは喋《しゃべ》ることができない霧山に代わって、頭を下げた。

「あ、いえ、お邪魔しました……」

玄関先まで見送られても、霧山はまだ口の中をもぐもぐさせていた。

「ぜひ、またいらしてね。今度はちゃんと趣味に付き合うから」

笠松ひろみに見つめられ、霧山はまた黙ったまま会釈をする。

「いえ、こちらこそ、急にお伺いしてすみません」と、しずかは代わって答える。

「せめて、犯人がどこの誰かわかれば、主人の供養にもなりますから……」

しみじみとつぶやく彼女に、霧山はもごもごと言葉にならない声を発した。「失礼します」とでも言ったつもりなのだろう。霧山はそれで、さっさと歩きだした。

笠松ひろみの家からの帰り道、ようやく口の中の茄子を飲み込んだ霧山がつぶやいた。

「あの人……嘘ついてるな」

「え？　なんでわかるの？」

「いや、話してる途中で髪形、変わったからさ……」

「へぇ、気づかなかっ……ていうか、人って嘘つくと髪形変わるの？」

しずかは驚いて、霧山の顔を見つめた。

「変わる、変わる……嘘つくと頭に汗かくだろう。そうすると、湿気で髪が全体に広がるじゃない……あ、ほら、辛いもの食べると、髪形が変わるのと同じだよ」

「ますます、ごめん……辛いもの食べると、髪形変わるの？」

しずかがおそるおそる訊《き》くと、霧山は微笑んだ。

「変わるでしょう」

あまりに自信たっぷりに霧山が言うので、少し遅くなった昼食はカレー屋に行くことになった。たまたま見かけた駅前のカレー屋は激辛カレーが売りらしく、実験にはちょうどいい。頼んだカレーが届き、しずかはスプーンで一口すくった。

「まさか、あり得ないと思うけど……」

カレーを口に運んだしずかは、舌を刺激する辛さに顔をしかめた。

「うわ、カラ……」

すると、霧山がしずかを見つめた。

「ほらぁ」

「え……？」と、しずかは頭に手をやった。自分ではよくわからなかったが、そう言って頭を指差している霧山の髪形は、確かに微妙に変わっていた。

ふたりが次に向かったのは、水岡由起子が住むマンションだった。かなり築年数の古そうな安普請のマンションの四階に、水岡由起子の部屋はあった。玄関のチャイムを押すと、ドアが少しだけ開き、中から女が顔を覗《のぞ》かせる。

「あの……水岡由起子さんですよね？　先日、お電話した保険会社の者ですが……」

霧山は自分の身分を隠して、そう言った。女はしばらく考え込む。

「……ああ、私になんか訊きたいことがあるんやね」と、女は関西弁のイントネーションで答えると、少し扉を余計に開け、顔をぴょこんと突き出した。

「なあ……セニョールは、タバコ持ってへん？」

「いや、僕は……」

霧山が首を横に振ると、女はしずかのほうに向き直った。

「セニョリータは？」

「私？……も、ありません」と、しずか。

「じゃあ、悪いんだけど、タバコ買《こ》うて来てくれへんかな？　出てすぐのところに自販機あるから」

「いいですよ……三日月くん、頼む」

すると、「えぇ〜……」と、しずかが抗議の声を上げる。

「悪いねんけど、立て替えといてくれへんかな？　キャスターマイルド」

女はまったく悪びれずに、そう言った。

「いいですよ」

霧山がそう言って手を横に振ると、しずかが「えぇ〜」と、なおも口をとがらせた。

「お願いします」

「もう！」と、しずかは不貞腐《ふてくさ》れた態度でエレベーターに向かった。霧山は改めて、水岡由起子のほうに向き直る。

「お伺いしたいのは、曽根崎大輔さんのことなんです……」

すると、彼女は慌てたように中に引っ込もうとした。

「え？　私は、何も知らんよ」

霧山はドアノブをつかみ、扉を押さえた。

「いえ、実は、あなたに曽根崎さんの保険金の一部が払われる可能性が出てきました」

水岡由起子は今度は俄然《がぜん》身を乗り出し、表の廊下まで出てきそうな勢いだった。

「それ、早く言うてや……あの事件のことでしょ。いろいろ知ってるよ」

霧山は苦笑いを浮かべた。

「水岡さん、あの時、笠松……いや、当時は曽根崎ひろみさんを駅で見かけたとのことですが、あなた自身を駅で見たという証言は、どなたが？」

「駅員さん……私、あの日ね、乗り越ししとって、改札で精算しとったんよ。ほんで、覚えとったみたいやわ」

「そうですか……ちなみに、大輔さんのお葬式には行かれました？」

するとと、彼女は怪訝《けげん》な顔で見つめ返す。

「保険に関係あんの？」

「はい」

「それはやねぇ……奥さんに悪いやんか。ああいう場所って行きにくいんよね、愛人は」

「なるほど……あの、失礼ですが、今、お仕事は？」

「保険に関係あんの？」と、水岡由起子は繰り返す。

「もちろんです」

「お店辞めたんよ、昨日。あんな給料じゃ、やってられへんもん……」

彼女は急にしなを作ったようにして、霧山に媚《こび》を売った。霧山がなだめていると、そこにしずかが戻ってきた。

「はい」と、しずかが差し出したタバコを見て、水岡由起子が血相を変える。

「いや！　これキャスターやんか！　キャスターマイルドって言うたやん！」

まくしたてる水岡由起子に、しずかはぽかんと口を開け、肩をすくめた。

水岡由起子の話を聞き終え、霧山としずかはエレベーターホールに向かった。しずかはまだ不貞腐れている。

「ディナーはイタリアン以外はあり得ないからね」

「そんなに怒るなよ」

霧山はしずかをなだめようとしたが、焼け石に水だった。

「だって、何よ、あの態度！」

ちょうどその時、到着したエレベーターの中から、山積みの段ボール箱を抱えた宅配便の業者が降りてきた。ところが、何かでバランスを崩したのか業者の体がよろけ、一番上の段ボール箱が霧山を目がけて滑り落ちてきた。

「あ……！」

霧山は咄嗟《とっさ》に段ボール箱を受け止めた。ずしりと重い感触が全身に伝わる。その時、箱に貼られた伝票が目に入った。宛先は水岡由起子だった。

「どうもね」と、残りの箱を抱えた業者がつぶやく。霧山は「いえ」と答えて、その箱を上に重ねた。箱の側面にはイラスト入りで「那須《なす》の茄子《なす》」と書かれている。

「幸せも、こんなふうに手に入るといいのにね……」

宅配便の業者はすれ違いざまにそう言い残し、配達に向かっていった。

翌日、すでに出勤していた霧山は、しずかと又来が会話しながら近づいてくるのに気づいた。又来がつぶやく。

「昨日、ヨガやったらさ、腰から変な音出ちゃった……」

「どんな音ですか？」と、しずかの声。

「〝ナシ！〟って……で、成果は上がったの？」

「まったく。そんなの無理に決まってますよ」

「なんだか、面白そうじゃない？」

「全然！　もう絶対付き合わない！」

しずかはかなりへそを曲げている様子だった。又来がゆっくり自分の席に座る。

「おはよう……！」と、しずかの声がした。霧山はおそるおそる顔を上げる。

「おはよう、です」

「昨日はイタリアンな立ち食いうどん、ごちそうさまでした」

「ああ、気にしないで……あのさ、今度の土曜日、何やってる？」

霧山がそう尋ねると、しずかはぶっきらぼうに言い放った。

「仕事」

「そうかぁ、日曜日は？」

「法事」

「じゃ、今日の夜は？」

「残業」

それだけ言って、しずかは交通課のほうへと歩き去る。

「そうかぁ……」と、霧山は小さくつぶやいた。

しずかに見捨てられたので、霧山はその日の夜、仕方なくひとりで駐在所の林田を再び訪ねた。今日は林田も眼鏡をかけている。霧山がもう一度、十五年前の事件のことを尋ねると、林田は引き出しから一枚の写真を取り出した。

「若いでしょう。十五年前の私ですよ」

写真を手渡された霧山は、今の林田と見比べたが、写真の中の林田はいかにも刑事ふうのコートを着ている以外、ほとんど今と変わりはなかった。

「ええ、まぁ……」と、霧山が口ごもっていると、林田が思い出したようにつぶやく。

「え〜と、それで、水岡由起子のその後でしたよね？」

「ええ。曽根崎大輔氏が殺されたあと、どうしていたのか……」

「水岡由起子は……ああ、事件のあとすぐに、隣町のクラブでホステスとして働きはじめてますな。援助がなくなったわけですね。いくら愛人といえども、一種の雇用者ですからねぇ」

林田は資料をパラパラとめくって、そう答えた。

するとその時、駐在所の入口のドアが開き、学生服を着た中学生くらいの男の子がひとり、入ってきた。霧山は思わず会釈《あいさつ》するが、その子は黙って目の前を通りすぎる。

「こら、伸一《しんいち》……なんで挨拶しないんだ」と、林田が呼びかけた。伸一と呼ばれたその子は、ゆっくり振り返る。

「こんばんは……」

つかつかと霧山に歩み寄った伸一は、まるで頭突きでもするかのような勢いで、頭を下げた。霧山は面食らったが、すぐに「こんばんは」と返す。伸一はそのまま奥の部屋に入っていった。

「息子の伸一です。ボンクラで困っとるんです」

「いや、賢そうな顔でしたよ」

「いやいや……笠松さん家《ち》の士郎《しろう》くんは神童だっていうのに、ウチのは、地を這《は》うように匍匐《ほふく》前進ですわ」

そう言って、林田は苦笑いを浮かべる。霧山は思わず聞き返した。

「士郎くんって、笠松ひろみの息子さんですか？」

「ええ、同級生なんですよ」と、林田はあっさりと答える。

「そんなに優秀なんですか？」

「何をやっても学年で一位。やっぱり食い物がいいんでしょう」

林田につられて、霧山も苦笑した。

「ところで、笠松ひろみは事件後、すぐに料理学校を再開したんですか？」

霧山がそう訊《き》くと、林田はまたメモに視線を落とした。

「え〜と、彼女は事件後……あ、そうそう、二年ほど長野県のほうに移ってますね」

「え？　二年も？」

何かが霧山の中で引っ掛かった。

その足で、霧山は水岡由起子のマンションも再び訪れた。玄関チャイムを押してみるが、返事はない。霧山は玄関横の電気のメーターに目をこらしてみたが、メーターは、まったく回ることなく、止まっているようだった。

それから霧山はマンションの裏手に回り、ゴミ置場に積み上げられた燃えないゴミを片づけている管理人ふうの男性に声をかけた。

「あのぅ、お忙しいところを……」

「はい」と、振り返ったその中年男性は、妙にシュッとした顔立ちの二枚目だった。

「あれ？　管理人の方……？」

「そうですよ。管理人っぽくないですか？」

霧山はおそるおそる尋ねた。男性はうなずく。

「ええ、まぁ」

「管理人にしては、いい男だから？」

「いや、まぁ」

「失敬な！」と、その男性は急に声を荒らげた。

「あ、すいません……あの、四〇二号室の水岡由起子さんは……？」

「水岡さんなら、昨日、引っ越しましたよ」

「え？　昨日？　本当ですか？」

「凄《すご》い引っ越しでしたよ。家財道具は全部捨てて、持っていったのはスーツケースひとつだけ。全部、買い換えるんだそうです。こんなご時世に景気のいい話だ！」

「あの……捨てたものの中に、茄子の段ボール箱ってありませんでし……」

霧山の声も聞かず、その管理人の男性は涙を堪《こら》えたような奇声を上げながら、走り去っていった。その後ろ姿を見送り、霧山はため息をついた。

翌日、霧山は熊本たちに昨日の調査結果を報告した。熊本が大きく息を吐く。

「胡散《うさん》臭いよなぁ、水岡由起子……そんな、料理しそうもないやつが、箱で茄子なんか買うか？」

「ですよねえ……」

霧山は思わずうなずいた。

「だって、中は茄子じゃないかもしれないじゃない」

又来がそう言うと、熊本が怪訝《けげん》な顔をする。

「茄子の箱なのに？」

「課長だって、ピースの缶に小銭入れてるでしょ」

又来は熊本の目の前に置かれているピースの空き缶を指でつついた。熊本はポケットに溜《た》まった小銭を入れる貯金箱代わりに、ピー缶を使っているのだ。

「まぁ、そうだけど……」

すると、時効管理課の横を、今日もトレンチコートを着込んだ十文字が通りかかった。

「よう、十文字……どうした？　全裸空き巣は？」

又来が声をかけると、十文字は寒さでかすれた声で答えた。

「今、やってますよ！」

「だいたい、この寒いのになんで全裸なの？　意味ないだろう」と、熊本。

「それがあるんですよ……裸で逃げると、目撃者は犯人が裸だってことは覚えてるけど、顔は覚えてないんですよ」

「あ、なるほど、そういうことかぁ……」

そこで霧山は、ふと思いついた。

「子供に聞いてみれば？」

「え？」と、十文字が顔をしかめる。

「子供は裸に興味ないから、顔を覚えてるかも」

すると、十文字はしばらく考え込んでからつぶやいた。

「それは、ないな……ちゃんちゃらおかしいだろう。いいか、子供っていうのはな、我々以上に裸に興味があるんだよ」

十文字の声は次第に大きくなった。

「霧山……霧山……霧山……子供って――」

嘲《あざけ》り笑うような表情を残して、十文字は立ち去った。霧山は熊本のほうに向き直る。

「三回も言われちゃいましたよ」

「何で言い返さないの？」と、熊本が呆《あき》れ顔で言う。

「一応、同期のエースですから……」

「でも、三浪だろう」

又来がそうつぶやくと、サネイエが聞き返す。

「三浪って？」

「大学入れなくて、三年浪人してるのよ」

「やっぱりね……長く生きてる人には勝てませんよ」と、サネイエ。

「え？　妙に実感こもってるね」

霧山がそう言うと、サネイエはおもむろに立ち上がり、奥の給湯室に引っ込んでしまった。霧山は思わず、熊本と又来の顔を見つめる。すると、サネイエの声が聞こえてきた。

「私、三月生まれなんですよ。だから小学校の時とか、何やっても四月生まれに勝てなかったんです」

そう言いながら、サネイエは顔を覗《のぞ》かせる。

「ああ、その頃の一年って、デカイよね……」と、霧山は引きつった表情のままでつぶやいた。

その夜、しずかはひとりでバッティングセンターに寄って、ウサ晴らしをしていた。

「つまんねぇ〜！」

不貞腐《ふてくさ》れて振ったバットに球がジャストミートし、ホームランの的めがけて飛んでいく。隣のサラリーマンが驚いて打球を見つめていたが、しずかの気分は晴れなかった。

するとその時、横に置いてあったバッグの中で、携帯電話が鳴りだした。液晶画面を見ると、着信は霧山からだった。

「はい、もしもし、捜査ならやりません……」

不機嫌な声でしずかが出ると、電話の向こうの霧山はわけのわからない説明を始めた。

「え？　茄子《なす》……？　茄子？　那須？」

茄子しかわからず、しずかは何度も聞き返した。

「いや、茄子……だからさ、なんか、笠松ひろみさんが、茄子をいっぱい送ってきてさ……この間、お構いできなかったからって」

ようやく意味の通る文章で、霧山が喋《しゃべ》りはじめる。しずかは適当に相槌《あいづち》を打った。

「ふ〜ん……でも、なんで茄子なの？」

「いや、なんでかはわかんないんだけどね……でね、だから、これでなんか作ってくんないかな……？」

霧山のその言葉を聞いて、しずかは「行く！」とだけ返事をすると、急いでアパートに帰った。鴨がネギを背負《しょ》っているどころか、出汁《だし》に浸《つ》かって火まで点《つ》けて待っている状態だ。これを逃す手はない。

早速、しずかは手持ちのワードローブの中から一番の勝負服を取り出して着替えた。赤のノースリーブのワンピースに、パールのネックレスを合わせたしずかは、姿見の前で全身を映してみる。思わず鼻歌が口をついて出た。

「新しいパンツ穿《は》いて〜、ぴょん！」

軽く飛び上がったしずかは、さすがにそこで冷静になった。

「やっぱ、やりすぎかぁ……」

結局、ごく普通の白のブラウスに着替えて、出勤用にも着ているスーツを羽織ったしずかは、赤のエプロンだけを勝負服と考えて、急いで霧山のアパートに向かった。

霧山から電話が来てから約四十五分で、しずかはアパートに到着した。そこから自慢の手料理が食卓に並ぶまで、さらに三十分とはかからなかった。しずかが作った麻婆《マーボー》茄子をご飯と一緒に頬張りながら、霧山は何度も何度も料理を褒める。

「美味《うま》いなぁ、これ。美味いわ……これ、なんていう料理？」

霧山の食べっぷりを見ながらほくそ笑んでいたしずかは、目いっぱい微笑んで答えた。

「麻婆茄子」

「へぇ〜……いや、美味いな……美味い、美味い」

「そんなに言うほど？」と、しずかは照れた表情を浮かべた。

「よく、これ、作ろうと思ったよね」

「だって、茄子があったから……料理ってそういうものよ。まぁ、普通は麻婆茄子を作りたいから茄子を買うんだけどね」

そう言って、しずかは空いた皿を台所に運んでいった。

「よし！」

皿を流しに置いて、しずかは小声でつぶやきながらガッツポーズをした。台所には笠松ひろみが表紙を飾っている『笠松ひろみの彼氏を落とす最終家庭料理』の麻婆茄子のページがまだ広げられている。しずかは本をバッグにしまい、代わりにポケットに入れておいた例の婚姻届を取り出した。夫の欄には霧山修一朗、妻の欄には三日月しずか。しずかは両手で掲げた婚姻届に、思わずチュッとキスをした。

「わかったよ……」

その時、不意に背後で霧山の声がした。

「え……！」と、しずかが焦って振り返ると、霧山はすぐ後ろに立っていた。しずかは慌てて婚姻届を後ろ手に隠す。すると、霧山がしずかの両肩にガッと手を置いた。

「君は凄《すご》いよ！」

そのまま体を引き寄せられ、しずかはとまどった。

「あ、ちょっと、霧山くん……」

そこで霧山は、まだ箱の中に山積みになっている茄子に、ちらっと視線をやった。

「茄子があったから、麻婆茄子を作る……子供ができたから結婚する。事件が起きたから共犯者ができる。そういうことだったんだよ！」

しずかは意味はわからなかったが、霧山の雰囲気に圧《お》されてうなずいた。

「う……うん」

しずかと霧山は、じっと見つめ合った。小さく微笑んだ霧山の顔がゆっくりと近づいてくる。しずかはドキドキしながら、ただ見つめ返した。

その時、不意に玄関のチャイムがピンポーンと鳴った。

「何？」

「いや、わかんない」と、霧山。チャイムはさらに鳴り続けた。

霧山がゆっくり玄関に近づく。

「誰だろう……どちらさま、ですか？」

すると、扉の向こうから「熊本です」という声が聞こえた。

「げっ！」

しずかは慌てて、玄関からは死角になっている奥の部屋に飛び込み、耳をそばだてた。

「はい」という霧山の声と、ガチャッとドアの開く音がする。

「ああ、こんな遅くにごめんね……」

扉を開けて中に入ってきたらしいあたふたとした声は、やはり熊本のものだった。

「いや……どうしたんですか？」

「いやあ、申し訳ないけど、便所を貸してくれるかな……」

「あ、いいですよ」と、霧山はあっさり答える。少しは嫌がれよ！　しずかは向こうの気配を窺《うかが》いながら、心の中でつぶやいた。

「ごめんね……いや、店出たとたんに大便意をね、もよおしてさ……あぁ、どうしようって考えてたら、霧山くん家《ち》が近くだったってことを思い出したのさ」

ごそごそとうごめく音がして、熊本の声が近づいてくる。

「あぁ、ちょっと、ごめんね！」

熊本の声は一層大きくなった。霧山が叫ぶ。

「ああ……違う違う！　そっちじゃなくて、こっちです！」

バタバタと熊本の気配は再び遠のいた。バタンと戸が閉まる音がしたので、しずかは玄関のほうを覗《のぞ》き込む。呆《あき》れた顔で、霧山がしずかのほうに向き直った。

「ああ、そう……」

「ちょっとちょっと……」

しずかが手招きすると、霧山は慌てて駆け寄ってくる。

「何？」と、しずかはトイレのドアを指差した。霧山も首をひねる。

「いや、わかんない……」

「普通は電話してから来るよね！」

「なんで怒ってんの？」

呑気《のんき》な顔で霧山が訊《き》いたその時、トイレから水を流す音が聞こえた。

「あ、意外と早グソ……」

しずかはそうつぶやいて、奥の部屋の、さらにカーテンの裏に隠れた。

「え……？」という霧山の声に続いて、トイレから出てきた熊本の声も聞こえる。

「いやあ、霧山くん……どうもありがとう。ありがとう、ギリギリだったよ」

ところが、熊本の声は何故か玄関に向かわず、奥の部屋に近づいてきた。

「まさに晴れ晴れとした気持ちだよ……チェーホフの『桜の園』って小説に、こんな場面があったらいいよなぁ……」

次の瞬間、いきなりカーテンを開けられ、しずかは思わず悲鳴を上げた。

「キャ〜！」

「あ……三日月くん！」

熊本が素《す》っ頓狂《とんきょう》な声を上げた。しずかは照れくさそうに微笑んで、見つめ返す。熊本は、しずかと、しずかを庇《かば》うように横に立った霧山とを交互に見比べた。

「三日月くん……霧山くん……」

「はい……」と、しずかと霧山は声を揃えて返事をした。

「私がここでうんこをしたことは、くれぐれも言わないでくれよ……特に、又来くんには言うなよ！」

「言いませんよ」

しずかは顔を引きつらせて答えた。熊本は、ほっとひと息つく。

「それを聞いて安心したよ……じゃあ、ごきげんよう」

そして熊本は、丸めて小脇に抱えていたコートに袖《そで》を通した。狭い玄関で体を折り曲げるようにしながら靴を履いた熊本が振り返る。

「三日月くんも、あんまり図々しく、人ん家に居座るなよ」

「ああ……そうですね……」

しずかが引きつった声でうなずくと、横で霧山がにやにやと笑った。

「じゃあ」と、熊本はあたふたと出ていく。

しずかと霧山は、バタンと閉まった扉を、呆然《ぼうぜん》と見つめた。


翌々日の朝、霧山は出勤前に水岡由起子のマンションをまた訪れていた。今日が資源ゴミの回収日であることは、前回来た際に確認しておいた。彼女が放置していった段ボール箱を管理人が回収したとすれば、今朝、ここに出されているはずなのだ。霧山は山積みになった新聞紙や雑誌の束をかき分け、「那須の茄子《なす》」の段ボール箱を探した。

あふれ返るようなゴミの山と格闘を続け、結局、かなり遅刻して署にやって来た霧山は、いきなりしずかに捕まり、笠松ひろみから電話があったと聞かされた。

「え？　誰が？」

思わず聞き返すと、しずかは廊下を歩きながら、呆れ顔で繰り返す。

「だから、笠松ひろみご本人から電話があったのよ。『この前はお構いできなかったから、お食事でもどうですか？』って」

「行くの？」

「当然でしょう。ここまで来たら、後戻りなんかできないわよ」

「だけどね……」

そこで霧山は廊下の隅に転がっている何かに目を奪われた。茶色い塊を拾い上げると、それは靴下を丸めて魚のように見立て、ボタンや端切れで目やヒレをかたどった手作りのぬいぐるみもどきだった。

「〝靴下さん〟だ……」

しかし、しずかはお構いなしに言葉を続ける。

「時効事件の真相を知るチャンスをつかんだのよ」

「またぁ、大袈裟《おおげさ》な……」と、霧山は苦笑いを浮かべた。しずかが向き直る。

「いい、大した人生と大したことない人生の差なんて、ほんのちょっとなのよ」

「なんでもいいけど……あ、だったら、ちょっと頼みたいことがあるんだけど……」

霧山はそう言って、靴下さんを手に、しずかに歩み寄った。


しずかが笠松ひろみの家を再び訪ねたのは、その日の夜のことである。前回はなんとなく眺めただけだったキッチンに、しずかは彼女と一緒に並んで立っていた。配膳《はいぜん》台には、すでにさまざまな家庭料理が並んでいる。しずかはそれを眺めて、しみじみと言った。

「これだけ料理ができたら、ご主人、絶対に放さないですよねぇ」

すると、笠松ひろみが照れくさそうに微笑む。

「まぁ……私ね、今の主人と結婚した時に、毎日『おいしい』って言わせるって、目標を立てたの」

「毎日おいしいは、いいですね」

しずかが感心してうなずくと、彼女は新しい大皿を差し出した。

「じゃあ、悪いけど、これ運んで」

「はい」と、しずかは手渡された料理をダイニングに運んだ。

ダイニングの大きなテーブルの上には、笠松ひろみの財布と携帯電話が置きっぱなしになっていた。しずかは大皿を置き、キッチンの様子を窺う。ネギを刻む包丁のリズミカルな音が聞こえていた。

しずかは視線をテーブルに戻し、財布に手を伸ばしかけたが、そこで躊躇《ちゅうちょ》した。包丁の音が不意にやむ。しずかはもう一度、キッチンを覗き込んだ。笠松ひろみが手を止め、包丁の刃を目の前まで持ち上げて、じっと見つめている。しずかは、彼女のその様子に何か不穏な空気を感じていた。

食事のあと、しずかがコーヒーを飲んでいると、笠松ひろみが急に尋ねた。

「この間、一緒に来た霧山くんって、彼氏？」

「え……？」

しずかが驚いて顔を上げると、彼女はコーヒーに入れたミルクをスプーンでかき回しながら、冷やかすような視線を向けている。しずかは慌てて否定した。

「ち……違いますよ、ただの同僚」

「本当？」

「本当ですって……」と、しずかは残りのコーヒーを一気に飲み干した。

「あ、コーヒー、もう一杯飲む？」

「あ……じゃあ、もう一杯いただきます」

「じゃあ、落としてくるから、ちょっと、待っててね」

そう言って、笠松ひろみは立ち上がり、キッチンへ向かった。しずかはその姿が陰に隠れたのを見計らって、膝《ひざ》の上に広げていたハンカチで彼女が使っていたスプーンをくるんだ。それを素早くバッグにしまうと、今度は自分のスプーンを彼女のカップのところに置いて入れ替える。その直後に、笠松ひろみがティーサーバを手に戻ってきた。

「ねぇ……もしかして、紅茶のほうがいい？」

「あ……はい」

しずかはぎこちない笑顔でうなずいた。笠松ひろみは特に気づいた様子もなく、キッチンに戻っていく。しずかは、冷や汗が頬をつたっているのが、自分でもわかった。

その同じ夜、霧山は駅前の学習塾から出てくる中学生たちを待ち構えていた。やがて授業が終わったのか、制服姿の中学生らしき男子がバラバラと表に出てきて、その中に、体格のいい坊主頭を見つけた霧山は、そっと近づいて呼び止めた。

「笠松士郎くん……だよね？」

「……はい」と、笠松士郎は霧山の姿を認めて、うなずいた。

「こんばんは……お母さんのことで、少し聞きたいことがあるんだけど、いいかな？」

霧山が警察官であることを告げると、士郎は少し警戒したようだったが、霧山は事件のことにはあまり詳しく触れずに、母親に報告することがあるからと説明して安心させた。

夕飯を食べていないという士郎の言葉にどこか店を探していると、交差点のところで不意に声がした。

「おっさ〜ん、そんじゃなぁ〜」

士郎が反応して振り返る。霧山も振り向くと、制服を着た男子生徒が数人、士郎に向かって笑顔で手を挙げていた。士郎もそれに応《こた》える。

「わかったぁ」

「友達？」と、霧山は訊《き》いた。

「うん……おっさんって言われてるんですよ、俺」

「なんで？」

「さぁ……なんか、おっさん臭いらしいんですよ」

「でも、神童って言われてるんだろう？」

「昔ですよ。今は、おっさん」

そして、霧山と士郎は駅の向かい側にあるハンバーガーショップに入った。注文したチーズバーガーのセットが届くと、士郎はすぐに包みを開けてかぶりつく。

「やっぱ、うまいなぁ、こういうの」と、士郎がしみじみとつぶやいた。

「なんで？　いつもおいしい家庭料理、食べてるんだろう？」

「霧山さん……お母さんの料理って、食べたことあります？」

「え……？　う〜ん……いや」

「不味《まず》いですよ、お母さんの料理。いつ食べても、人んちの御飯食べてるみたいだし」

「厳しいなぁ……」と、霧山は苦笑した。すると、士郎が急に居ずまいを正す。

「あの、霧山さん……よくはわからないけど、お母さんのこと、よろしくお願い島津藩《しまづはん》」

そう言って、士郎は深々と頭を下げた。霧山が訝《いぶか》しんで見つめていると、士郎は頭を上げて得意気な表情になる。

「どう？」

「あのさ、そういうのが、おっさん臭いんじゃないか？」

霧山がそう言うと、士郎は納得したようにうなずく。

「わかり間下《ました》……このみ」

「お前、いくつだよ……」と、霧山はつぶやいた。

翌日、霧山はまた熊本たちに調査経過を説明した。

「このくらいの段ボール箱に、お金ってどのくらい入りますかね？」

霧山は、茄子《なす》が入っていた例の段ボール箱のだいたいの大きさを両手で示した。熊本が考え込む。

「ああ……それだと、三十万くらい？」

「えぇ〜？　もっと入るでしょう。一億くらいは入るかもよ」と、又来。

「なんで？　絶対入らないよ、一億なんて」

熊本はそう反論し、目の前のピース缶から十円玉を取り出してみせた。

「だって、これが一千万個だよ」

又来は呆《あき》れ顔で、熊本を睨《にら》みつける。

「上司だけど……バカか、あんたは！　なんで十円玉で考えるのよ、普通一万円札でしょう？　一万円札！」

又来がそう怒鳴っているところに、しずかが駆け込んできた。

「霧山くん！　霧山くん！」

「どうしたの？」と、霧山が尋ねると、しずかは手にしていた新聞紙を机に広げた。

「これ見て下さいよ。記者クラブからガメてきたんですけどね……」

それは早刷りの夕刊タブロイド紙らしかった。すぐに覗《のぞ》き込んだ又来が嬌声《きょうせい》を上げる。

「えぇ〜？　ホントに？」

つられて霧山も覗き込んだ。中ほどの記事に「笠松ひろみ、離婚」の見出しが躍っている。霧山はじっと腕を組んで考え込んだ。


指紋の鑑定を頼んだ鑑識課の諸沢《もろさわ》からの返事が来たのは、その翌日だった。

諸沢は以前から霧山が仲良くしている鑑識官で、腕はいいが、パチスロにはまっているのでいつも金がなくて困っている。そこに目をつけた霧山は、駄目もとで指紋の鑑定をこっそり頼んでみたのだった。打算的な諸沢は、あっさりと引き受けてくれた。

鑑識課の部屋を訪ねた霧山は、白衣を着て真剣に写真とにらめっこをしている諸沢に声をかけた。諸沢は写真を手で隠すようにしながら、ゆっくり振り向く。

「この前、現場検証で凄《すご》いもの見つけちゃった……見たい？」

「はぁ……」と、霧山が曖昧《あいまい》にうなずくと、諸沢は不敵に笑った。

「よ〜し、特別に——」

そう言って諸沢が机の上に置いたのは、郵便ポストが写った写真だった。

「どう？　反省ポスト……凄いだろ」

そのポストはどこかの壁際に立っているのだが、手前側に郵便物を入れる投函口《とうかん》が見当たらない。よく見ると、投函口の上にあるひさしの部分が、壁に面した側にうっすらと見えている。要するに、壁に向かって立っており、投函口が背を向いているのだ。

「凄いだろう？」

諸沢が霧山の顔色を窺《うかが》うようにして訊く。霧山は言葉を濁した。

「えぇ、まぁ……」

「どこから入れるんだよ」と言いながら、諸沢は含み笑いを浮かべる。

「あ、入れてほしくないんじゃないですか」

霧山がそう言うと、諸沢は呆れ顔で天を仰いだ。

「霧山……零点」

そこで霧山はおそるおそる切り出した。

「あの……この間、お願いしたやつの結果は？」

すると、諸沢は急に真顔になって、じっと霧山を睨みつける。

「聞きたければ、千円。指紋の鑑定は一回千円」

どういう根拠で弾《はじ》き出された数字かはわからないが、それが諸沢の決めた相場らしい。

「そうでしたね……」と、霧山は財布を取り出し、千円札を一枚、諸沢に渡した。諸沢は壁のライトボックスの明かりを点《つ》け、そこに千円札を当てて、透かしを確認する。

「いや……本物ですよ」

霧山がそう言うと、諸沢は目を凝らしたまま、振り返りもせずにつぶやく。

「確認だよ……よし」

納得したのか、諸沢はおもむろに振り向いた。

「結果は……君が思った通りだ。両方の指紋は一致したよ」

　霧山もその結果に納得し、軽くうなずいた。


　その夜、霧山は大きな風呂敷《ふろしき》包みを抱え、しずかを伴って笠松ひろみの家を訪れた。リビングで彼女と向かい合った霧山は、風呂敷包みを前に置き、おもむろに切り出した。

「ひとつお断りしておきますが、これからあなたにお話しするのは、あくまで、僕の趣味の捜査の結果です……事件そのものは時効ですから、たとえあなたが犯人でも、僕がどうすることでもありません」

　笠松ひろみはきょとんとした視線を向ける。霧山は言葉を続けた。

「もっと言えば、この時効事件の捜査は、すべて犯人の皆さんの善意に支えられているんです」

「善意？」と、彼女は首を傾げた。

「はい……犯人の方の善意の自白が必要なんです」

「あの〜……」

　困ったような目をして、笠松ひろみが微笑みかける。霧山はその言葉を制した。

「単刀直入に申し上げます。笠松ひろみさん、あなたが、当時のご主人、大輔氏を殺害したのではないでしょうか？」

霧山はそう言いながら眼鏡を外した。しずかに向けてそれを渡すと、しずかが困惑した顔で受け取る。霧山はじっと笠松ひろみを見つめた。

「でも、私にはアリバイがあります」と、彼女は言い返した。

「そこです……今回のこの事件が時効になってしまった最大の理由は、共犯者が事件の時ではなく、事件後に現れたということです……麻婆茄子《マーボーなす》を作るから茄子を買うのではなく、茄子があったから麻婆茄子を作る。そういうことです」

霧山は自信たっぷりにそう告げた。笠松ひろみはまだきょとんとした視線を向けている。しずかが横で大きくうなずいた。

「おそらく、殺人そのものは、夫の大輔氏の暴力と裏切りによって、追い詰められたあなたが咄嗟《とっさ》に行なったことだと思います……大輔氏を包丁で刺したあなたは、包丁に残った指紋を拭《ふ》き取り、いったん外出をした。そして、家に戻って死体を発見したふりをした」

笠松ひろみの顔から繕ったような笑顔が消えた。霧山は構わず話を続ける。

「当初、警察もあなたの犯行を疑っていた……ところが、突然、あなたのアリバイを証言する人間が現れた。しかも、その証言者は大輔氏の愛人の水岡由起子。彼女は死亡推定時刻の午後九時頃、隣町の駅であなたを見たと証言し、これが決定的なアリバイとなった。水岡由起子……彼女こそが、事件後に現れたあなたの殺人の共犯者だったのです」

そこで霧山はいったん言葉を区切った。笠松ひろみが再び反論する。

「私には、夫を殺す理由がありません。夫との仲がうまくいっていないのなら、離婚すれば済む話でしょう?」

「もちろん……息子さんさえ、いなければ――」と、霧山は彼女を見つめた。

「だって、士郎を身ごもったのは事件のあとですよ」

「いや、あなたは事件の時すでに、当時はまだ不倫相手だった笠松道夫さんの子供を身ごもっていた……大輔氏の絶え間ない暴力。あなたは、お腹のお子さんと『家庭料理のカリスマ』というイメージを守る必要があった。それが、咄嗟の殺意に結びついてしまったのです」

笠松ひろみは表情を変えることなく、霧山の言うことを黙って聞いていた。

「出産は、事件後に身を寄せていた長野でなさったのでしょう。そして、何らかの方法で出生届の提出を一年遅らせた。幼稚園に入園するまで、士郎くんを長野に預けていた理由がここにあります……他人の子供の年齢は案外、特定しづらいものです。あなたは四歳になっていた息子さんを三歳だと偽って幼稚園に入園させた」

サネイエの「三月生まれは何をやっても四月生まれに勝てない」という言葉、そして、小さい頃は神童と呼ばれ、今は同級生たちから「おっさん」と呼ばれている体格のいい笠松士郎……。それらが霧山の頭の中でひとつに結びつき、導かれた推論だった。

「笠松道夫さんとの不倫関係でできた子供……これが事件の引き金になっているのだと、僕は思います」

「証拠は?」

「ええ……最初に申しましたように、証拠はありません。その代わり――」

そう言いながら、霧山は目の前の風呂敷を解いた。中にはあの「那須の茄子」の段ボール箱が入っている。それに気づいたのか、笠松ひろみがはっと息を呑《の》んだ。

「これは、水岡由起子さん宛に届いた宅配便です」

「そんな……」と、彼女がうろたえる。霧山は箱の上面に貼られている伝票を指差した。

「この伝票に残っていた指紋と、三日月くんが拝借したスプーンについていた指紋が一致しました……あなたの指紋です」

霧山がそう言うのにあわせて、しずかがバッグから、ビニール袋に入ったスプーンを取り出す。霧山の指示でしずかがこっそり持ち帰ったものだ。

「箱の中身はまだ調べていませんが、おそらくお金でしょう。水岡由起子、すなわち共犯者への報酬です……十五年前、あなたのアリバイを証言した水岡由起子は、その見返りにあなたにお金を要求した。額は五千万か、一億か……ともかく、法外ではあっても、あなたの才能をもってすれば、用意するのが不可能な金額ではなかった」

そして霧山はひと呼吸置き、笠松ひろみの顔色を窺った。

「ただし、あなたはひとつだけ条件をつけた。支払うのは、十五年後……時効が成立してからだ、と。そして先日、あなたはこれを水岡由起子に送った――」

うつむいた彼女の目は色を失い、視線が泳いでいた。

「以上が、私が用意したすべてです。あとは犯人の方のご厚意によってのみ、真相が明らかになります」

　すると、彼女が静かに口を開いた。

「実は私……父の顔も母の顔も知らないんです。私が物心つく前に、ふたりとも私を置いて行方不明。それから、ずっと親戚《しんせき》の家をたらい回しにされてね……だから私、結局、家庭の味なんて何ひとつ知らないで育ったんです」

「それで、家庭料理を――？」

「はい……私は家庭というものに飢えていた。失いたくなかった。いかなる犠牲を払っても、理想の家庭を手に入れたかった。どうしても……でも、主人も出ていきました。愚かなことです」

　そこで彼女は自嘲《じちょう》気味に笑った。悲しい笑顔だった。しずかが痛みを感じたようにうつむく。笠松ひろみはすぐに無表情に戻ってつぶやいた。

「……いくら時効になっても、人を殺《あや》めてしまった事実は変わりません。これからも私は、偽りの家庭料理を作り続けていくしかないんです」

「あ、それは違うと思います」と、霧山は唐突に言い返した。

「え……？」

「いや、息子さんですよ……息子さんが僕に言ってました。お母さんの料理はわざとらしいんだけど、やっぱり時々食べたくなるんだって」

「そうですか……」

笠松ひろみは複雑な表情で、それだけつぶやいた。霧山は段ボール箱を彼女に向けて押しやる。その拍子に箱だけでなく、下のテーブルまでが音を立てて動いた。

「……あの、これ、開けてみて下さい」

「え……？」と、笠松ひろみが困惑した表情を向ける。しずかが、さっき渡した眼鏡を差し出したので、霧山は受け取ってそれをかけた。

視線でさらにうながすと、笠松ひろみは段ボール箱に貼られたガムテープを剝《は》がした。中に入れておいたのは札束ではなく、彼女がこれまでに出版した数多くの料理本である。

中身を見つめて、彼女は愕然《がくぜん》となった。

「笠松さん……事件はもう時効ですから、これで終わりです。僕がこの件を口外したりすることはありません。あくまで、趣味なんで……でも、せっかくご協力いただいた犯人の方を不安な気持ちにさせてはいけないと、いろいろ考えた結果ですね——」

そして霧山はカバンから一枚のカードを取り出して掲げた。

笠松ひろみ様
この件は誰にも言いません。
霧山修一朗

「あの……これ、『誰にも言いませんよカード』です。これに僕の認め印を押しますから、お持ちになっていて下さい」

呆気《あっけ》にとられている笠松ひろみとしずかを尻目《しりめ》に、霧山はカードの自分の署名の下に判子を押した。

「どうぞ――」と、カードを差し出すと、笠松ひろみは明らかに面食らった様子で、それを受け取る。十五年前の殺人事件は、こうして本当に時効を迎えたのだ――。

笠松ひろみの家から帰る途中、しずかは聞こえないつもりだったのだろうが、小声でこうつぶやいた。

「やっぱり、私、ついていけないかも……」

霧山は黙って聞こえなかったふりをしていた。

数日後、いつものように暇を持てあましていた時効管理課に、全裸空き巣犯逮捕のニュースが届いた。意気揚々と署に戻ってきた十文字は早速、霧山たちの前に得意顔で現れる。お気に入りのトレンチコートの裾《すそ》を大袈裟《おおげさ》にはだけてポーズを決める十文字の話を聞くためにに、しずかも時効管理課に向かった。

「ストリーキング空き巣……犯人逮捕のきっかけは、何だったと思います?」

十文字は勿体《もったい》つけたようにみんなの顔を見回す。

「霧山、わかるか？」

「いや……」

「まぁ、お前の頭じゃ無理だな。犯人逮捕のきっかけは……子供だよ」

十文字は得意そうに胸を張る。しずかたちはきょとんと見つめ返した。

「子供は、ほら、裸に興味がないだろ？　俺はそこに目をつけたんだ。案の定、裸で逃げる変なおばさんがいるなぁと思って、顔をよく見ていたらしい」

すると、そこに蜂須賀もやって来た。

「あ、十文字くん、取り調べの準備できたってよ」

その言葉を聞いて、十文字が仁王立ちになる。

「よ〜し、あの女にきっちり言ってやらないとな。裸で出直せって……ねぇ、ハチさん」

「え？　あ？　全然聞いてなかった」と、蜂須賀は十文字に構わず出ていこうとする。あとに続いた十文字は廊下に通じる出口で立ち止まり、振り返った。

「霧山、今のは笑うところだぞ」

それだけ言い残して、十文字は立ち去った。又来がしみじみとつぶやく。

「気の毒がコート着て歩いてるよなぁ……」

「子供の話は、霧山くんがした話なんでしょう」

しずかはそう言って、みんなの顔を見回した。

「まぁ、意外といい奴なんですけどね」

霧山が軽く微笑む。

「悪気がないから、余計に気の毒なんだよ……」と、熊本。

「多分、一生独身ですよ、あの人」

サネイエが言い放った。すると、又来が突然声を張り上げる。

「あ！　あの婚姻届、落としたのが十文字だったら笑うな」

急にその話になったので、しずかは焦った。ほくそ笑む又来に、熊本が尋ねる。

「何だっけ？」

「ほら、私が購買部の横で拾った——」

「あぁ、霧山さんが名前書いたやつ……」と、サネイエ。

しずかは、こっそりその場から離れようとした。霧山が思い出したようにつぶやく。

「あ、そう言えば、あれ、どうなったんだっけ？」

「持ってないの？」

又来が呆《あき》れ顔で言った。

「なくなっちゃったんですよ」

「三日月くんが喰《く》っちゃったんじゃないの？」

熊本が急にそんなことを言ったので、しずかは慌てて振り返った。

「なんで、私が食べるんですか！」

そして霧山が、バタバタと机の上の物をひっくり返しはじめた。

「ちょっと、探してくれませんか？」と言われて、又来や熊本も机の下などを覗《のぞ》き込む。

「それじゃ、私、パトロール行ってきまーす」

しずかは、慌ただしく動き回る霧山たちに声をかけて、背を向けた。

「あぁー、やばい、やばい」

しずかはまた、冷や汗がドッと流れたのを感じていた。

第二話

偶然も極まれば必然となると言っても過言ではないのだ！

人間、疲れると甘いものが食べたくなる。もちろん、連日の駐禁取り締まりやマナーの悪い運転手への対応に追われているしずかにとっても、それは例外ではない。

この日、夜遅くに帰宅し、一日の疲れを癒《いや》すべく風呂《ふろ》に入ろうとしていたしずかは、テーブルの上に五百円玉くらいの大きさの丸いチョコレートが載っているのに気づいた。見覚えはなかったが、買っておいて忘れてしまったものだろうか。

「ラッキー！　よし、お風呂上がりに食べよう！」

しずかは浮かれて、チョコはそのままに風呂場に直行した。

数十分後、バスタオルを体に巻いたまま戻ってきたしずかは、早速テーブルの上のチョコをつまみ上げた。しかし、なんだか感触がおかしい。妙に硬いそのチョコは、よくよく見てみると服の黒いボタンだった。

「なんだそりゃ」と、しずかは思わずつぶやいた。

時効管理課のいつもの午後――。霧山は目の前の大量の書類を整理する一方で、しずかから聞いた話を、又来とサネイエに教えていた。

「――で、三日月くんは、風呂上がりにコンビニまでチョコ買いに行って、湯冷めしたらしいですよ」

「ふ〜ん」と、サネイエが無表情でうなずく。又来も明らかに気乗りしない様子だった。

「別に盛り上がる話じゃないですよね……」

冷めた場の空気に気づいた霧山がそう言うと、又来が資料を片手に立ち上がる。

「霧山なあ……ぽつねんとしてんじゃねえよ」

「え……？　僕って、ぽつねんとしてますか？」

すると、又来はサネイエの横に資料を積み上げ、悪戯《いたずら》っぽく霧山の顔を見た。

「ぽつねん……と」

霧山はなんとなく辺りを見回した。背後の刑事課も交通課もほとんど出払っていて、残っているのは時効管理課だけだ。サネイエが何かを発見したように声を張り上げる。

「ホントだ。ぽつねんとしてますね」

「今日から君は〝ポッネン〟な」と、又来は得意気に笑った。

「やめて下さいよ……」

霧山が引きつった笑顔でそう答えると、又来は唐突に話題を元に戻した。

「でも、いいなぁ〜。一度でいいから、私も湯冷めしてみたいよ」

「え？　又来さんって、湯冷めしたことないんですか？」と、霧山は訊《き》いた。

「ないよ。のぼせたことはあっても、湯冷めはない」

にやにや笑う又来を、サネイエがちらっと睨《にら》みつけた。

「喋《しゃべ》ってないで、やりましょうよ……」

渋々、又来が自分の席に戻ると、刑事課のフロアのドアが乱暴に開けられ、蜂須賀が何事か叫びながら駆け込んできた。

「トップニュース！ トップニュース！」

「何？ どうしたぁ？」と、又来。

「見て下さいよ！」

そう言って、蜂須賀が机の上に並べたのは数枚の写真だった。又来が声を上げる。

「え～!? 熊本さんと三日月じゃない」

又来が拾い上げた写真を霧山も覗《のぞ》き込んだ。制服姿のしずかとスーツを着た熊本課長が笑顔で写っている。連写されたものなのか、残りも同じような構図の写真だった。回り込んできて写真を見つめたサネイエが叫んだ。

「あ～！ しかも、後ろに写ってるのは、ラブホテルのワカメだ」

「何？ ワカメって？」と、又来が訊くと、サネイエは写真を指差す。

「ほら、車が出て来るところにぶら下がってる緑色のやつ」

確かに、言われてみるとそこに写っている緑色のひらひらした布は、ラブホテルの駐車場の入口によく下がっているものだ。さらによく見ると、ふたりの横に写っている看板には、「サービスタイム」とか「ご休憩」などの文字も見える。

「どう？　かなりびっくり？」

蜂須賀が得意満面にみんなの顔を見回す。又来がしみじみとつぶやいた。

「あの熊本さんがね〜。三日月もあんな人のどこがいいんだろう？」

「なんだか、がっかりだな〜」と、霧山は独りごちた。

「これで、熊本さんをゆすりますよ〜」

蜂須賀がそう宣言した瞬間に、熊本としずかが楽しそうに会話しながら戻ってきた。

「いやだ、熊本さん。それを言うなら、猿飛佐《さるとびさ》助《すけ》ですよ〜」

「あ〜、そうかぁ。猿飛佐助かぁ」

熊本としずかはケラケラと笑っている。霧山たちは半ば呆《あき》れながら、ふたりの様子をじっと見ていた。その気配に気づいたのか、熊本が笑うのをやめて静かに訊く。

「……何？　どうしたの？」

すると蜂須賀が、さっきの写真を突きつけるようにして言った。

「熊本さん、この写真、八千円で買ってくれます？」

「あ、俺だ……」

「私だ……」

固まったふたりを見て、又来が鼻を鳴らして笑う。熊本が焦って弁解した。

「ちょっと待てよ、違うよ。これは違う……これは、あれよ。このラブホテルの前で、三日月くんと偶然会ったんだっけ？」

「そうですよ。私は駐禁の取り締まりをしてたんです」と、しずかも口をとがらせる。

「この道は検察に行く時に通るんだよ。なぁ、霧山くんだって通るだろう」

熊本に言われ、霧山も鼻で笑った。

「ふん！」

又来も真似する。熊本は眉間《みけん》にしわを寄せた。

「なんなんだよ、それは？」

「ウサギのタメちゃん……ふん！」

そう言ってタメちゃんの鳴き声で笑い続ける又来を制して、蜂須賀がさらに詰め寄る。

「タメちゃんはいいんですよ……問題は何故、おふたりがラブホテルの入口から出てきてるのか？　ですよ」

すると、熊本は負けじと身を乗り出した。

「それがね、ポケットから携帯を取り出した時に、偶然、携帯についていた日光東照宮《にっこうとうしょうぐう》のメダルが取れちゃってさ。ラブホテルの駐車場の中に転がってっちゃったのよ」

「そうですよ。それで慌てて追いかけて……」と、しずか。

「なにしろ、東照宮のメダルだからね。そういうことなんだよ」

熊本はそう言って、携帯についている東照宮のメダルを霧山たちに掲げてみせた。

「え？　何、偶然なの？」

蜂須賀が上ずった声でつぶやく。霧山は蜂須賀の手から写真を奪い、もう一度眺めた。

「じゃあ……これは、日光東照宮のメダルを拾ったふたりなんですか」

「あ、不倫っていうより、風鈴だな……チリンチリン」

又来が苦笑いを浮かべながらそう言うと、蜂須賀が突然大声で怒鳴った。

「何なんだよ！　俺はとんだピエロかい！」

蜂須賀は霧山から写真をもぎ取ると、叫び声を上げながら刑事課のフロアに戻っていった。啞然《あぜん》として見送る霧山の横に、しずかが近づいてきて言う。

「そもそも、携帯に東照宮のメダルをつけてる人とは不倫しません」

「あらあら、それは失礼だろう」

熊本が妙に嬉《うれ》しそうに笑った。

「誰にです？」と、サネイエ。霧山は熊本に訊いた。

「東照宮にですよねぇ」

「違うよ、徳川家康《とくがわいえやす》」

「どっちでもいいですよ」

しずかが呆れたようにつぶやく。すると、そこに大きな段ボール箱を抱えた交通課の下北沢と吉祥寺がやって来た。

「失礼します」

「あ、何それ？」と、積み上げられた段ボール箱を見て、又来が訊いた。

「何それ？　じゃないですよ。資料課の人たちが時効管理課が取りに来ないから持ってってくれって」

うんざりしたように下北沢が言う。

「資料課は酷《ひど》いな〜」

熊本が呆れ顔でつぶやくと、しずかがたしなめた。

「取りに行かないほうが酷いでしょう」

「今日の担当は霧山さんですよ」

サネイエがそう言ったので、みんなの視線が一斉に集まった。

「あ、ごめん……」と、霧山はすっかり忘れていたことに今、気づいた。

「ごめんで済めば、警察いらないですよ」

吉祥寺が吐き捨てるように言い、下北沢とふたりでみんなを睨みつけてから帰っていった。微妙な沈黙を破って、又来がつぶやく。

「警察いらなきゃ、我々はどうやって生活するんだよ」

「税金泥棒でもやるか」

熊本が自嘲《じちよう》気味に笑った。しずかが呆れ顔で言う。

「あのですね、今だってそれに限りなく近いですよ」

霧山はそんなやり取りを聞きながら、立ち上がって段ボール箱を取りに行った。一番上の箱を自分の席まで運んで封を切ると、そこには「上総武《かみそうぶ》市における水泳オリンピック選手とコーチの不倫の末の無理心中事件（事件発生平成三年一月十五日）」と書かれたファイルが入っていた。

「なんだか凄《すご》いな、これ」と、霧山は思わずつぶやいた。熊本がすぐに反応する。

「お、なんの事件？」

「オリンピック選手とコーチの不倫……無理心中？　なんか、面白そうな事件ですよね」

霧山は資料をめくった。しずかが霧山を睨みつける。

「ちょっと……また、変なことに興味持ってるでしょう」

「いや、別に……」

するど、判子を持って背後に近づいてきた熊本がにやにやと笑った。

「また、趣味で調べるつもりなんじゃないの？」

そして、熊本は派手な音を立てて、ファイルの表紙に「時効」の判子を押した。


翌日の昼休み、しずかは霧山の姿を探していた。時効管理課にも食堂にもいなかった霧山は、総武署の本館と別館を繋《つな》ぐ外の渡り廊下で、捜査資料を読みながら食パンをかじっていた。ベンチの傍らには瓶入りの牛乳が置かれている。しずかは近所で買ってきたパンとコーヒーを手に、近づいて声をかけた。

「こんなところにいたの？」

するど、霧山は食パンをくわえたまま、しずかのほうを見上げる。

「ねぇ、バターとかジャムとか塗らないの？」

隣に座ったしずかがそう尋ねると、霧山はたいして表情も変えずにうなずく。

「だって、パンの味がしなくなるだろう」

「まぁ、そうだけど……」と、しずかは手にした紙コップのコーヒーをすすった。紙袋からパンを取り出そうとしていると、霧山が不意につぶやく。

「で……本題は何？」

「え……？」

「そんなこと言いに来たわけじゃなさそうだから」

しずかは図星を突かれ、気を取り直して言った。

「あのさ……また、余計なことに首を突っ込もうとしてない？」

「してる～」と、霧山は呑気《のんき》な口調でしずかを見やる。しずかは思わず立ち上がった。

「よしなさいよ、時効になった事件なんか調べるの。この間は一応、上手《うま》くいったけど、いつもそうとは限らないんだからね」

しずかは紙袋から取り出したクロワッサンを突きつけるようにしながら、霧山にそう言った。しかし、霧山はあくまで動じない。

「まぁ、趣味だからさ。釣りだって、釣れない日もあるだろ」

「そんなことばっか言って――」

しずかは呆《あき》れたが、霧山に促されて、また隣に腰かけた。捜査資料をめくった霧山が、今回の事件の概要を説明しはじめる。

「死体が発見されたのは、十五年前の一月十六日早朝……第一発見者は〝優勝じじい〟と呼ばれるホームレス……」

「優勝じじい？」と、しずかは思わず聞き返した。

「ああ、いつも優勝カップを持って歩いているから、そう呼ばれていたらしいよ……その優勝じじいがいつものように川に行き、優勝カップで水を汲《く》んでいたところ、川べりに打ち上げられていた水死体を発見した……遺体は当時、水泳の女子オリンピック代表の座を姉妹で争っていた藤山《ふじやま》姉妹の姉、一子《いちこ》。十八歳……転落による頭蓋《ずがい》骨《こつ》の骨折が直接の死因だった。転落場所は頭部の外傷に含まれた砂の種類などから、一キロほど上流の涙目橋《なみだめばし》付近と推測された……」

「殺人……なの？」

「遺体の後頭部に残された傷と、後背部の擦過傷などから考えても自殺の可能性は低く、殺人と事故の両面から捜査が開始された……事件が起きたのは、バルセロナ五輪の日本代表を決める第一次選考の前日であり、藤山姉妹のうち、ひとりは日本代表の強化合宿に参加することが内定していた……死亡推定時刻は一月十五日の午後六時から午後九時の間」

そして、霧山は次のページをめくって、少し眉《まゆ》をひそめた。

「同日、午後八時……藤山一子のコーチだった小原安雄《こはらやすお》が、アパートでガス自殺を図った。死因はガス爆発による全身火傷《やけど》。アパートは小原コーチが妻と住む自宅とは別に仕事用に借りていたものだった。小原コーチと教え子の藤山一子は、以前から男女関係が噂されていて、たびたび藤山一子が小原コーチのその別宅を訪ねていた姿が目撃されている……事件の前日も、大声で口論しているのを隣の住民が聞いているね」

「不倫かぁ……」と、しずかはつぶやいた。霧山は先を続ける。

「上総武署はこのふたつの事件の状況から、教え子との不倫関係に悩んだコーチの小原安雄が藤山一子を殺害し、その後、ガス自殺を図ったと見て、裏付け捜査に全力を挙げた……オリンピック代表候補の姉妹を突然襲ったスキャンダラスな悲劇ということで、当時は恰好《かっこう》のワイドショーネタにもなったらしい」

言われてみると、しずかもその報道には記憶があった。十五年前というと、しずかが中学生の頃で、翌年のバルセロナ五輪に向けて報道が盛り上がっていた時期のはずだ。ファイルに綴《と》じ込まれていたスポーツ新聞のコピーには、「オリンピック代表候補、藤山一子殺害!?」「犯人は小原コーチか!?」「小原コーチ、後追い自殺!?」などの煽《あお》り文句が躍っていた。

「しかし、状況証拠はあったものの、小原安雄が藤山一子を殺したという確かな物証は何もなく、結局、事件は時効を迎えた……」

そして、霧山は静かにファイルを閉じ、考え込んだ。しずかは結局、霧山のペースに乗せられてしまっている自分に気づいていた。

時効管理課に戻ると、熊本たちもすっかりこの事件のことが気になってしまっていたらしい。又来がしみじみとつぶやく。

「藤山姉妹の悲劇だろう。もう、あれから十五年か〜」

「ワイドショーで結構やってたよ。担当刑事まで有名になったんだから」

しずかは呼び起こされた記憶を頼りにそう告げた。熊本が食いつく。

「あ、地元の警察のなぁ……あの刑事、なんて言ったっけ？」

「あ〜、そうそう……えぇ〜と、なんだっけ？」

「あ〜、あ〜、あ〜、出てこない！」と、サネイエ。そりゃそうだろう。あんた、十五年前は小学生じゃん……。

するど、霧山が不意に顔を上げた。

「靴下さん！」

見ると、霧山は靴下でできたぬいぐるみもどきを得意気な顔で掲げている。みんなの間にしら〜っとした空気が流れた。

「なんでも言えばいいってもんじゃないぞ」

熊本が睨《にら》みつけ、霧山は「すいません」と肩をすくめる。

「あ、わかりました！　はい」と、又来が手を挙げた。

「はい、又来さん」

「山村荘八《やまむらそうはち》だ」

「あぁ〜、それそれ」

みんなが一斉に声を上げた。熊本がつぶやく。

「そうそう、山村、山村……どうしたんですかね、あの人」

「死んじゃったんじゃないの」

又来が吐き捨てるようにそう言い、霧山がびっくりして見つめ返した。

「死んじゃったんですか？」

するると、又来は首をひねった。霧山に視線を向けられ、しずかも首を傾げる。


次の日曜日、霧山はしずかを連れて上総武署を訪れた。当時、この事件を担当して一躍有名人となった山村荘八に話を聞くためだ。今も所轄署の平刑事として捜査現場の第一線に身を置く山村は、評判通りの鬼刑事に……一応、見えた。

派手な色のシャツに派手な色のネクタイ、派手な色のスカーフを巻いた地味な顔の山村は、霧山が事件のことを切り出すと、大袈裟《おおげさ》な身振り手振りを加えて熱く語りはじめた。

「あん時ゃ、俺、山村荘八の仮説に、日本全国民がワクワクしたもんだよ。オリンピック選手がコーチと不倫！　その果ての無理心中！　日本の若きトビウオが水死！　コーチはガス自殺で爆死！　ドーン！　一面、ドーン！　藤山姉妹の悲劇！　三面、ドーン！」

「凄《すご》かったんですね」と、霧山は相槌《あいづち》を打つ。

「凄い凄い。見るか、俺のビデオ？　全部残してあるんだよ。ほとんどベータだけどな。ベータ、困るよな。へへへ」

山村は薄笑いを浮かべて、しずかにねっとりとした視線を向ける。

「はぁ……」

「とにかく、十五年前のこの街の有名人と言えば、藤山姉妹と、この俺だ……それで、君、なんだっけな？」

山村がとぼけた顔で霧山を見る。霧山は身を乗り出した。

「ええ……まぁ、時効になって、遺留品を返却しに来たんで、担当だった山村さんに、少しお話を——」

「そうだよなぁ～。まさか、時効になるとは思わなかったよな……なんせさ、バーって来てバーっと、なんかゼーっと来て、すぐ終わるはずだったんだよなぁ」

山村は意味不明なことを叫びながら、せわしなく体を動かした。

「結局、物証がなかった……？」

「そうなんだよ。変なめぐり合わせが多い事件でな。まず、現場に足跡がない」

「どうしてですか？」

「ジャーン、月に一度の道路清掃の日でな。しっかり、すっきり、清掃してくれちゃったってわけよ。お前らは共犯者かって、馬鹿野郎！」

「目撃者はいなかったんですか？　結構、車通りのある橋だと思うんですけど」

しずかがそう訊《き》くと、山村は急に立ち上がり、しずかににじり寄る。

「三日月ちゃん、いいね～。涼しい目してるもの。ご褒美のキッスは？」

「いや……結構です」と、しずかは顔を引きつらせて答えた。

「それじゃ、投げキッスは？」

「それも結構です……」

しずかが、山村から逃げるようにして体をすり寄せてくるので、霧山はじりじりと迫ってくる山村の手を軽くはたいた。

「つれないなぁ……」

山村はそうつぶやいて、椅子に戻った。しずかが笑みを浮かべて霧山を見ている。彼は素知らぬふりで山村の言葉に耳を傾けた。

「まあ、でも、実にいいところに気がついた。夜は別として、夕方の交通量の激しい時間帯でも、信号の関係によってあの橋の上から車がいなくなる時があるんだ。それは、午後六時三十二分……結の論！　コーチの小原が藤山一子を殺したのも午後六時三十二分！　家に帰ってガス自殺したのは午後八時！　一般大衆諸君、これが辻褄《つじつま》だ！　以上、山村荘八の仮説をお送りしました。それでは、皆さん――」

山村は言いたいことだけ一方的にまくしたてると、あっという間に外に通じるドアを開けて出ていってしまった。取り残された霧山としずかは、思わず顔を見合わせた。

「行っちゃったよ……」

それから霧山としずかは、亡くなった藤山一子の妹であるしおりを訪ねて、上総武市内にあるスイミングプールまでやって来た。

「藤山しおりに会うなんて、ちょっとドキドキよね」

しずかが興奮気味にそうつぶやく。霧山は思わず訊いた。

「そうなの？」

「お姉さんの悲劇から十五年、今や新進気鋭のコーチとして、藤山しおりは日本女子水泳界の中心的存在よ」

「ふ〜ん」

プールの建物に入ると、あの独特のツーンとした塩素の匂いとともに、水しぶきの音が聞こえてきた。

「はい、もう少しストロークのリズムを意識する！」

女性の声が聞こえ、ホイッスルが鳴った。プールの中では数名の女子選手が泳いでいるところだった。飛び込み台の上から、ひとりが飛び込み、水しぶきが上がる。やがて、上下のトレーニングウェアを着た小柄な女性がひとり、霧山に近づいてきた。

「お電話をいただいた方ですね？」

そう声をかけられ、霧山としずかは会釈した。

「総武警察の霧山です」

「三日月と申します」

「藤山しおりです」と、その女性は名乗った。霧山が口を開こうとしたその時、背広姿の男性が近づいてきて、彼女に声をかけた。

「じゃあ、さっきの件、よろしく頼むよ」

すると、藤山しおりはきっぱりと答えた。

「あり得ません。とにかく結果でご判断下さい。オリンピックで勝ちたくないのなら別ですけど」

「まぁ、とにかく明日……」と、男は彼女の態度に気圧《けお》されたのか、口ごもって去った。

「はい、三十分休憩！」

しおりは大きくホイッスルを吹き、霧山たちに向き直った。

「お待たせしました。姉の事件のことだとか？」

「ええ、先日、時効になりまして……」

「警察の方に伺いました」

そう言いながら、しおりは霧山たちをプールサイドにあるベンチのところまで誘導し、座るように促した。霧山はしずかと並んで腰かけ、話を切り出す。

「僕は時効管理課の人間なんですが、警察署に保管されていた遺留品の返却を担当しています」

「何故、父でなく私に？」

しおりはスタート台のひとつに腰かけ、向かい合った。

「実は、事件は時効になったんですが、何らかの形で真相を突き止められないかと思い、個人的な捜査で伺いました」

「個人的な捜査……？」と、彼女が怪訝《けげん》そうな顔をする。

「まぁ、こういう言い方はなんですが、もちろん、ご遺族の方の心情を考えておりますし、誰が得をするとか損をするとかいう話では、ないんですけど……」

霧山が遠回しな言い方をしていると、しおりは単刀直入に切り返した。

「何がおっしゃりたいんですか？」

「まぁ、僕の趣味で調べてみたいと思ってる……です」

「趣味……」

「はい、趣味です」

そして、霧山はおもむろに立ち上がり、入口のところに置いてきた段ボール箱を取りに行った。背後でしおりの声がする。

「変わってらっしゃいますね」

「ええ……そうなんですよ」と、しずか。

「もしかしたら、亡くなった姉と同じタイプなのかも……姉の一子もそうでした」

「そうなんですか？」

「自分がこうだと思ったら、必ずやり遂げるというか……はい」

霧山はそのやり取りを聞きながら、遺留品の入った段ボール箱を持ち上げた。

「ごめんなさい、余計な話でした」

振り返ると、しおりがそう言って頭を下げている。霧山は大声で呼びかけた。

「いや、そんなことありませんよ」

するとしずかが驚いたように顔を上げ、しおりも振り返った。

「どうぞ、お気になさらずお調べになって下さい。みんなが姉のことを忘れていく中で、霧山さんが個人的に調べて下されば、姉も喜びます……はい」

霧山は段ボール箱を彼女の足元に置いた。

「ひとつ、伺ってもよろしいですか？　亡くなった小原コーチからの最後の電話を取られたのは、あなただとか？」

「はい」と、しおりはうなずく。

「最後にコーチは何を？」

霧山が尋ねると、彼女は感情を押し殺したような抑揚のない声で言った。

「……俺は、取りかえしのつかないことをしてしまった、と。私は姉と話させて下さいと言ったんですが、コーチは何も言わず電話を切ってしまって……姉の身に何かあったと思った私は、すぐに家を出て、コーチのアパートに向かいました……はい」

「ご両親は？」と、霧山は訊《き》いた。

「その時は家におりませんでした」

「それで、ひとりで向かわれたのですね？」

「はい。行ってみると、小原コーチのアパートが燃えていて、私、もう動転してしまって」

「その翌朝、お姉さんの遺体が発見された」

「そうです……」

「警察は、あなたの証言に基づき、小原コーチがお姉さんを殺して自殺を図ったという線で捜査しましたが、物証が出なかった」

「私は、警察は間違っていなかったと思います……はい」

しおりは極力、感情を抑えようとしているように見えた。霧山は重ねて訊く。

「失礼ですが、しおりさん……お姉さんと小原コーチとの間に肉体関係があったと思いますか？」

瞬間、沈黙が流れた。しずかが顔をしかめて、霧山を睨《にら》みつける。

「私はそう思います……はい」

しおりは無表情なまま、そう答えた。


ひと通りの話を聞き終え、霧山としずかは練習が再開されたプールから出ていこうとした。しおりはまたプールサイドに立ち、ホイッスルを吹いている。

「ありがとうございました」

霧山は彼女の横を通りすぎ、頭を下げた。しおりはちらっと振り返って、会釈する。出ていきかけた霧山は、思うところあって、また彼女のもとに駆け寄った。

「しおりさん、もうひとつだけ……十五年前、あなたが小原コーチに恋愛感情を抱いたことは？」と尋ねると、しおりはきっぱりと否定した。

「ありません」

「コーチと選手の信頼関係が擬似的な恋愛感情になることがあると聞きましたが……」

「だとしたら、余計ありません」

にべもない彼女の態度に、霧山は退散することにした。ところがその拍子に足元が水で滑り、霧山は体のバランスを崩した。どこにもつかまるところなどなく、倒れそうになった霧山は、咄嗟《とっさ》に伸ばした手で、しおりの肩を突き飛ばしてしまった。

「あぁ！」

霧山が声を上げるのと同時に、彼女もかすかに悲鳴を漏らし、次の瞬間にはプールの中に仰向《あおむ》けのまま落ちてしまった。大きな水しぶきが上がる。

「あ〜」と、霧山は間の抜けた声を上げた。しずかがたまらず駆け寄ってくる。

「なんてこと、すんのよ」

「すいません」

霧山は水面に顔を出したしおりに声をかけた。

「いえ、大丈夫です」

彼女は落ち着いた口調でそう言って、濡《ぬ》れた顔を手でぬぐった。

「霧山さん……」

不意にしおりが何か言いたげにつぶやく。霧山は彼女を見つめた。

「え……？」

「いえ、なんでもありません……」と、彼女は再び黙りこくった。

スイミングプールをあとにした霧山は、車が行き交う街道をしずかと並んで歩いた。

「綺麗《きれい》な人だよねぇ……」

霧山がそうつぶやくと、しずかは苦笑したようだった。

「まぁ……でも、やっぱり、性格がキツそうよね」

「どっか影があるっていうか……女性は影があったほうが魅力的だって言うけどね」

「すいませんね。影がなくて」と、しずかは不貞腐《ふてくさ》れる。

「あ、いやいや……君に影がないからといって、責めてるわけじゃないよ」

霧山がそう言うと、しずかはキッと睨んだ。

「腹立つよな〜……なんか、腹立ったらお腹減ってきちゃったわよ」

「ホント、単純な仕組みだよね」

「いいのいいの、ブライアン・イーノ……この近所に、凄《すご》く美味《おい》しいあなご寿司《ずし》を出すお寿司屋さんがあるんだけど」

「えぇ〜？　ないと思うよ」と、霧山は素っ気なく言った。ところが、しずかは懐から雑誌の切り抜きを取り出す。

「調べてあるのよ」

「そういうことになると、マメだよね」

しかし、しずかは霧山の言葉に耳を貸すでもなく、切り抜きを見せつける。

「ほら、東京湾で捕れた極上のあなごだって」

「あ、じゃあ、先にしおりさんのお父さんのところに行ってからね。遅くなるとさ――」

「必ずよ。命、賭《か》けるね？」と、しずかは嚙《か》みつかんばかりの勢いだ。

「いや、命は賭けないよ……」

霧山はしずかをあしらいながら、藤山家へと急いだ。

藤山家は、この辺りでもひときわ立派なお屋敷だった。古風な応接間に通された霧山としずかは恐縮しながら、藤山姉妹の父、光二郎《こうじろう》に対面した。藤山光二郎は、この旧家が放つ威光には似合わない、人の好《よ》さそうな中年男だった。

「これが事件に関して、お預かりしたものです」

霧山が段ボール箱に詰めた資料をテーブルの上に置いた。そして光二郎のほうへ差し出すと、テーブルがずずっと動いてしまう。光二郎は気にする風もなく、丁寧に頭を下げた。

「そうですか。それはご足労でした。犯人を……非常に残念です」

光二郎が口ごもる。霧山は神妙な面持ちでうなずいた。

「お父さんの心中、お察しいたします……でも、娘さんは小原コーチに殺されたとは思えないんですけど」「え……？」と声を上げたのは、しずかだった。光二郎は深くうなずいている。

「私もそう思います」

しずかがまた「え……？」と声を上げた。

「私にはどうしても、あの小原コーチが一子を手にかけたとは思えんのです。あの小原という男はコーチとしても人間としても、非常に信頼がおける男でした」

霧山は光二郎の目をじっと覗《のぞ》き込んだ。

「失礼ですが、お父さんは他に犯人の心当たりが、おありでしたか？」

「ええ……いえ……」

光二郎はうなずきかけて、慌ててそれを否定した。霧山は、彼の内心の焦りを見たような気がしたが、その瞬間、玄関のチャイムが鳴って、光二郎がすぐに反応する。

「ラーメン、サルタナです」という声が玄関口から聞こえた。光二郎が霧山に尋ねる。

「あ、お昼まだでしょう？　ラーメン取ったんですよ。召し上がっていって下さい」

「はい」と、霧山がうなずくと、光二郎は玄関へ向かった。しずかがキッと睨みつける。

「ちょっと、あなご寿司はどうなるのよ？」

「あ……」

「あ……じゃないでしょう。断りましょうよ」

「えぇ～、それはぁ……」

霧山が口ごもると、しずかはなおも鋭い目で睨《にら》みつける。

「さあさあ、どうぞ」

光二郎がラーメンを運んできて、霧山は遠慮なくいただくことにした。しずかはしばらく憮然《ぶぜん》としていたが、やがて観念したのか箸《はし》を手にした。

「いつ食べても、そこそこでしょう。美味《うま》くもなければ不味《まず》くもないんですよ……ねぇ、お嬢さん」

光二郎がラーメンをすすりながら、そう呼びかける。

「そうですねぇ……」と、しずか。

「あなご寿司でも食べに行けばよかったなぁ〜。駅のほうに美味しいあなご寿司の店があるんですわ」

光二郎の言葉に、しずかが箸を手にしたまま呆然《ぼうぜん》と固まっていた。


翌日の朝、霧山は早速、調査経過を熊本たちに報告した。黙って耳を傾けていた熊本が、ぽつりとつぶやく。

「じゃあ、お父さんも犯人はコーチじゃないと思ってるんだ」

「そうなんですよ……」

霧山はじっと考え込んだ。しずかが言う。

「でも、六時三十二分に藤山一子を殺して、八時頃に自殺って、一応、話の辻褄《つじつま》は合ってますよね」

　すると、山積みの資料を整理していた又来が、不意に呼びかける。

「んなことは、どうでもいいのよ。ねえ、あの街であなご寿司食べた？」

「いいえ……」と、しずかは深くため息をついた。

「なんだ、教えといてあげればよかったわねぇ」

　そう言って、又来は財布から雑誌の切り抜きを取り出す。

「ほら、ここよ。凄く美味しそうでしょう」

「あ、ホントだ。行けばよかったのに」と、サネイエも覗き込んだ。

「あ〜、もう！　今度は食べますよ。絶対に食べます。死んでも食べます！　ごちそうさまでした！」

　しずかはそう口走って、時効管理課をあとにした。見送った又来が首をひねる。

「ん？　どうしたんだろう？」

「さぁ……？」と、霧山はとぼけた。


　その夜、霧山は部屋で寝転びながら、ぼんやりと事件のことを考え続けていた。

「もし、小原コーチが藤山一子を殺したとして、後追い自殺するぐらいなら、どうしてその場で自分も飛び降りなかったんだろう？　一度、家に帰るっていうのが、納得できないよなぁ〜」

そう独り言を言って、霧山は跳ね起きた。電話番号を書いたメモを取り出し、番号をプッシュする。ツーコールで相手は出た。

「……あ、総武警察の霧山です。夜分、すいません……実はちょっと、確認しておきたいことができたんですけど……」

その同じ頃、しずかもベッドに寝転がって、ぶつぶつと恨み言を続けていた。

「やっぱり、あなご寿司《ずし》を食べてないのは、納得できないよなぁ〜」

そして、しずかは跳ね起き、電話をつかんだ。霧山の番号をプッシュする。

「話し中だよ！　間が悪いんだよ、霧山！」

しずかは拳《こぶし》をテーブルに叩《たた》きつけた。

次の非番の日に、再び藤山しおりを訪ねた霧山は、評判のあなご寿司屋で彼女と会った。カウンターの席に並んで座り、肉厚のあなごが載った寿司を頬張る。

「いやぁ……やっぱ、美味いなぁ、このあなご寿司」

霧山がそう声を上げると、しおりが淡々と言った。

「まぁ、雑誌とかにも出てて有名ですからね」

「三日月くんも、そう言ってました」

「いいんですか？　私とふたりで食べてて、彼女に怒られません？」

しおりはうっすら微笑んで、霧山のほうを見る。

「三日月くんですか？」と、霧山は顔をしかめてみせた。

「ええ……」

「僕の彼女だと!?」

霧山は少し大袈裟《おおげさ》に反応し、カウンターをバンと叩いた。

「ごめんなさい……なんか、そんな気がしたもんですから」

「違いますよ。彼女は、もっと年上の人と付き合ってるんですよ」

そう言って、霧山は蜂須賀から借りてきた例のラブホテルの前の写真をカウンターに広げた。

「あ、これ？」と、しおりが写真の中のしずかを見つめる。

「三日月くんと、もうひとりの男性は、僕の上司で妻帯者です」

「じゃあ、不倫なんですか？」

「そう見えますか？」

「ええ、まあ……」

「でも、違うんです。これは、三日月くんと僕の上司が偶然、ラブホテルの前で出会って、その時に偶然、日光東照宮のメダルが取れて、それをふたりで拾いに行って、出てきたところを偶然、撮られた写真なんです」

「はあ……そうなんですか」

「でも、不倫に見えましたよねぇ」

霧山が思わせぶりな口調でそう言うと、彼女はまた毅然《きぜん》とした態度に戻って尋ねる。

「何がおっしゃりたいんですか？」

「お姉さんの事件も似てるんじゃないかと思ったんです。いくつかの偶然が、不倫の末の殺人と自殺に見せてるんじゃないかと思って――」

「どうして？」

「まぁ、根拠も証拠もないんですけど……しおりさんは、どう思います？」

霧山がそう水を向けると、しおりは真っ直ぐ前を向いたまま答えた。

「私は、そうは思えません……はい」

「何故です？」

「いや……ただ、根拠のないことは嫌いです」

「ああ、そうですか……ところで、しおりさんは、お姉さんのことがあってから一度も泳がれてないそうですね？」

その質問の答えもまた、どこか感情を押し殺したような素っ気ないものだった。

「やはり、姉のことを考えると……はい」

しおりは、カウンターの先の何もない空間を見つめていた。


藤山しおりと別れてから、霧山は小原安雄の元妻が住んでいるはずのマンションを訪ねた。三階の端にある部屋に、「小原」という名前が極端に小さく書かれた表札が出ている。チャイムを押すと、しばらく間があって、ドアがゆっくりと開いた。疲れた顔色の中年女性が、細目に開いたドアの隙間からあたりを窺《うかが》う。

「小原……和恵《かずえ》さんですか？」

霧山がおそるおそる尋ねると、女性は小さくうなずいた。

「先程、お電話した総武警察の霧山です」

「あぁ……で？」と、小原和恵はぶっきらぼうな口調で訊《き》く。

「あの……ご主人の事件が時効になりましたので、ご主人の品物をお返しに来ました」

遺留品の入った紙袋を示すと、彼女は間髪を容《い》れずに言った。

「捨てて下さい」

そして、霧山の目の前でドアがバタンと閉められた。

「え〜？」と、霧山はため息を漏らした。その途端に再びドアが開き、和恵が顔を出す。

「え〜？　って言いました？」

「あ、いや……はい」

「あんなに酷《ひど》い裏切られ方をしたんですよ。凄《すご》く愛していましたのに……」

和恵は表情も変えずに、そうつぶやいた。霧山は尋ねた。

「ああ……じゃあ、ご主人と藤山一子さんが不倫関係にあったことは？」

「知りませんでした」

「誰に聞いたんですか?」

「刑事の山村さんです……でも私、あり得ないと申しましたの」

そう言いながら、彼女は徐々にドアを閉めていく。霧山は必死に中を覗《のぞ》き込んだ。

「何故です?」

しかし、ドアは再び閉まった。その次の瞬間、和恵がドアを大きく開けて、廊下に身を乗り出した。

「中へどうぞ」と、彼女が部屋の中を示す。

「はぁ……」

霧山は合点がいって、玄関に足を踏み入れた。和恵がせっつくように霧山の背中を押し、ドアを閉める。狭い玄関に立ち尽くしたまま、彼女は霧山の耳元でささやいた。

「実は……主人はインポテンツだったんです」

「え……?」と、霧山は聞き返した。

「はい、出て下さい」

そう言うと、和恵はドアを開け、霧山を強引に廊下に押しやった。霧山はきょとんと彼女を見つめる。

「別に、私にだけそうだったわけではありませんよ。医学的にそうでしたから。ちょうどその頃、子供が欲しくて頑張ってたんです。フレ〜、フレ〜って」

和恵は少しつらそうな顔をしながら、ドアを開け閉めした。

「もう、よろしいかしら？　不倫だと思われてもなんですので……」

そう言うと、和恵は辺りを気にする仕種《しぐさ》をした。霧山は手にした紙袋を再び見せる。

「あ、あの……これは？」

「捨てて下さい」と、きっぱり言って、和恵はまたドアを閉めた。

「え～？」

霧山が再びため息をつくと、勢いよくドアが開く。

「え～？　って言いました？」

和恵に睨《にら》まれ、霧山は苦笑いを浮かべた。


霧山は、時効管理課の黒板に今のところわかっていることを書き連ね、あれこれ思いをめぐらせた。その様子を眺めていた又来が、しみじみとつぶやく。

「なんらもなぁ～」

霧山は熊本たちのほうに向き直り、首を傾げた。

「やっぱり、これだけ、状況がはっきりしてるのに、物証が何ひとつ出ないっていうのは、おかしいですよ」

「犯人は超能力者ってことですかね」と、サネイエ。

「お、超能力ならまかせとけ。いいか、テレビが点《つ》く！」

そう言って、熊本が横にあるテレビに向かって指を鳴らす。それと同時に、蜂須賀が時効管理課に現れた。

「何の話？」

ところが、その一拍遅れたタイミングで、突然テレビが点いた。

「あ……！」

又来たちが一斉に息を呑《の》む。しかし、一番驚いていたのは当の熊本自身だった。

「……うそ」

「あ、超能力者だ」

又来が指差し、それにつられて蜂須賀も、どうせ意味もわかっていないだろうに、熊本を指差した。

「超能力者ですよね」

「おいおいおい……そんなことないよなぁ」

熊本は不安気な顔で、又来の腕をつかんだ。

「ちょっと、なんでつかむんですか⁉」と、又来が怯《おび》える。

そこで霧山は、隣で机にもたれかかるようにしている蜂須賀に気づいた。

「蜂須賀さん……リモコン押してますよ」

「え……？　あ、うそ……俺？」

蜂須賀はもたれかかった腕でテレビのリモコンにのっかっていたのだ。

「なんだよ、そういうことかぁ〜」

又来が呆《あき》れたように言った。

「熊本さんがパチンってやった時に、蜂須賀さんがリモコン押してたんですよ！」

霧山が勢い込むと、又来がうんざりしたように手を振る。

「んなこたぁ、わかってるよ」

「俺、超能力者じゃないよね……あ〜、よかったぁ」と、熊本。

「単なる偶然じゃないですか」

サネイエが吐き捨てるようにつぶやいた。


その夜、霧山は再び上総武署の山村荘八を訪ねた。霧山が今現在の仮説を伝えると、山村は目を剝《む》いた。

「偶然だと……？」

「これ、今はふたつの出来事を、ひとつの事件として考えてますよね」

「当たり前じゃねぇか！」と、山村は眉間《みけん》にしわを寄せる。

「これ、もし仮に、小原コーチの自殺と藤山一子殺しが偶然、同じ時間に起きた別の出来事だとしたら？　しかも、小原コーチの自殺は、本当は単なる事故かもしれない」

「お前、根拠はあるんだろうな」

「コンロの上のヤカンです……ほら、この現場検証の写真にも出てる」

そう言って、霧山は捜査資料のファイルをめくって、山村に見せた。現場検証の時に撮られた写真の一枚に、コンロの上に乗っているヤカンが写っている。

「なんで……だよ？」と、山村が怪訝《けげん》な顔で訊《き》いた。

「コンロの上にヤカンがあったってことは、小原安雄はお湯を沸かそうとしてたんじゃないでしょうか？」

「お前、何が言いたいんだ？」

「いや、自殺する人間はお湯を沸かさない気がします。もし、仮に事故だとすると、藤山一子殺しとは無関係の偶然です。つまり、ふたつの偶然をひとつに結び付けた人間がいるはずなんです」

「ひとりは、俺だ」と、山村は胸を張った。

「はい……最低、もうひとり、いると思います」

霧山はじっと山村を見つめた。

少しずつ、事件の輪郭がはっきりしだしてきていた。日々の仕事に追われながらも、霧山はこの事件のことが気になって仕方がない。

「う〜ん……」と、霧山がデスクで唸《うな》っていると、突然、又来が定規で腕を叩《たた》いた。

「おい！　霧山！　また、例の事件で頭いっぱいにしてるだろう」

霧山は慌てて、又来に頭を下げた。

「あ、すいません」

「さっさとやんなさいよ」

又来は机の上に積み上げられた書類の山を指した。

「ですよねぇ」と、霧山は気を取り直して、ペンを握った。ところが、書類に記入を始めると、又来が定規でペンをつつく。

「あぁ～……ちょっと、やめて下さいよ」

書類に落書きのような線が引かれ、霧山は口をとがらせた。そのまま何もなかったように仕事を始める又来を見て、霧山は汚れた書類を丸めて捨てた。

「霧山……お前じゃないだろうな？」

不意に呼びかけてきたのは十文字だった。びっくりした霧山が振り向くと、いつものトレンチコートを羽織った十文字は窮屈に体を折り曲げて、霧山の隣にしゃがみ込む。

「え……？」と、霧山は十文字を見つめた。

「どうしたの？」

「ないんですよ……」

熊本が尋ねると、十文字は硬い表情のまま、小声でつぶやく。

「何が？」

「警察手帳」

それを聞いて、真っ先に叫んだのは又来だった。

「えぇ～⁉　マズイじゃない！　トレンチコート着てる場合じゃないだろう！」

みんなの視線が集まり、十文字は苦しそうにつぶやいた。

「ひょっとすると、盗まれたかもしれない。この十文字疾風を陥れようとする陰謀……」

そして、十文字はやにわに立ち上がり、辺りを見回した。霧山は軽い口調で呼びかける。

「忘れ物って、普段とは違う行動をした時に起きるらしいよ」

「何……？」と、十文字が振り返った。

「たとえばね、トイレでうんこした時に、普段は手帳のことなんか気にしないじゃない。でも、その時はたまたま、落としたらまずいなぁ～とか思って、どっかに置いたりしますよね。そういう時に忘れるらしいよ」

霧山がそう言うと、又来が感心したようにうなずく。

「なるほどねぇ～」

「霧山くんは何でも知ってるねぇ～」と、熊本。

しかし、十文字は憎々しい笑みを浮かべて、霧山を見下ろした。

「いやいや、そういうのを民間療法って言うんだよ。迷信ってやつだ……霧山、そんなとに振り回されてるから、いつもヒマなんだよ。なんだ……なんで、俺がトイレに手帳を置くんだよ。バッカバカしい」

十文字がそう皮肉たっぷりに話している間に、又来が日頃、どつかれている腹いせなのか、目の前に置かれた十文字の手の甲に油性マジックで猫クラゲの絵を描いていた。

それに気づかないまま、十文字は立ち去ってしまった。又来が後ろ姿を見送りながら、つぶやく。

「何度見ても気の毒だよな〜」

「いや、でも、彼、お金には汚くないですから――」

霧山の言葉を、熊本がさえぎる。

「霧山くん、喋《しゃべ》ってないでやったらどうだ?」

霧山は思わず顔をしかめた。

「さっきから邪魔ばっかり入るから。あ〜、もう!」

すると、サネイエが声をかける。

「霧山さん、お電話です」

「何!」と、霧山は声を張り上げた。

「お電話です!」

「誰!」

「藤山しおりさんです」

「え……?」

霧山は少しの間、呆然《ぼうぜん》とその場で固まった。

その夜、霧山はしずかを連れて、あのスイミングプールを再び訪れた。パーカーを羽織ったしおりが出迎える。プールサイドに向かいながら、彼女は頭を下げた。

「わざわざ、すいません」

「あ、いえ……」と、霧山は手を横に振った。

「それから、この間はごちそうさまでした」

しおりがそう言うと、しずかが怪訝そうに声を上げる。

「え……？」

「あ、いや……まぁ、いえいえ」

霧山は言葉を濁した。しおりが霧山たちのほうに向き直る。

「霧山さん……私、十五年ぶりに泳いでみようと思います」

霧山としずかはベンチに座るよう促され、黙って彼女を見つめた。

「姉が殺された時、私はもう二度と自分が泳ぐことはないと決めていました……」

そう言って、しおりはプールのスタート台のひとつに腰かけた。

「でも、霧山さんに言われて気づいたんです。かたくなに泳がないでいることは、やはり不自然だと……はい」

霧山はそう話す彼女の口元を、じっと見つめた。

「姉の事件も時効になりました。だから、もう一度泳いでみようと思います……はい」

おぼろげに浮かんでいた事件の謎を解く鍵《かぎ》が、霧山の中で徐々に確信になりつつあった。

「小原コーチや姉への気持ちを吹っ切らなければ、私のオリンピックはありませんから……はい」

そして、しおりはすっくと立ち上がり、羽織っていたパーカーを脱いだ。中に着ていたのは、競泳用のスイムスーツである。そのまま彼女はスタート台に立ち、飛び込みの姿勢を作った。霧山たちが見守る中、しおりは呼吸を整え、ぐっと足に力を込める。

彼女が両足でスタート台を蹴《け》った刹那《せつな》、きれいな水しぶきが上がった。水面に顔を出した彼女の軌跡を、霧山としずかはずっと見つめていた。

スイミングプールをあとにしてから、霧山はしずかに催促され、例のあなご寿司《ずし》屋を目指して夜の街を歩いた。しずかが不意につぶやく。

「よかったわね」

「え……？　何が？」と、霧山は聞き返した。

「しおりさんの水着姿が見られたから……感動した？」

しかし、霧山はそれには答えず、ぽつりとつぶやいた。

「あの人、嘘をついてるね」

「え……？　なんで？」

しずかがきょとんとして見つめ返す。

「いや、自分の言った発言のあとに、『はい』をつけてたから」

「はい？」

そして、霧山は藤山しおりの口調を真似た。

『私は、警察は間違っていなかったと思います……はい』。気づかなかった？　この前も、今日も」

「そういう口癖なんじゃないの？」と、しずかはつぶやく。

「虚言癖の人に多いんだよ」

「ホント？」

「そう。自分の発言を本当のことだと思い込みたい心理がそうさせるんだと思うんだけど。たとえばね、〝僕はさ、本当は刑事になりたいと思ってるんですよねぇ……は〜い〟」

霧山はことさら「は〜い」を強調して言ってみせた。

「あ、なんか嘘っぽい」

「〝三日月くんてさ、凄《すご》く女性らしいと思うんだよねぇ……は〜い〟」

「言い方なんじゃないの？」と、しずかは眉間《みけん》にしわを寄せる。そして、おもむろにポケットから例の切り抜きを取り出した。

「それより、今日こそあなご寿司〜！」

ところが、スキップしながら角を曲がったしずかが、やにわに絶叫した。

「あぁ〜！」

「どうしたの？」

追いついた霧山が見ると、店の前は明かりが真っ暗で、貼り紙がしてあった。

「誠に勝手ながら、本日、良いあなごが捕れなかった為、臨時休業致します。
あなご寿司　あなごん」

しずかの悲鳴は闇に吸い込まれていった。


もう一度、捜査資料を隅々まで調べた霧山は、小原コーチの遺留品の中に得体の知れないものを発見し、それを持って鑑識課を訪ねた。

鑑識課の諸沢は霧山の顔を見るなり、霧山が用件を切り出す暇もなく、二枚の写真を目の前に突き出した。一枚の写真には古びた作業場のようなものが写っており、もう一枚はその作業場の屋根に掲げられている看板のアップだ。そこには「とりけものおどし機」と書かれている。

「なんですか、これ？」と、霧山はつぶやいた。

「わかんねぇ」

諸沢はそう言って笑みを浮かべる。霧山は無言でその写真を諸沢のほうに押しやった。

「霧山……」

諸沢が苦虫を噛《か》みつぶしたような顔で睨《にら》みつける。霧山は構わず遺留品の入ったビニール袋を取り出した。

「これ、死んだ小原コーチの財布から出てきたんですけどね」

一見すると、それは真っ黒なただの紙切れだった。諸沢が明かりに透かしてみる。

「感熱紙だなぁ……レシートかなんかじゃないか？」

「感熱紙って？」

「昔、ファックスとかでよく使ってただろう」

そう言うと、諸沢は机の引き出しから、ロール状の紙を取り出す。

「これな。ここのファックスまだ古いから、これだよ……これ、多分あれだな、ガスの爆発の熱で真っ黒になっちゃったんだよ」

そして諸沢は手近のアルコールランプに火を点《つ》け、感熱紙のロールを少し広げると、そこに炎を当てた。紙は見る見る黒くなっていく。

「なるほど……」

「そういうわけだ」と、諸沢はまだ手を動かしながら言う。

「じゃあ、これに何が書いてあったかって、わかりますかね？」

「最近、わかるようになったかな」

「おいくらですか？」

「三千円」

「あぁ、高いなぁ〜」と、霧山は顔をしかめた。諸沢は即座に告げる。

「二千八百円」

「あ、負けてくれるんですね」

「まぁな」

そして、諸沢は炎で炙《あぶ》り続けた感熱紙を霧山のほうに向けた。

「……どうよ?」

そこには、見事な墨文字ふうの「仲よき事は美しき事かね　實馬」という言葉と、かぼちゃの絵が浮かび上がっていた。

「あ、凄いな」と、霧山は思わず感嘆した。

それから作業に取り掛かった諸沢は、ものの十五分程度で、真っ黒な紙を元通りに再現してみせた。

「できたぞ」

諸沢が紙挟みで薬液から紙を持ち上げる。霧山は徐々に浮かび上がった文字を見つめた。

「レシートだ……」

やはりそれは買い物の記録が印字されたレシートだった。店は上総武市の味見《あじみ》電気店、日付は一九九一年一月十五日で、一万二千円の電子手帳を買ったというものである。

一月十五日……それは事件の起きた日だ。

その足で、霧山はしずかを誘って味見電気店まで行ってみた。閉店間際なのか看板の明かりは消え、店主らしき男性が霧山たちを出迎えた。

「ご主人ですか?」と霧山は尋ね、名刺を差し出した。

「警察の方？」

名刺を見た店主は怪訝《けげん》そうな顔をする。

「はい、そうです」

すると、店主は店の前の一角を指差した。

「外のほうがいいですよね……そちらにどうぞ」

店主は、真っ赤に燃えた石油ストーブが置かれ、それを囲むように簡素な椅子が並んでいるスペースにふたりを案内した。霧山としずかは促されるままに腰を下ろした。

「息子の味見啓之助《けいのすけ》です……まぁ、まだ独身ですけど」

そう言って、啓之助は声を上げて笑う。

「はぁ……」と、霧山は力なく相槌《あいづち》を打った。しずかも横で引きつった笑みを浮かべる。

「で？　なんですか？」

啓之助に訊《き》かれ、霧山は身を乗り出した。

「実は、時効になった事件の後処理をしてまして、この街で起きた――」

そこまで言うと、啓之助がそれをさえぎるようにして訊く。

「藤山姉妹の事件でしょう？　本当ならオリンピック選手になって、うまくすりゃ、金メタルでしたよ」

啓之助は不敵に笑った。

「金メタルって――」と、しずかがこっそりせせら笑う。霧山は説明を続けた。

「亡くなった小原コーチの財布から、お宅のレシートが出てきたんですが、何を買ったか、わかりますかね？」

「さぁ……親父が死んでるから、わかんねぇなぁ」

啓之助は声をひそめた。つられて霧山もひそひそ声になる。

「これ、なんですが……」

霧山は、ビニール袋に入れた例のレシートを差し出した。受け取った啓之助は立ち上がり、店内の明かりが射すところまで移動する。そして、不意に声を上げた。

「あぁ！　親父の命日だ」

「あれ、そうなんですか？」と、霧山は驚いた。

「親父もついてないんですよ。藤山一子、小原コーチと同じ日に死んだでしょう。誰も相手にしやしない……あれ？　私が独身だって言いましたっけ？」

啓之助は不意に話の腰を折って、しずかの顔を覗《のぞ》き込む。

「はい……それより、お父さんが何か記録を残してるってことは？」

しずかがそう尋ねると、啓之助は店の裏手にある修理工房までふたりを案内した。暗がりを進む啓之助は、入口の前まで来ると、霧山たちのほうを振り返った。

「親父が亡くなった日のままにしてあります。開けるのも十五年ぶりですよ」

そして啓之助は鍵《かぎ》を開けた。引き戸を滑らせると、パッと埃《ほこり》が舞い上がる。啓之助が手探りで明かりを点け、大きな作業台が置かれた室内の様子が目に飛び込んできた。部屋の片隅には段ボール箱が積み上げられ、いくつかの家電器具も無造作に置かれている。ハンダで汚れた作業台の上には工具や細かい部品が散らばっていた。

啓之助は作業台に近づくと、引き出しを開けた。

「親父は意外と几帳面《きちょうめん》でね……あ、あった」

そう言って彼が引っ張り出したのは、一冊の大学ノートだった。ぱらぱらとページをめくる。どうやら、それは帳簿のようだった。

「えーと……九一年一月十五日、小原様……」と、啓之助がページを指で追う。霧山も覗き込むと、そこには日付と客の名前、何を売ったかなどが克明に記されていた。

「あった！　電子手帳一式、一万二千円、十八時三十分……多分これですね。懐かしいなぁ〜、親父の字ですよ。〝2〟のこの左側がこういうふうに丸くなるんですよ……」

啓之助は帳簿を見ながら何事かつぶやき続けた。しずかが霧山の腕を引っ張る。

「十八時三十分……？」

しずかは霧山の目を見て、そうつぶやいた。霧山もうなずく。

「そう、藤山一子の死亡推定時刻だ。その時間、小原コーチは電気店にいた……すいません、ここから涙目橋まで、何分くらいですか？」

霧山は啓之助の顔を覗き込んで訊いた。

「車で十分くらい、かなぁ」と、啓之助は首をひねりながら答える。

「やはり、山村刑事の仮説は間違っていたんだ……」

霧山としずかは顔を見合わせた。

「それにしても、埃が凄《すご》いな」

啓之助がそう言って、作業台の上を息で吹き飛ばした。埃がもうもうと立ちこめる。すると、その埃に埋もれるようになっていた小さなカセットテープが姿を現した。

「ん……？　ずいぶん小さなカセットですねぇ」

霧山がそう言うと、啓之助は薄笑いを浮かべる。

「あ、知らない？　マイクロカセット。昔の留守電とかに使ってた」

「へぇ〜……あの、これってお借りできますかね？」

そう言いながら霧山がマイクロカセットに手を伸ばそうとすると、啓之助がその手をぴしゃりと叩《たた》く。

「駄目だよ！　これはね、親父の最後の仕事だよ！　おいそれと貸せるわけがない！　少しは死者の尊厳を考えなさい！」

啓之助の剣幕に、霧山はたじたじとなった。その時、携帯電話の着信音が辺りに響く。

啓之助がポケットに入れてあった携帯を取り出した。

「あ、もしもし……あ〜、チーちゃん。はい、ミウミウちゃんですよ〜」

そう言いながら、彼は工房の表に出て会話を続けた。その後ろ姿を見送ったしずかが、作業台の上のマイクロカセットを拾い上げ、こっそりバッグにしまう。

「……へへ」と、しずかは不敵に笑った。

霧山はその大胆さに驚き、思わず「えぇ〜」と声を漏らした。

翌日、霧山は、しずかがくすねてきたマイクロカセットテープについて、又来に調査を頼んだ。別件で西総武署に出向いてきた帰り道、霧山は又来からの電話を受けた。

「……あのね、霧山、『MASATOME』っていうのは、カセットテープのメーカーじゃなくて、留守番電話のメーカー」

電話の向こうで又来がそう告げる。テープに書かれていた「MASATOME」という文字を頼りに、又来が調べてくれたようだ。霧山は尋ねる。

「じゃあ、その留守電で使われていたテープなんですか？」

「そう、十五年前くらいの機種は、相手の声をマイクロカセットに入れてたんだって」

「ああ、そうですか……ありがとうございます」

「いいえ、どういたしまして……ポッネン、貸しひとつね。あなご寿司《ずし》ツアーな」

その頃、霧山はすでに刑事課のフロアまで戻ってきていた。

「いや、又来さん、それは割高すぎますよ」

霧山は携帯に向かってそう言いながら、時効管理課の自分のデスクに座った。

「そんなことないぞ……」と、又来も隣の席で受話器に向かって話しかけている。

向かいの席に座ったサネイエが、呆《あき》れ顔で言った。

「何やってるんですか？　ふたりとも」

言われて霧山ははっと隣を見た。又来も電話を手にびっくりして霧山を見る。

「なんだよ!?」と、又来。

「あ、ホントですよ」

霧山も口をとがらせた。熊本がにやにやしながら言う。

「白熊くんもうっかりしてるねぇ」

「え……？　白熊くんって？」

霧山が聞き返すと、熊本ははっとなった。

「ああ……白熊くんじゃないや。霧山くんだよ。ねぇ」

照れ隠しなのか、熊本は又来に笑いかける。

「……白熊にはなりたくないですよねぇ」と、サネイエがぽつりとつぶやいた。

「白熊にはなりたくないわよねぇ……白熊ってね、氷の上で獲物に近づく時、体は白くていいんだけど、鼻は黒いから、こう、手で鼻を隠さなきゃいけないんだって」

そう言いながら、又来は自分の鼻を両手で隠す仕種《しぐさ》をした。

「……いや、だから、僕は白熊じゃないですよ」

霧山は口をとがらせ、アピールした。

「霧山くんだよ」と、熊本が笑う。又来とサネイエが肩をすくめた。

「いいですか？　これ、味見電気店の売り上げ記録です」

そう言って、霧山は昨夜、見せてもらった帳簿のコピーを机の上に広げた。

「事件当日、小原コーチが来てる。ここ、注目！」

霧山は帳簿の該当箇所を指差した。又来がすぐに反応する。

「十八時三十分……？」

「そう！　藤山一子の死亡推定時刻ですよ。当時、日本中が信じた無理心中話は間違いだったんです！」

霧山は熊本たちの顔をぐるりと見回した。


いよいよ事件の核心にたどりついた霧山が、藤山しおりのいるスイミングプールをまた訪ねたのは、翌日の夜だった。

彼女が指導している選手たちの練習は、まだ続いている。霧山としずかは、プールを見下ろす観客席に案内され、そこでしおりが来るのを待った。やがて、水着の上にパーカーを羽織った彼女が、観客席にやって来る。霧山は早速、話を切り出した。

「ひとつ、お断りしておきますが、これからあなたにお話しするのは、あくまで僕の趣味の捜査の結果です……事件そのものはすでに時効ですから、たとえあなたが犯人でも、僕が何かするということはありません」

そして、霧山は背中を向けて立っているしおりに、呼びかけた。

「しおりさん、ご厚意で自白してくれませんか？」

「自白……？」と、彼女は振り向かずに言った。霧山は眼鏡を外して、しずかに手渡す。

「十五年前、お姉さんの一子さんを殺害した犯人は、あなただという自白です」

霧山がそう言うと、しおりはゆっくり振り向いた。

「でも、姉はコーチの小原さんに殺されたんだと思います……はい」

そして、彼女は再び背を向け、眼下の選手たちの泳ぎを目で追う。

「警察はその線で捜査しました……でも、それは間違いです。一見、ひとつの無理心中に見えるこの事件、実は偶然にも前後して起きた、ひとつの殺人とひとつの事故死が、強引に結び付けられたに過ぎないのです」

霧山はしおりをじっと見つめた。彼女の反応はまだわからない。

「あなたはあの晩、自宅で小原コーチからの電話を受けた……おそらくその内容は、オリンピックの強化合宿に、あなたではなくお姉さんの一子さんを参加させることにしたというものだったのではないでしょうか？　もちろん、あなたは納得できなかった。お姉さんより、自分のほうがいい記録を出しているし、自信もあった」

するど、しおりはゆっくり横を向き、歩きだした。霧山も立ち上がる。

「でも、当時のあなたは、コーチからの電話に出て、『お姉さんの一子さんを殺してしまった』と告白された……と、答えていますね」

「ええ、間違いありません……はい」と、彼女がようやく口を開いた。

「あなたのその証言によって、警察は小原コーチが無理心中を図った説を有力視した。でも、それが決定的な間違いだったんです……当時の通話記録によると、コーチからの電話の直後、あなたの家には公衆電話からの着信が記録されています」

霧山はそう言って、藤山しおりの顔色を窺《うかが》った。彼女は無表情なままだった。

「電話の相手は、お姉さんの一子さんだと思います……当然、あなたが出た。お姉さんは、『あなたに話したいことがある』と言い、そして、あなたたちは涙目橋で落ち合うことを約束した……それが、午後八時の少し前のことです」

しおりは黙ったまま、観客席から降りていく階段を進んだ。追いかけながら、霧山は説明を続ける。

「その同じ頃、小原コーチのアパートでガス爆発が起きた……おそらく、小原さんは事故死だったと思います。ヤカンでお湯を沸かそうとしていた時に、何かの拍子でガスコンロの火が消えてしまった。ガスが漏れて部屋に充満していたことに気づかずに、小原さんはライターか何かの火を点《つ》ける……その時点で、あなたもお姉さんもコーチの事故死のことは知らなかった」

霧山は階段でしおりを追い抜き、前に回り込んだ。

「人間はいくつかの出来事を、偶然だと思うより必然だと思いがちです。思いを寄せる男性に偶然、街で出会う……一度目は偶然だと思っても、二度続くと運命のような気がしますよね」

そう言って、霧山は彼女の肩口のところについた糸くずを拾い上げた。

「え!? そういうことなの？」と、しずかが口をとがらせる。しおりは小さくうなずいた。

んです」

霧山は慌てて取り繕うように言った。

「ああ、ちょっと、違いますか。ごめんなさい……とにかく、あなたのお姉さんの事件の場合も、ふたつの偶然を強引に結び付けようとしたことが原因で、時効となってしまったんです」

プールサイドへ向かう廊下を歩きながら、しおりが不意に振り返った。

「でも、私が姉を殺したという証拠はありませんよね……はい」

霧山は小さく首を横に振った。

「いえ……しおりさん、あなたは決定的な嘘をついていらっしゃるはずです」

「え……？」

「あの日、小原コーチとあなたのお姉さんのほかに、この街でもうひとり、死んだ人間がいたことをご存じでしたか？」

「もうひとり……？」

「ええ、偶然なんですが……この、いわば第三の偶然によって、この事件が迷宮に入り込んでしまったんです。亡くなったのは、味見電気店の先代の店主、味見和三郎《わさぶろう》氏です」

すると、しおりは困惑した表情を浮かべ、プールサイドへと歩み寄った。プールから上がってきた選手たちとすれ違い、霧山はあとに続いた。

「十五年前の事件当日の夜、味見和三郎氏は修理を依頼されていた留守番電話を受け取りに、藤山家を訪れている……あなたが、お姉さんに会うために出かけたあとのことです。

帰宅していた光二郎さんが応対され、和三郎氏はその時、留守番電話にメッセージが吹き込まれていたにもかかわらず、気づかずにそのまま回収した……だが偶然にも、その夜、和三郎氏は心臓発作で亡くなってしまったんです」

そして、霧山は例のマイクロカセットテープを懐から取り出した。

「そして偶然、残されたテープが、これなんです」

霧山はテープを彼女に向かって掲げた。しずかが横でマイクロカセットレコーダーを手渡す。霧山はテープをセットし、再生ボタンを押した。

しおりは難しい顔をしたまま、黙って霧山の手元を見つめている。やがて、機械の音声のあと、藤山一子のものと思われる女性の声が流れはじめた。

「もしもし、一子からしおりへメッセージです。お姉ちゃんだけど、少し遅れそうなんで、涙目橋のところで待っててね。お願いしま〜す……イチガツジュウゴニチ、ゴゴハチジジュウゴフン。イッケンデス」

最後にピーという機械音がして、録音はそこで終わっていた。

「お姉ちゃん……」と、しおりがつぶやく。霧山は小さくうなずいた。

「はい。これは十五年間、一度も再生されることがなかった、一子さんからあなたへのメッセージです……午後八時十五分の時点で、一子さんは生きていました。小原コーチの死亡は午後八時……すなわち、あなたの証言のように、小原コーチがお姉さんを殺害するのは、物理的に不可能なんです」

「そんな……」

しおりは目を逸《そ》らし、遠くを見つめた。

「以上が、私が趣味で調べたすべてです。あとは、犯人であるあなたのご厚意に甘えるしかないんですが……」

しばらく黙っていた彼女は、やがてぽつりと口を開いた。

「私は、子供の頃からずっと、姉にコンプレックスを持っていました……何をやっても、姉には勝てないんです。私は悔しくて、姉の何倍も努力するんですけど、やっぱり勝てないんです……秀才は天才に勝てないんですよ」

そう言って、しおりは小さく笑った。霧山はじっと彼女の横顔を見つめる。

「あの夜もそうでした……私は自分が強化選手に選ばれなかったことがどうしても納得できず、姉に食ってかかりました。その時、姉は言いました……私のタイムが姉を上回っていたとしても、それは限界まで来ている数字だから、これ以上は上がらない。オリンピック選手に一番必要なのはアスリートとしての可能性だと、コーチが言っていた、と」

そこでしおりは、また遠い目をした。

「私は、姉がコーチと付き合っているから代表に選ばれたんだと言って、姉を責めました。姉は、そんな私の卑屈な考え方がいけないんだ、と。ついカッとなって、私は姉を突き飛ばしてしまった……」

それは、霧山が予想した通りの出来事だった。はずみで橋の欄干から身を滑らせ、藤山一子は川に転落した。たまたま車通りが途切れていたために、目撃者も出なかったのだろう。霧山は、姉が落下した真っ暗な川を覗《のぞ》き込んで呆然《ぼうぜん》となる藤山しおりの姿を想像した。

「霧山さん……私はまたオリンピックに行けなくなりますね」

しおりは向き直り、悲しい笑みを浮かべた。霧山はその問いかけには答えず、カセットレコーダーからテープを取り出した。

「しおりさん……お返しします」

しおりは、霧山が差し出したテープを受け取り、困惑した表情を向ける。

「しおりさん、事件はもう時効ですから……僕がこの件を口外することはありません」

そう言いながら、霧山はしずかに向かって手を差し出す。しずかがさっき受け取った眼鏡を手渡した。霧山はそれをかけ、懐から一枚のカードを取り出した。

「その約束と言ってはなんですが、犯人の方にこれを……『誰にも言いませんよカード』です」

藤山しおり様 この件は誰にも言いません。 霧山修一朗

しおりは唖然《あぜん》としながら、霧山が掲げたカードを覗き込む。

「これに、僕の認め印を押しますから、お持ちになってて下さい……どうぞ」

霧山は自分の署名の横に判子を押し、彼女に手渡した。しおりはカードと霧山の顔を何度も見比べる。そして何度目かに、しずかのことも見つめた。しずかが慌てて視線を逸らす。霧山は、何故だか不思議な居心地の悪さを感じていた。

「ねぇ、霧山さん……初めてお会いした時、私のこと、プールに突き落としたでしょう」

しおりがうっすらと笑みを浮かべた。

「あ、いや、すいません」と、霧山は頭を掻《か》く。

「実は、あの時に私、あなたはすべてを見通している気がしました……あれって、わざとですか？」

彼女に見つめられ、霧山は照れ隠しに笑ってみせた。

「いやぁ、偶然ですよ……はい」

そう答えると、しおりは深々とお辞儀をして、スタート台のほうへ歩いていった。しずかがにやにやしながら、小声でつぶやく。

「絶対、偶然じゃない……」

霧山がプールサイドから出ていこうとすると、背後でプールに飛び込む音が聞こえた。それはやがて、水をかいて進む快調な音に変わる。

霧山はそのまま真っ直ぐ出口に向かった。

その翌々日——、いつもの時効管理課のまったりとした朝の時間を、又来の素《す》っ頓狂《とんきょう》な声がかき乱した。

「あれ？　藤山しおりってコーチやめちゃうんだ！」

又来が机の上にスポーツ新聞を広げる。そこには、「悪夢再び！　藤山しおり、北京五輪強化コーチを辞退」という見出しが並んでいた。

「あ、ホントだ……結局、またオリンピックに行かないんですね」

横から覗き込んだしずかがつぶやく。

「縁がない感じだね」と、又来。

「私も縁がないんですよ」

しずかが泣き出しそうな顔で言った。

「何に？」

「あなご寿司《ずし》。結局、食べられなかったんですよ～」

それを聞いて、又来が「ふん！」と苦笑する。霧山は思わずつぶやいた。

「意外と美味《おい》しくないよ……」

「え……？」と、しずかが怪訝《けげん》な顔をした。

その時、バタンとドアが開き、十文字が時効管理課の脇を通りかかる。

「おう、十文字、警察手帳あったの？」

又来が尋ねた。すると十文字は、腰のベルトのところに差した警察手帳を見せる。

「ありました、ありました」

「どこにあったの？」

熊本が訊《き》くと、十文字は得意気な顔で答えた。

「トイレですよ……いやぁ、あのあと、少し冷静になって考えてみたんですよ」

霧山たちはぽかんと口を開けて、十文字を見つめた。

「知ってるか、霧山……人間というのはな、普段の行動と違った行動をした時に忘れ物をしたりするんだ。だからな、忘れ物をした時は、普段自分が取ってない行動をしていないか、考えればいいんだよ……わかったか、霧山」

「はい……」と、霧山は思わずうなずいてしまった。

「もっとも、お前は人生っていう大きな忘れ物をしてるんじゃないのか？」

すると、そこに蜂須賀がやって来た。

「十文字くん、十文字くん……銅鐸《どうたく》、忘れてるよ」

蜂須賀は小ぶりの銅鐸を抱えていた。十文字が慌てて振り返る。

「あ、すいません……どこにありました？」

「車の中……」と、蜂須賀。

そのまま十文字は銅鑼を受け取り、蜂須賀と一緒にさっさと刑事課に向かった。残された霧山たちは、あんぐり口を開けて、去っていくふたりを目で追った。

「銅鑼忘れた人っていうのには、初めて会ったよ」

熊本がしみじみとつぶやく。

忘れるほうも忘れるほうだが、そもそも何のために銅鑼を持っていたのだろうか？　霧山がぼんやり考えていると、しずかがすぐ横にしゃがみ込んで、霧山の顔を見上げる。

「ねぇ、霧山くん……ひょっとして、あなご寿司、食べたの？」

じっと見つめられ、霧山は思わず顔を背けた。

いや、食べてないですよ……はい。

霧山は心の中でそうつぶやいたが、やはり口に出すのは、やめておいた。

第三話
百万人に無視されても
一人振りむいてくれれば人はしあわせ…じゃない？

総武署へ出勤する途中の商店街には、店構えこそ小さいが雰囲気と品揃えのいい花屋がある。しずかは時折、自宅に飾る花をそこで買うのだが、今日は、霧山に女らしさのひとつでもアピールしようと考え、署内に生ける花を買うため出勤の途中に寄ってみた。

さっそく、綺麗《きれい》な水仙に目を奪われたしずかは、それを中心に花束を作ってもらった。アルバイトの店員ができ上がった花束を差し出す。

「どうも」と、花束を受け取ったしずかは、お金を払おうとして財布を探したが、何故かバッグの中に財布が見当たらなかった。

「……おやおや？　どこだ？」

思わず口に出すと、店員が不思議そうな顔でしずかの顔を覗《のぞ》き込む。

「八百屋はあっち……なんつって」

店員が控えめにそう言って、商店街の先を指差す。いくらバッグの中をまさぐっても財布は出てこなかった。しずかは、引きつった笑顔で店員に微笑みかけたが、そこで、はたと思い当たった。

昨夜のことだ——。前回の時効捜査であなご寿司《ずし》を食いはぐれた穴埋めに、晩ご飯を奢《おご》ってくれとお願いしたしずかは、渋る霧山を連れて駅前の居酒屋に入った。

こぢんまりとしたその店は、適度に賑《にぎ》わっているがうるさくもなく、ふたりで食事しながら飲むには、ぴったりだった。楽しい時間はあっという間に過ぎ、適当に酔いが回ってきたところで、しずかはトイレに立った。

「これ、預かっておいて」

しずかは、自分のピンクの財布を霧山に手渡した。

「なんで？」と、霧山が怪訝《けげん》な顔を向ける。

「お手洗に忘れてきたら大変だから……忘れやすいの、ああいうところは」

しずかは無理やり、財布を霧山に押しつけ、トイレに向かった。もちろん、それにはしずかなりのある作戦があったのだが、トイレから出てきた時には、そのことをすっかり忘れてしまっていた。そう言えば、あのまま財布を預けっぱなしで帰ってしまっていた。

「……私ってば！」と、しずかは思わず口に出した。店員がきょとんとした顔を向ける。

しずかは愛想笑いを返して、ぺこりと頭を下げた。

「ごめんなさい。財布を忘れてきました……あの、お返しします」

花束を差し出すと、若い店員はこともなげに言う。

「あ、でも、もう切っちゃったので、お持ち下さい……料金は今度で結構ですから」

「え……いいんですか？」

若いのに、なんて気が利く店員だろう。しずかは感動し、何度もお詫《わ》びとお礼を言って、店をあとにした。

署に着いたしずかは早速、刑事課のフロアの横を渡る廊下の一角に、買ってきた（代金はまだだけど）花を生けた。花同士の微妙なバランスにも気を遣い、花瓶の角度も納得いくまで微調整した結果、しずかは完成した花を眺めて、うなずいた。

「うん……！」

自画自賛したい気持ちでいっぱいになったところに、下北沢と吉祥寺が通りかかる。

「おはようございます」と頭を下げたふたりに、しずかは微笑みかけた。

「おはよう」

しかし、彼女たちは花には見向きもせずに、とっとと行ってしまった。しずかがふくれっ面をしていると、今度は又来とサネイエが近づいてくる。

「おはようございます」

しずかは声をかけたが、険しい顔で何事か言い合っていたふたりは、花どころかしずかの存在にすら気づかずに通り過ぎてしまった。

「ちょっと……」

彼女たちと入れ替わるように、今度は蜂須賀と神泉がしずかのほうに近づいてくる。しずかが挨拶《あいさつ》しようとすると、蜂須賀はいきなりしずかを指差した。

「無駄ではないよ」

それだけ言い残して、蜂須賀は神泉を従え、去っていった。

「意味わかんないし……」と、しずかは独りごちた。

そのあとも、鑑識課の諸沢や熊本課長が通り過ぎるたびに、しずかは目いっぱい微笑みかけたが、誰も花瓶に気づきもしない。最後の駄目押しに霧山が通りかかり、彼が「おはよう」とだけ言って歩いていってしまったことで、しずかはがっくりと肩を落とした。

しずかは改めて刑事課のフロアを見渡した。みんなが慌ただしく動き回っているが、誰もしずかのことに気を留めている様子はない。しずかはつぶやく。

「……こういうもの？　世の中って……」

すると、そこへ霧山が戻ってきた。

「あ、三日月くん――」

声をかけられ、しずかは舞い上がって返事をした。

「ハイ……！」

しずかは手元に残っていた一輪の水仙を顔の前でひらひらさせながら、霧山を見つめ返した。しかし、霧山は不意に表情を曇らせる。

「……あれ？　何を言おうとしたんだっけ……？」

急におどおどしはじめた霧山を、しずかはさりげなく窓際の花瓶のほうに誘導した。花瓶をアピールすると、霧山はぼんやりとそちらを見つめる。そこで霧山が何かに思い当たったように息を呑《の》んだので、しずかも期待して息を呑んだ。

「……っと……なんだっけな？　忘れちゃったよ……」と、霧山は苦笑いを浮かべた。

「えっ……!?」

「いいや……思い出したら言うね」

そう言って、霧山はまた去っていってしまった。しずかは不貞腐《ふてくさ》れて、そして不意に思い出した。

「あ、財布……」


いつものトレンチコートを羽織って颯爽《さっそう》と署に現れた十文字は、刑事課横の廊下の一角で、フロアを見下ろすようにきょろきょろしている蜂須賀の姿を見つけた。十文字が近づくと、蜂須賀は子供のような笑みを浮かべて、手招きをする。

「十文字くん、十文字くん」

「どうしたんすか？　ハチさん」

すると蜂須賀は、廊下の窓際に置かれた台の上に飾ってある花瓶を小さく指差した。

「これこれ」

花瓶には小ぶりな白い花が生けられている。十文字は真顔で聞き返した。

「花が、どうかしたんすか？」

「これさ、さっき三日月くんが飾ってたんだよ……どう思う？」

蜂須賀はまた、悪戯《いたずら》小僧のような目つきでにやっと笑った。十文字がその意図をつかめず黙って見つめ返すと、蜂須賀は急に眉《まゆ》をしかめた。

「どう考えたって、十文字くんのためでしょう」

そう言われて、十文字はもう一度、花瓶をしげしげと眺めた。俺のため……？　なんという名前の花なのか、十文字にはわからなかったが、綺麗な花びらが自分のほうに向かって咲き誇っている。十文字は蜂須賀の言葉を頭の中で反芻《はんすう》した。

蜂須賀がもう一度、下卑た笑みを浮かべて、思わず立ち尽くしていた十文字のほうに歩み寄る。

「三日月くん、ああ見えて結構、女らしいって言うの？」

蜂須賀はそう言うと、十文字の股間《こかん》に手を伸ばしてきた。

「…………」

さりげないタッチで股間を撫《な》でた蜂須賀の指の動きに身をすくめ、十文字は、何事もなかったように振り返った蜂須賀の後ろ頭を見つめた。股間に生じた違和感を、やはりさりげなく修正しながら、十文字はつぶやいた。

「まあ、それは俺も認めますよ……だけど、自分のためだって考えないところが、ハチさんらしいな」

十文字は照れ隠しに笑ってみせ、廊下の手すりのところに片足をかけた。ほどけそうになっていた靴紐《くつひも》を結び直していると、蜂須賀が呆《あき》れたような口調で言う。

「だって、女が花を飾るのに、十文字くんのため以外に誰がいるのよ……それぐらい、俺だってわかるさ」

十文字は蜂須賀の言葉を聞きながら、はやる気持ちを抑えるように、わざとゆっくりした手つきで靴紐を結んだ。蜂須賀がこちらを覗《のぞ》き込むようにしている気配を感じ、十文字は片足を上げた姿勢のままつぶやいた。

「これ、『アンタッチャブル』でケヴィン・コスナーが履いていたのと、同じ靴ですよ」

「へえ……」と、蜂須賀が感心したように言う。

その時、十文字の目の前に広がる刑事課のフロアのほうで、バタバタとせわしない靴音が聞こえた。見ると、霧山がきょろきょろしながら、あたふたとフロアを横切っていく。

十文字はその後ろ姿を見送りながら、思わずにやけた。

「無駄に靴底をすり減らす奴……ねえ、ハチさん」

十文字は蜂須賀のほうを振り返らぬままそうつぶやいて、ポケットからハンカチを取り出すと、靴をそっと拭《ぬぐ》った。

十文字の頭の中では、しずかが人目をはばかるようにしながら、そっと花を飾っている姿が浮かんでいた。十文字はついこぼれ落ちそうになる笑顔をかみ殺し、口笛を吹いてごまかした。つい口から出てしまうそのメロディーは、敬愛する『あしたのジョー』のテーマソングである。

気がつくと、蜂須賀はいつの間にか姿を消していた。十文字は振り返り、改めてそこに飾られている花瓶をしげしげと見つめた。

しずかに伝えることがあったはずなのに思い出せず自分のデスクに戻ってきた霧山は、捜査資料の詰まった段ボール箱を片づけはじめた。

「この事件かぁ……」と、熊本が捜査資料を綴《と》じたファイルを見ながらつぶやく。霧山は熊本の手元を覗き込もうとした。

その時、用済みの資料を手動のシュレッダーでガリガリと削っていたサネイエが、いきなり手を止め、立ち上がった。給湯室に向かう彼女の背中に、又来が怒鳴る。

「サネイエ！」

霧山はびっくりして、又来を見つめた。

「びっくりした……なんだよ」

ファイルに「時効」の判子を押そうとしていた熊本もつぶやく。しかし、又来はまったく耳に入らないのか、サネイエのほうを睨《にら》んだまま立ち上がった。

「また、そうやって……！」

又来がそう言うと、サネイエも立ち止まり振り返る。ふたりは距離を隔てて睨みあった。

「なんなの？」

熊本がすがるような目線を向ける。霧山は首を横に振った。

「ちょっと逃げるね」と言い残して、熊本は判子を持ったままデスクを離れてしまった。

霧山は又来たちのことも気になるが、熊本が読んでいた資料も気になって拾い上げる。

ファイルの表紙には「センター東駅における丸閥《まるばつ》商事社員轢《れき》死《し》事件（事件発生平成三年一月十八日）」とあった。中を見ようとしたが、又来が大声で怒鳴ったので、霧山はそちらに気をとられた。

「お前さ、少しは自分の非も認めな……ね、認めな」

しかし、サネイエは鼻で笑ったような不敵な笑みを見せている。又来がいきり立った。

「ちょっと！　今、どういう顔した⁉」

「うるさいな……」と、サネイエは吐き捨てるように言う。

「カキーン……！」

又来が不意に霧山の顔を覗き込んだ。

「ねえ、霧山、どう思う？」

いきなりで面食らった霧山は、たどたどしく尋ねた。

「ど、どうしたんすか？」

「きのう！　帰りに！　メシ食ったのよ！　あのサネイエと！　割り勘で！」

又来はそうまくし立て、なおもサネイエを睨みつける。

「はあ……で、どうしたんですか？」

しかし、又来はそう尋ねる霧山を無視して、またサネイエに食ってかかった。

「楽しかったでしょ⁉　あなたも楽しんでたわよね？　楽しい食事だったのよ！　それを今朝になっても、まだブチブチ——」

するとサネイエも負けじと又来に言い返す。

「私、お腹すいてないからって断ったのに、無理やり連れていかれたんですよ。ほとんど食べてないし、お酒も飲んでないのに、割り勘なんておかしいじゃないですか！」

ふたりの言い争いを聞いているうちに、霧山はさっき、しずかに言おうとしていたことを不意に思い出した。

「そうか……思い出したぞ」

霧山は捜査資料のファイルを持ったまま、まだ怒鳴り合っている又来とサネイエを残して、時効管理課を離れた。


交通課までやって来た霧山は、奥のホールのところにしずかの姿を見つけて声をかけた。

「三日月くん、思い出したよ、何言おうとしてたか……財布だよ、財布」

しずかはぱっと目を輝かせて霧山を見ると、すぐに微笑んで右手を差し出した。

「え……？」と、霧山は見つめ返す。

「ありがとう」

しずかにそう言われ、霧山はまた不安にとらわれた。

「いやいや……あれ？　僕、持ってるはず？」

「でしょ？」と、しずかがきょとんとした顔を向ける。

「いや、だって……昨夜、君から財布を預かって……」

霧山は昨夜の居酒屋での出来事を思い返そうとした。

「そうだ……君が立ったすぐあとで、隣のテーブルのお客さんが酔っぱらって転んで、ビールとかひっくり返しちゃったんだよね。それを片づけるのを手伝って……財布？　そうか、ポケットに入れたのかな……？」

するとしずかも何か思い出したようだった。

「そう言えば、私が戻ってきた時、なんかバタバタしてたよね？　店員さんにお礼言われてなかったっけ」

「そうそう……え？　ってことは、僕、持ってるよね……でも、ないよ。だって、昨日……いや、なかったよ」

霧山は確信して力説する。

「ええ〜、どういうこと？」と、しずかは口をとがらせた。

「どういうことかな……」

「っていうか……じゃあ、私に何を言いに来たの？」

「だから、財布を……」

そこで霧山はまた思い出した。

「違うよ……僕、ポケットに入れてないよ！　散らばったグラスとか食器を拾おうとして、そばにいた店員の人に、『ちょっと持っててくれます？』って——」

すると、しずかは思い切り不機嫌な顔になった。

「えぇ～、預けたの!?　じゃあ、あの太っちょの店員が持ってるってこと?」

「そういうことになるね」と、霧山はうなずく。

「なるねって……うなずいて終わり!?」

そう言うと、しずかはすねた顔をして歩きだした。霧山は慌ててあとを追う。

「っていうかさ、なんで僕に財布なんか預けたのよ?　そこがすでにわかってないのよ」

「説明したくありません!」

そして、しずかは交通課の自分の席に座った。

「あれ……丁寧語になるわけ?」

「どうしてくれるんですか?　なくなってたら」

「いや、それは……あとでお店に連絡入れるけど……何?　いくらぐらい入ってたの、中身?」と、霧山が尋ねると、しずかはますます不貞腐《ふてくさ》れる。

「中身……?　中より外!　あの財布そのものが高いんです!」

「あ、そう……」

「私はそういう女です!」

霧山としずかが言い合っていると、不意に十文字がふたりの間に割って入った。

「霧山、いただけんな、署内で痴話ゲンカは」

「そんなんじゃありません!」と、しずかは叫んだ。

「……とか言ってるけど?」

十文字に訊《き》かれ、霧山はぶっきらぼうに答えた。

「はい……」

「はいって……」

　そして、十文字はまるで外国人がするように、両手を広げて肩をすくめるジェスチャーをした。霧山は呆《あき》れて、そのポーズを真似る。

「これ、やめて下さいよ」

「これ、ダメ？」と、十文字が今度はしずかに訊いた。しずかはきっぱりと言い放った。

「霧山くんです。言ったのは」

「とか言ってるけど……」

　十文字はまた霧山のほうを向いた。霧山は目を合わせないようにした。

「俺、今、玉つき状態になってない？　ふたりの間で……」

　十文字がぼやいたその時、吉祥寺と下北沢が、しずかに声をかけた。

「いってきま〜す！」

「あ……ちょっと、どこ行くの？」

　しずかが訊くと、下北沢がきょとんとした顔で返事をする。

「駐禁の取り締まりですけど……」

「私、行くわ。ふたりはお茶でも飲んで、くっちゃべってなさいよ」

　そして、しずかは本当に出かけてしまった。手持ち無沙汰《ぶさた》になった霧山がぽつねんと、手にしていたファイルに目を落としていると、十文字が肩に手を置く。

「落ち込むな、落ち込むな。劣等生に反省は似合わんぞ」

そして、十文字はしずかが歩き去ったほうに、ふらふらと歩いていった。

「大文字さん、いつもカッコいいですね」という吉祥寺の声がする。十文字が怒鳴った。

「十文字だろ！」

ぼんやりとそちらを眺めていた霧山は、持っていたファイルを急に誰かに取られたので、びっくりして振り返った。熊本が奪ったファイルを床に置き、時効の判子をバンと押す。

霧山が呆然《ぼうぜん》と見下ろしていると、熊本はすっと立ち上がり、ファイルを差し出した。

「これ……調べるんでしょ？」

そう言われて、霧山は改めてファイルを見つめた。


今回、霧山が趣味で捜査することにした事件は、湾岸戦争勃発《ぼっぱつ》を伝える新聞が駅の売店に並んだ朝に起きた。

死亡したのは、丸閥商事に勤務する会社員、町田《まちだ》拓二《たくじ》、当時二十七歳……センター東駅のホームから転落し、ちょうどその時、同駅を通過する急行電車が入線してきたため、撥《は》ねられ死亡した。折しもこの時期、丸閥商事では政治家への不正献金疑惑が明るみに出て、前夜から会社内でマスコミ対応のための会議に追われた町田が、徹夜明けで帰宅する途中に、悲劇は起きた。不可解な謎を残した彼の死はマスコミの恰好《かっこう》の標的ともなり、さまざまな臆測《おくそく》が飛び交った。

その中のひとつが、事件発生当時、町田と同じくホームで同じ電車を待っていた同僚の藤沢郁也《ふじさわいくや》、当時二十八歳に寄せられた疑惑の目である。その後の警察の調べで、藤沢は不正献金問題そのものに関わっていた疑いが持たれ、そのことに感づいた町田を殺意を持ってホームから突き落としたのではないかとの情報が流れた。

藤沢は警察の事情聴取を受けたが、三日目になって聴取は突然、打ち切られた。不正は政治家の力で揉《も》み消された形になり、町田の死亡についても「彼が誤ってホームから落ちた」と証言する者が現れたからだった。その目撃者は、事件発生当日、センター東駅のホームにある売店で働いていた女性、浜野道子《はまのみちこ》、当時二十二歳である。

彼女の証言を記録したワイドショーの映像が残されていたので、霧山はそれを確認した。警察署の表に出てきたところを報道陣に囲まれた浜野道子は、目撃証言の内容を訊かれ、雄弁に答えていた。

「ええ、よく覚えています。あの時、ホームにいたのはふたりだけでしたから。ふたりははじめ売店のそばに立っていましたが、『もうちょっとあったかいほうに行こう』とひとりの方が言い、亡くなったその人は、私が差し込んだ新聞を見ながら、ホームを陽だまりのほうへ遠ざかっていきました……湾岸戦争の記事っていうより、差し込み全体を見ていたんだと思います。だって、その人の目は、文字を読むというより、私が差し込んだ新聞と周りとの調和を見ているような目でしたから。納得したようにうなずいて、何かつぶやいたのが見えました……その時、その人の体が傾いて、電車が入ってきたんです」

「もうひとりの人は？」と、レポーターのひとりが尋ねる。

「もうひとりの人は……電車に乗るために、ただ電車のほうを見ていました……」

　そこまで見ていて、霧山は思わずつぶやいた。

「なんだ、この証言……？」

　もう一度、ビデオを巻き戻そうとした霧山は、背後から近づいてきた人の気配を感じて振り返った。そばまで来て立ち止まったのは、しずかだった。

「あ……ねぇ、ちょっとこれ、見て」

　霧山はそう言って、ビデオをスタートさせた。浜野道子の証言が再び流れる。

「……だって、その人の目は、文字を読むというより、私が差し込んだ新聞と周りとの調和を見ているような目でしたから……」

「ねぇ、変じゃない？」と、霧山はしずかの顔を見上げる。しかし、しずかはそれには答えず、小さく笑った。

「奢《おご》って、お昼ご飯」

　霧山としずかは署内の食堂へとやって来た。いつもの素うどんを手にテーブルについた霧山は、数々のトッピングを載せたうどんと、小皿や小鉢におかずを山盛りにしたしずかのトレイを見て、呆れ顔で言った。

「無理でしょ、それ」

「フン」と、しずかはそっぽを向く。

「食べてあげようか」

「ダメ！」

しずかは大袈裟《おおげさ》におかずを抱きかかえるような仕種《しぐさ》をする。

その時、霧山は隣の席に座っていたサネイエが突然、食事が載ったトレイを持って立ち上がり、蜂須賀がいる奥の席に移動したのに気づいて、ぼんやりそちらを見つめた。ぽつんと残された又来が続いて立ち上がり、同じようにトレイを抱えてサネイエを追いかけたので、霧山は首をひねった。あのふたりは何をうろうろしているんだろう……？

気を取り直して、うどんを食べはじめた霧山は、改めてさっきのビデオの話題をしずかに振った。

「なんか変だろ？」

「……そう？」と、しずかの態度は素っ気ない。

「だって、あの証言のみで、藤沢って男は、いわば無罪放免になってるわけだよ」

「確かな目撃情報だったわけでしょ？」

「確かなって……あれ、証言っていうより、自慢話じゃない？」

その時、しずかの後ろを又来が通り、蜂須賀に話しかける声が聞こえた。

「そういえば、あの婚姻届、どうなったの？　ほら、霧山くんが名前書いた——」

その瞬間、うどんをすすっていたしずかの手が、ぎくっと止まったような気がしたが、霧山は気にせず話を続ける。

「彼女に直接会って、話が聞きたいなぁ……」

そこで霧山は、しずかがじっと自分のことを睨《にら》みつけているのに気づいた。

「……何？」

すると、しずかは冷ややかな口調で言う。

「あのさ、私の財布のこと、もう忘れてるわけ？」

「いや……忘れてないよ」と、霧山は取り繕った。

「普通、その話すると思うんだよねぇ」

「だから、それは行くし、あの店に……店先に水がまかれる頃……」

そう言って、霧山は薄笑いを浮かべた。

しずかは相変わらず、ぶすっとした表情で霧山を睨んでいる。霧山は取り繕うように、しずかのトレイに載っている山盛りの天ぷらを指差した。

「これ、食べないの？」

しずかが答えるより早く箸《はし》を伸ばそうとすると、しずかはまるで猫が威嚇するかのように小さく吠《ほ》えた。

霧山は思わず萎縮《いしゆく》して手を止める。気まずくなって自分のうどんに箸を戻そうとした時、しずかが、やはり小鉢に山を作っていた卵のひとつを拾い上げ、それを差し出すようにして霧山のトレイにそっと置いた。

霧山はうどんを口に運びながら、空いている左手で卵を手にすると、二、三度トレイの上で叩《たた》き、殻にひびを入れようとした。しかし、思うように力が入らない。霧山はふと思い直して、卵をしずかの小鉢に戻した。

「……!?」

うどんを頬張りながら、しずかが声にならない声を上げる。再び卵を押し付けようとするしずかに構わず、霧山はうどんをすすった。


その日、午後から非番になった霧山は早速、浜野道子の所在を確かめようと、当時彼女が住んでいたマンションを探した。しかし、調書に記されていた住所を頼りに訪れたその場所は、すでにマンションが取り壊され更地になっていた。近くの塀には「マンション建設断固反対」というプラカードが掲げられている。辺りには高い建物はなく、少し離れたところに総武市のシンボルとも言うべき電波塔〝総武タワー〟が建っているのが見えた。

霧山はやむを得ずターゲットを藤沢郁也に変更することにして、今度は彼が勤務している丸閥商事へと向かった。

丸閥商事は総武市内の一等地に自社ビルを持つ巨大企業である。藤沢郁也を訪ねた霧山は、ビルの中のカフェで彼と向かい合った。ビシッとしたスーツに身を包んだ彼は、霧山が十五年前の事件のことを切り出すと少しとまどい、やがて遠い目をしてつぶやいた。

「そうか……そう言えば、あれは確かに湾岸戦争が始まった時でしたね……もう十五年ですか……私たちは、会社の会議室で三日三晩明かしましたよ。徹夜明けで疲れ果てていましたからね。私も町田も……」

「町田さんとは同期だったとか」と、霧山は水を向けた。

「はい。同期も同期、親友でしたよ、町田とは」

「あの朝、町田さんが亡くなる直前に、どんなやり取りをされたんですか？」

するると、藤沢は少し表情を曇らせたが、やがて語りはじめた。

「あの朝、ホームの売店に並んでいた新聞の見出しを見て、私は『始まったんだな、戦争が』と言ったんです。でも、あいつは『ああ……』と、私の言葉に、どちらかと言うと気のない……そう、気のない返事をしました……私はあいつの目を見た。何しろ、かなり疲れてそうだったから。ところが、あいつの目はむしろ輝いていて、『おい、綺麗《きれい》だなぁ』と言ったんです。あいつは差し込まれている新聞の、その美しさに目を奪われているようでした……」

藤沢の語気は次第に強まってきた。

「ええ、確かに美しかったんです。その並び方、差し込まれ方……ほら、スポーツ新聞は見出しの色が派手じゃないですか。いろんな色があってカラフルで、それが綺麗に並んでいた。そこに朝の光が射していて、私ですら『ああ、美しい』と思ったくらいです……あ、いや、私は常々、町田の美的センスといいますか、そういうものに一目置いてるところがあって、その時は……その町田の目に、その美しさを気づかされたような具合で……えぇ、あいつは芸術を理解したんです……」

「朝の光が射していた——」と、霧山は彼の言葉を繰り返した。

「えぇ、それだけじゃない。その差し込みと周りのものとの調和も見事で……」

「調和……？」

霧山は思わずつぶやいた。藤沢がふと我に返ったのか尋ねる。

「それにしても、時効なんてものがあるんですか？　あれは事故だったんですよ」

「あ、事故と断定されたわけではないんですよ、あれは。少なくとも警察のほうでは」

霧山がそう説明すると、彼は不意に笑った。

「へぇ、そうですか……時効事件を趣味で調べてらっしゃる……」

「はい……」と、霧山はうなずいた。

その時、藤沢が表に面した窓に目をやり、そちらに向かって手を挙げた。その行動に気づいた霧山が振り返ると、窓の外をゆっくり歩いていた和服姿の女性に目が留まった。

「……!?」

そこにいたのは、あの証言VTRで見た浜野道子にそっくりな女性だった。もちろん、十五年の時の隔たりは感じさせるが、いや、だからこそ、どう見ても本人としか思えない。

霧山が呆然《ぼうぜん》としていると、藤沢が呼びかける。

「今日は、妻と外で夕食をとることになっていて……もう、よろしいですか？」

「あ、はい……」

「霧山さん、よろしかったら、今度は家のほうに……ええ」

「はぁ……」と、霧山がまだ動揺を隠せずにいると、藤沢は会釈をして去っていった。表に出た彼は、浜野道子と思われる女性と肩を並べ、街に消えていった。

藤沢と別れた霧山は、とりあえず今日の調査を終わらせ、急いで昨夜の居酒屋へと向かった。店先に水がまかれるどころか、すっかり客の流れもひと段落したような頃合いになってしまった。霧山が中を覗《のぞ》くと、昨日も見かけた店員が声をかけてきた。

「ああ、昨日いらしたお客さん……」

店員は霧山のことを覚えていたらしく、笑顔を向ける。霧山はぺこりとお辞儀をした。

「昨夜のお連れの方も先ほどお見えになりましたけど、すぐにお帰りになりましたよ」

店員にそう言われ、霧山は面食らった。

「え……三日月くんが？」

「はい。店先に水をまいている頃に」

屈託なくそう言う店員を、霧山は見つめ返した。おそるおそる切りだす。

「あ、あの……財布は……？」

すると、店員に代わって女将《おかみ》が答えた。

「その財布のことだけどね、うちじゃ、あんなこと言われて、迷惑してんのよ……だって、うちじゃ、誰も財布なんか預かってないって言うし」

「いや、でも……」と、霧山は奥にいた太っちょの店員に目で問いかけた。しかし、彼は知らないと言わんばかりに視線を逸《そ》らす。霧山は不安になってつぶやいた。

「あ、自信なくなってきたな……まずいな……」

霧山はきょろきょろと店の中を見回した。


それから霧山はもう一度、浜野道子の証言VTRを確認しようと思い、署に戻った。誰もいなくなった深夜の時効管理課で、霧山は熊本課長の席に座り、ビデオを見ていた。

「私が差し込んだ新聞と周りとの調和を見ているような目でしたから……」

そう語る彼女は、紛れもなく先ほど見かけた藤沢郁也の妻に間違いない。

「あっつっつ、だな……」と、霧山はビデオを止めてつぶやいた。すると、時効管理課のスペースに誰かが近づいてくる気配がする。

「なんで家に帰んないんだ？　独身のくせに」

声をかけてきたのは諸沢だった。霧山は曖昧《あいまい》にうなずく。

「えぇ……」

「えぇって、なんだよ」

霧山は苦笑いを浮かべて、諸沢に訊《き》いてみた。

「諸沢さん、こういうの、どう思います？　ある罪を犯した男がいる。それを見ていた女がいる。女が嘘の目撃証言をする。それによって、男は無罪放免になる。そのあと男としては、この女からできるだけ距離をおいときたいですよね？　無関係でいたい」

「うん……まあ、そうだろうな」と、諸沢はうなずく。

「そのふたりが結婚してたとしたら？」

「そりゃ、事件だな……ただ、夫婦なんてものは、だいたいにおいて、その嘘の目撃証言の上に成り立っているよ。いずれにせよ、誤解から始まるのが結婚だからな……」

霧山は又来のように声を上げて笑った。

「ふん！……諸沢さん」

「深読みするなよ……仕事だよ」

諸沢はそう言って、霧山の顔をさらに覗き込む。

「霧山、どうして家に帰んないんだ……ん？　これか？」と、諸沢は小指を立てた。

「違いますよ……」

「ほぉ～……じゃあ、なんだ、これは？」

そう言って諸沢が持ち上げたのは、霧山が自分の席に置いておいた小箱だった。包装紙でくるんであったはずのその箱が、いつの間にか開けられ、中身が剝《む》き出しになっている。

霧山は思わず叫んだ。

「あ、開けてる！」

「女物の財布とは、お前、穏やかじゃないぞ」

諸沢はピンクの財布を持ち上げ、ひらひらさせた。霧山は慌ててそれを奪い取った。

「もう！　ひっどいなあ……返して下さいよ」

霧山は、諸沢から財布が入っていた箱も取り返した。


その翌日、しずかは署にやって来るなり十文字に捕まり、廊下の片隅に連れてこられた。

しずかがきょとんとしていると、十文字は何やら勿体《もったい》つけてぼそぼそと語りはじめる。

「三日月くん……あの花を飾ったの、君なんだって？　ハチさんから聞いたよ……いやあ、嬉《うれ》しかったなあ……俺の母方の叔母《おば》が、やっぱり華道をたしなんでいる人でね、一生独身を通した……綺麗《きれい》で可愛い人だったけど、なんというかな……自分から、しゃしゃり出るような人じゃなかった」

「はぁ……」と、しずかは気のない返事をした。

「その叔母が、ある時、俺にこう言った――」

まったく要領を得ない十文字の話に苛立《いらだ》って、しずかは彼の言葉をさえぎった。

「あの……！」

十文字が顔を上げる。

「なんだろう？」

「おっしゃってる意味が、よくわからないんですけど……」

すると、十文字は薄笑いを浮かべる。多分、本人はニヒルに微笑んだつもりなのだろう。

「なるほどね……いや、そういうシャイも、女らしさの一種さ……よかったら、今日のアフターファイブ、トゥゲザーしない？」

「トゥゲザーって……」と、しずかは思わずつぶやいた。ルー大柴かよ……。

すると、十文字は不意にしずかから離れ、羽織っていたトレンチコートを脱いだ。

「おっと……この話は、またあとでだな」

廊下の向こうから神泉が近づいてくるのが見えた。神泉はしずかの前まで来ると、呑気《のんき》な口調で告げる。

「三日月さん、霧山さんが、なんか……」

「あ、そう」と、しずかはひとまずほっとして、十文字の様子を窺《うかが》う。十文字はコートをまた羽織りながら、神泉に訊いた。

「おい……なんかって、なんだ？」

神泉はきょとんとしたまま、つぶやく。

「いや、探してるって意味ですけど……」

「だったら、そう言うべきだ！」

十文字に一喝され、神泉はますますとまどう表情を浮かべた。しずかはわけがわからず、ともかくその場を離れた。

霧山に表の渡り廊下のところまで連れていかれたしずかは、なんの話があるのかと期待していたが、どこかおどおどとしていた霧山が不意に差し出したのは、あのピンクの財布だった。しずかは一瞬、喜んだが、よく見るとそれは自分のではなく、新品だった。

「意味違うでしょ！　買って返せば、それで済むの!?」

財布を手に睨《にら》みつけると、霧山が表情を曇らせる。

「いや、済むとは思わないけどさ、とりあえず、僕にできることって言ったらさ……」

「あ、そう……じゃあ、私から提案してもいい？」

「提案？……い、いいよ」と、霧山は引きつった表情で言った。

「あのね、明日から毎日、私に夕食を奢《おご》ること」

「毎日!?」

「そう、私の財布が見つかるまでね」

そう言って、しずかがじっと見つめると、霧山は薄笑いを浮かべる。十文字とは違って、これは照れ隠しに違いない。しずかは内心でほくそ笑んだ。

「毎日か……ってことは、君、僕の趣味に毎日付き合うことになるよ」

「趣味が終わるの、待ってるから」と、しずかは微笑みかけた。

「明日から……？」

霧山が困ったような顔をする。その時、顔を上げたしずかは、渡り廊下に出てくる本館の扉のところで、トレンチコートの裾《すそ》がなびくように陰に隠れるのを見た。

「……ううん、今日から」

しずかは思わずそう言った。

その日の仕事を終え、霧山はしずかを連れて、藤沢郁也の家を訪れた。中堅どころの商社マンとしては、じゅうぶんすぎるほどの立派な屋敷に、彼は住んでいた。居間に通された霧山としずかは、事件の話をするうち次第に熱くなりはじめた藤沢をじっと見つめた。

「ともかく、火のないところに煙をたてる。これがマスコミというものですよ。うちの会社は結局、被害者だったし、言ってみれば、マスコミに踊らされてたってことでしょう」

「不正そのものはなかったってことですか？」と、霧山は尋ねた。

「それは、その後の状況を見れば、おのずとわかることでしょう」

そこで霧山たちが黙っていると、藤沢は急に顔色を変える。

「え……？　うちの会社を疑ってらっしゃるんですか？　町田の事故のことではなくて」

「いえいえ、そういうわけでは――」

霧山は取り繕おうとしたが、藤沢はさらに大声を張り上げた。

「町田の事故で私が疑われた時、私はマスコミの奴らに『あんたらが町田を殺したんだ！』って、わめき散らしたい気持ちでしたよ」

彼の剣幕にたじろいで、しずかが体をすり寄せてくる。霧山は座り直して、それをかわした。しずかが眉間《みけん》にしわを寄せて、霧山の顔を見つめる。

「それこそ我々は、三日三晩、徹夜徹夜の連続だったんですから」

藤沢の熱弁は続いたが、それをさえぎるように廊下から女性の声がした。

「失礼します……あなた」

その声に藤沢は立ち上がり、障子戸を開けた。紅茶を載せたお盆を持って入ってきたのは、和服姿の浜野道子だった。道子は霧山を見て、意味ありげな笑みを浮かべる。

「あ、妻です……警察の方なんだそうだよ」と、藤沢は今度は落ち着いた声で言った。

ふたりが会釈をすると、道子はお盆をテーブルに置き、深々とお辞儀をする。

「藤沢の妻でございます……あなた、何か悪いことなさったんですか？」

悪戯《いたずら》っぽい微笑みを浮かべた道子に、藤沢は苦笑した。

「馬鹿な……ほら、話したことあるだろう？　親友だった町田という男が電車の事故で……あのことを調べてらっしゃるそうだよ」

「どうして今頃？」と、道子がポットから紅茶を注ぎながら言う。その問いには霧山より先にしずかが答えた。

「時効を迎えたんです。それで……」

「え……？」

道子は手を止め、不思議そうにしずかのほうを見上げた。藤沢が説明する。

「時効の事件を調べるのが、趣味なんだそうだ」

藤沢としずかが互いに苦笑して、見つめ合った。しかし、道子はなおも疑問を口にする。

「事件って……だって、それ、ホームからの転落事故だったんでしょう？」

「警察のほうでは、殺人事件としても捜査してたんだってさ」と、藤沢が答えた。

道子は黙り込み、その場に沈黙が流れる。霧山は彼女の視線がしずかに向けられているのに気づいたが、道子はふと背後を振り返り、サイドボードの上に飾られている花を見やった。見ると、しずかの視線もなんとなく、その花に向けられていたようだった。

「いいよ、忙しいんだろ？」

沈黙を破ったのは藤沢だった。道子がうなずく。

「はい……失礼いたします」

道子はもう一度、深々と頭を下げ、空になったお盆を手に出ていった。藤沢がタバコに火を点《つ》け、大きく煙を吐く。

「生徒たちを集めて、花を教えておりますもので……」

「花……？」と、霧山は思わず聞き返した。

「ああ、生け花を」

霧山がうなずくと、しずかが割って入った。

「あ、私、それ趣味で……ちょっぴりですけど」

「ほぉ、それは……」

そして、藤沢は改めてしずかの顔を覗《のぞ》き込む。

「失礼ですけど、あなたも警察の方で？」

「そうですね」と、しずかは頼りない返事をする。

「へぇ……」

「そうは見えません？」

「いえ……てっきり奥さんかと」

　すると、しずかが顔をほころばせる。

「まあ……」

「財布のヒモは、私がしっかりって感じで」

　ふたりの妙なやり取りに、霧山はようやく声を張り上げた。

「財布？　なんで財布ですか！」

　藤沢の笑顔が急に引きつる。

「あ、いや……そう、ムキになられてもね……ハハハ」

　引きつりながら笑う藤沢としずかを、霧山は交互に見つめた。


　その帰り道、しずかは妙にご機嫌だった。

「いい感じの人じゃない。人を見る目もありそうだし」

　霧山は何も言わずに、しずかをじっと見つめた。

「何よ」と、しずかが警戒したようにつぶやく。

「どこで判断してんの？　その、人を見る目がありそうだっての」

「そんなもの、ビビビですよ」

しずかはジェスチャーをまじえて答えた。何かの光線でもキャッチしたつもりだろうか。庭に沿った植え込みの外を歩きながら、霧山は道子の声が聞こえたので振り向いた。

「誰も見ないわ、こんなもの！」

声は藤沢家の屋敷のほうから聞こえていた。庭を隔ててすぐのところに、明かりのついた離れが見える。道子を囲むように和服姿の女性が四、五人、座っていた。あれが藤沢が言っていた生け花教室なのだろうか。

霧山としずかは植え込み越しに、その様子を覗き込んだ。道子は生徒らしき女性のひとりの横に座り、目の前の生け花を指差した。

「表現になってないの。わかる？　誰かが見てくれるものではないの、表現というのは。見てしまうものなのよ。奪われるの、目を！」

道子は激しく叱責《しっせき》していた。言われた女性は肩を落としてうなだれている。そして、道子がすっと霧山のほうに視線を向けたので、彼は慌てて植え込みの陰にしゃがみ込んだ。しずかも驚いて、身を隠す。

「なんで、隠れるの？」と、しずかが小声で訊《き》いた。

「え……？　わかんない……」

霧山はそうつぶやいて、さらに道子の様子を窺《うかが》った。彼女は毅然《きぜん》とした態度で、冷たくその生徒を見つめている。

しばらくして、霧山としずかはその場を離れ、駅へと向かう道を歩いた。住宅街を抜ける大きな階段を降りている途中で、しずかがつぶやいた。

「いけ好かない女だったわ……ねえ？」

同意を求められたが、霧山はあえて黙っていた。しずかは気にせず続ける。

「生け花が趣味だなんて、言わなきゃよかった……」

階段の横には何軒かの店が軒を連ねていた。霧山はその中の一軒に、ふと目を奪われた。そこはブティックらしく、ショーウインドーのところに女性の店員が立っていて、洋服のディスプレイを直しているところだった。

霧山はその店員が一瞬、道子の姿に見えてしまい、目を見張った。ウインドーの中の道子は何か満足したように微笑んで、じっと霧山のほうを見返す。呆気《あっけ》にとられてショーウインドーを見つめたまま、ぼんやりと階段を降りていた霧山は、踊り場のところで立ち止まっていたしずかに気づかず、背中にぶつかってしまった。

「何……？」と、しずかが振り返り、睨《にら》みつける。

「あ、いや……」

霧山は口ごもって、もう一度ブティックのショーウインドーに目をやった。そこで洋服の飾り付けを行なっていたのは、もちろん道子ではなかった。呆然《ぼうぜん》となった霧山の耳元で、しずかがつぶやく。

「いやらしい……」

ぷいと横を向いて歩き去っていくしずかを、霧山は慌てて追いかけた。

翌日、霧山は事件が起きたのと同じ時刻に、実際にセンター東駅に行ってみた。朝の通勤ラッシュのピークにはまだ早く、ホームには人影はまばらだった。やがて、ホームにある時計が七時十三分をさす。

霧山は朝日のある方角に目をやった。太陽の位置に重なるようにして、総武タワーの姿が見えている。振り返ると、確かにホームの売店のところに朝日が射し込んでいた。

売店では女性の売り子が、まさに朝刊を並べて差し込んでいるところだった。霧山はゆっくり近づき、その女性に声をかけた。

「あの……こちらで何年くらい働いてらっしゃいます？」

「え……？　七年になるかしら……」と、振り向いた中年の女性は答えた。

「あの……あそこに総武タワーが見えるでしょう。あれって、ずっと見えてました？」

霧山が指差した方角に目をやり、売り子の女性は小さく笑みを浮かべてうなずく。

「ああ、前は見えませんでしたよ。手前にマンションが建ってたから……二年くらい前にマンションが取り壊されたら、タワーが見えるようになったんです」

「そうですか……ありがとうございました」

霧山は女性に礼を言って、もう一度、総武タワーの向こうに昇る朝日を見つめた。

その後、出勤した霧山は、騒がしい時効管理課で落ち着かず、こっそり抜け出して鑑識課を訪ねた。諸沢は不在だったが、霧山は勝手に入り込んで、センター東駅と浜野道子が住んでいたはずのマンションの位置関係、さらに朝の時間に射し込む太陽の光線を記した手書きの図面を書いていた。

「びっくりしたなぁ……」

不意につぶやく声がして、霧山は顔を上げた。集中していて気づかなかったが、いつの間にか諸沢が戻ってきていたらしい。

「あ、すみません。部屋借りてます」と、霧山は軽く頭を下げた。

「なんだよ……」

諸沢は低くつぶやきながらも、決して迷惑そうではなかった。霧山は再び図面に鉛筆を走らせながら、諸沢に向かって訊いた。

「諸沢さん……こういうの、どう思います？」

「何？」と、諸沢は霧山を見つめる。霧山は消しゴムを机の上に立てて駅のホームの売店に、アルコールランプをマンションに見立てて、説明した。

「自分の仕事場から、いつも自分の家が見える……だから逆に、自分の家からいつも自分の仕事場が見える……」

「なんじゃ、そりゃ。いつも女房に監視されてるっていう意味か？」

「じゃなくて、マンションの最上階に住んで、いつも自分の仕事場を見ている独身の女ですよ」

「ふん……独身じゃなくたってな、女はみんなそうだよ。鏡が一番の友達だからな」

「あぁ……」と、霧山はうなずいた。諸沢が顔を覗《のぞ》き込むようにして訊く。

「言ってる意味、違ってる？」

「いえ、いえ……」

霧山がそう言って取り繕うと、諸沢は安心したように笑った。


時効管理課に戻ってきた霧山が真っ先に目にしたのは、花が生けてあるかごを持って刑事課のフロアを歩いている道子の姿だった。和服姿の道子は、当然のように署内ではあまりにも異質であり、署員たちの誰もが、啞然《あぜん》として彼女の姿を見つめていた。

「あの……三日月さんはどちらでしょう？」

道子はたまたま通りかかった神泉に声をかける。神泉はどぎまぎした様子で、時効管理課のスペースのほうを指差した。

「た……多分、あちらに……」

それを聞いて、道子は軽く会釈をして歩き出す。時効管理課では熊本たちが慌ただしく動き回っていたが、道子の姿に気づいて、ぽかんと立ち尽くした。

「あの……三日月さんは？」と、道子が熊本に声をかける。

「三日月くんは……交通課で」

熊本がそう答えると、道子は軽く微笑んだ。

「交通課で、こちらでないかと」

又来が身を乗り出して尋ねた。

「どなた？」

「藤沢と申します」

その時、呆然と立ち尽くしていた霧山の姿に気づいたらしく、熊本が駆け寄ってきた。

「あ、霧山くん……こちら、三日月くんをお尋ねらしいんだよ」

すると、道子が霧山のほうを向いて笑みを浮かべた。

「あら……」

「ああ……」と、霧山は苦笑しながら会釈した。熊本が怪訝《けげん》な顔をする。

「嘘……知り合い？」

「まあ、ちょっと……」

道子は花かごを示して言った。

「昨日、ずいぶんこの花にご興味をお持ちのようでしたので、持ってまいりましたの」

「三日月くんが、ですか？」

霧山が尋ねると、道子は得意気な顔で微笑む。時効管理課の周りには、いつの間にか署員たちが集まり、取り囲むようにして人垣ができていた。

「ひと言かけて下されば、あの場で差し上げようと思ってましたのよ」

道子はそう言って、花かごを差し出す。霧山はとまどいながら受け取った。

「三日月くんに、これを？」

「ええ……だって、あんな目で見られたら……」

道子は照れ笑いを浮かべる。その時、人垣の間から蜂須賀が顔を出し、霧山にまとわりつくようにして訊《き》いた。

「何、何？　霧山くん、どういう知り合いなの……？」

ところが、道子は急に声を張り上げた。

「触らないで！」

蜂須賀はびっくりして、霧山から飛び退いた。

「ここに花があるのに……」と、道子はきつい口調で独り言のようにつぶやく。

「……すいません」

蜂須賀は振り絞るような声で、それだけ言った。道子は構わずつぶやき続ける。

「ガサツ、ガサツ……この世の地獄だわ……霧山さん、あなたにお願いしましたよ」

「はぁ……」

その場の全員の射るような視線を感じながら、霧山はうなずいた。

「何かをお感じになったら、それがそのまま、その花に対するお礼ですからね」

道子はそう言い残して、深々と頭を下げた。そして、立ち去ろうとした彼女は、時効管理課を取り巻いている署員たちに微笑みかける。

「すみません……」

署員たちは慌てて道を空け、道子はその間をしずしずと歩いていった。霧山は花かごを机の上に置き、彼女のあとを追いかけた。

廊下に出ると、道子はそこに置かれている花瓶をじっと見つめていた。やがて、彼女は霧山の気配に気づいたのか、振り返るともう一度深々とお辞儀をする。霧山はお辞儀を返して、歩き去る彼女の後ろ姿を見送った。

日曜日になり、霧山はしずかを連れて藤沢家まで再びやって来た。植え込みの陰から中の様子を窺《うかが》っていると、しずかが不意につぶやく。

「ねぇ……ってことは、あの夫婦は共犯だったってこと？」

「いや、それはないね」と、霧山はつぶやく。

「どうして？」

「仮に共犯だとしたら、藤沢の無罪を証明するために、『新聞の差し込みに目を奪われてた』なんて、そんな証言しないだろう。もっと別の言い方をするはずじゃない？　もっと世間の人間が納得するような、さ……つまり、あの当時、ふたりは他人だった――」

すると、しずかが屋敷のほうを見たまま、不意にささやいた。

「ちょっと……」

霧山は振り返る。離れの廊下を道子が歩いてくるのが見えた。彼女は廊下の途中で立ち止まり、庭に視線を向ける。心なしか険しい表情をしているので霧山は気になり、視線の先を目で追った。すると、庭の木陰のところで藤沢が誰かと話をしているようだった。

藤沢は道子に気づいたのか、急に視線を逸《そ》らして話をやめる。さらに、藤沢と話をしていた人影が、すっと彼から離れて歩きだした。それはこの前、霧山たちが見かけた、生け花教室で道子に叱責《しっせき》されていた女性だった。それを確認したかのように、道子は再び歩きだし、生徒たちが待つ離れの部屋へと入っていく。

「生け花教室が終わってからにしよう」

霧山はしずかにそう呼びかけ、いったん藤沢家から離れた。


それから、霧山としずかは少し離れたカフェに入って、もう一度、事件を整理しようとした。霧山はホームとマンションの位置関係を記した例の図面をテーブルに広げる。

「ほら、これ見て……あの事件が起きたのが七時十三分。その時刻に電車がホームに入ってきたわけだ。ところが、その時間に、ホームの売店に朝日は射してないいんだよ」

霧山がそう言うと、しずかは首を傾げる。霧山は図面上のマンションの位置を指差した。

図面には、太陽の光がマンションにさえぎられ、売店のある位置には届かないということが示されている。

「当時、ここにはマンションが建っていて、少なくとも八時までは朝日がさえぎられていたんだよ……でも、藤沢は……あの旦那《だんな》は、新聞の差し込みに朝日が射していたと言った。それが綺麗《きれい》だったって……つまり、これは捏造《ねつぞう》された記憶だってこと」

「……うーん」と、しずかはまだ唸《うな》っていた。

「実際、あの奥さんが駅の売店の売り子として証言した時、旦那と被害者のふたりは陽だまりのほうに歩いていったと言っている。つまり、売店にあの時、陽は射していなかったってことだろ？」

その時、霧山の携帯が鳴りだした。

「あ、ちょっとごめん……」

霧山は携帯をとり、店の入口のほうへと移動した。

「はい、霧山です」

「あ、あの……坂崎《さかざき》です」と、電話の向こうの女性がそう名乗った。

霧山はふと、しずかのほうを振り返った。しずかはじっと図面とにらめっこを続けている。やがて、彼女は納得したように何度もうなずいた。

霧山は、電話の相手と会う約束を取り付け、電話を切った。席に戻った霧山は、コートを拾い上げ、しずかに告げる。

「今からちょっと会わなければいけない人がいる……だから、藤沢の家に行くのはそのあとだね。三日月くん、悪いけど、ここで待ってて」

「えぇー!?　ここまで来てるのに？」と、しずかは不貞腐《ふてくさ》れたように言った。

「すぐ戻るから」

そう言い残して、霧山はカフェを出た。

指定された近所の神社までやって来た霧山は、辺りをきょろきょろと探した。人の気配はどこにもなかったが、不意に境内の隅のほうから人の呼ぶ声がする。

「こっち、こっち」

手招きする和服姿の女性を見つけて、霧山は駆け寄った。女性はさらに木陰へと進み、人目につかない奥のほうまで、霧山を連れていった。女性は抱えていた花束を地面に置き、霧山を見つめる。

「人に見られるとまずいんだもん……あなたの分も買っておいたわ」

そう言って、彼女は缶コーヒーを差し出した。

「あ……どうも」と、霧山はお辞儀をして受け取った。

じっと自分を見つめる彼女に、霧山は尋ねた。

「あの……坂崎さん？」

坂崎は道子の生け花教室の生徒のひとりである。最初に藤沢家を訪ねた時に、彼女が道子に叱責されていたのを見かけて、道子の態度に何か過剰なエキセントリックさを感じた霧山は、生け花教室が終わったあとで、坂崎に接触を試みたのである。そこでは警戒されたために連絡先だけを教えたのだが、先ほど目撃した藤沢と彼女の密会ふうのやり取りを見る限り、やはり坂崎はなんらかの鍵《かぎ》を握っているに違いない。そんなところに彼女のほうから、連絡が来たのだ。

霧山が探るような目で見つめ返すと、彼女はようやく口を開いた。

「あの奥さんのことね……ひどい女よ。そりゃ、どっかのお嬢さんかもしれないけどね、私に言わせれば、ただの性悪女」

「どっかのお嬢さん？　それは誰が言ったんですか？」

「ご主人よ。なんでも取り引き先の社長令嬢とか……美味《おい》しい？」

坂崎が不意に訊《き》く。霧山は缶コーヒーのことだとわかって、慌ててうなずいた。

「あ、はい」

「ご主人ね、私に救われたって……ううん、私はごく普通に振る舞ってるだけよ」

坂崎はしっとりと濡《ぬ》れた瞳《ひとみ》を霧山に向ける。霧山は極力、事務的な態度で訊いた。

「駅の売店で売り子をしていたとか聞いたことはありませんか？」

「あの性悪女が？　何それ？　売店の売り子？」と、坂崎は怪訝《けげん》な顔をする。

「あり得ないわけか……社長令嬢じゃ」

霧山がそうつぶやくと、坂崎は声を上げて笑いはじめた。霧山も苦笑する。やがて、坂崎は笑うのをやめ、じっと霧山の顔を見つめた。

「それだけの理由？」

「は……？」

霧山がきょとんと見つめ返すと、坂崎は妖《あや》しい笑みを浮かべた。

「口実でしょ？　奥さんの話が聞きたいっていうのは。いいのよ、私は……交換しよ」

そう言って、坂崎は自分の缶コーヒーを無理やり握らせ、霧山が持っていた缶コーヒーに手をかけようとする。

「え？　なんのために？」と、霧山がうろたえると、坂崎は霧山の拳《こぶし》に手を重ねた。

「私の手、冷たい……ほら」

「あの、ちょっと……」

すると、その時、霧山の携帯が鳴った。

「あ……あの、電話、電話です……」

しかし、両手に缶コーヒーを握らされた霧山は、身をよじらせるしかできなかった。

「え、どこどこ？」と、坂崎が音のするほうをまさぐる。

「あの、ポケット、ポケット……」

そして坂崎はポケットから携帯を取り出した。

「あった！　あなたは、だぁ〜れ？」

そう言って、着信ボタンを押した坂崎は、携帯を霧山の耳元に押し当てる。

「誰……？」と、霧山は電話の向こうに呼びかけた。


ひとりカフェに残され、手持ち無沙汰《ぶさた》に霧山の帰りを待っていたしずかは、何げなく視線を窓の外に向けた。手に花束を抱えた和服の女性たちが数人、通り過ぎる。なんとなく見覚えのある顔もあり、どうやら彼女たちは道子の生け花教室の生徒たちらしかった。教室が終わったということなのだろう。

それでも戻ってこない霧山を待ちながら、しずかがぼんやりしていると、不意にドアが開く音がして、和服の女性が店内に入ってくるのが見えた。

その女性は道子だった。さらにあとから続いてきたのは藤沢である。ふたりはしずかの存在に気づかなかったのか、すぐにふたつ隣の席に座った。

しずかはふたりに背を向け、耳をそばだてた。初めのうち、ふたりは小声でこそこそと話し合っていたが、やがて道子の声が大きくなる。

「口で言うばかりで、結局、何もできないのでしょう？　坂崎美紀子《みきこ》には、私から口を利いてあげましょうか？　あの女だって、それを望んでいるかもしれませんよ」

藤沢は何も答えずに、タバコに火を点《つ》けた。道子が呆《あき》れたようにため息をつく。

「ねぇ、黙ってるだけでしょう？　ずるい人ね……どうしたいの？　あなたって人は。私から離れたいの？　無理よ、そんなこと……無理でしょう？」

藤沢は何か言おうと口を開きかけたが、すぐに道子がそれを制して、喋《しゃべ》り続けた。

「私に任せておけばいいの、あなたは……あの女には、今すぐうちの教室をやめてもらいます。それですべて解決よ……警察のことだって、泰然自若としていればいいものを、うちに来るっていうだけで、ソワソワしたりして……」

「ソワソワなんてしてないだろ？」と、藤沢が言うと、道子はまた責めるように言う。

「口、利いた……自分の安全なところだけ」

そこで、しずかはゆっくり立ち上がり、ふたりに顔を見られないようにしてレジへ向かった。お金を払って出ていこうとすると、不意に後ろから誰かがポンと肩を叩《たた》く。しずかはおそるおそる振り返った。すると、ウェイトレスが笑顔で携帯電話を差し出す。

「これ、お忘れです」

「あ、ありがと……」と、しずかは小声で返事をした。見ると、道子と藤沢は気づかないまま、言い争いを続けていた。

店を出たしずかは、少し離れたところで立ち止まり、霧山の携帯を呼び出した。

「誰……？」

電話に出た霧山は、妙に切羽詰まった声で呼びかける。しずかは眉《まゆ》をひそめた。

「もしもし、私。何してんの？……え？　電波？　聞こえてるわよ。もしもし……？」

要領を得ないまま、霧山の電話は一方的に切れてしまった。

「……何？」と、しずかは思わずつぶやいて、手元の携帯を見つめた。


それから、ようやくしずかと合流した霧山は、彼女がカフェで目撃したという藤沢夫婦のやり取りを教えられた。坂崎から聞いた話もそれなりの収穫ではある。しばらく考え込んだのちに、霧山は意を決して藤沢家へ向かった。

すっかり夜の帳《とばり》が降りた頃、玄関のベルを合図に顔を出したのは道子だった。彼女は霧山としずかの姿を見るなり、「あら……」という声を上げる。霧山は会釈した。

「今、主人はちょっと留守にしてますのよ」

道子はそう言って、目を伏せる。

「いえ、よければ、あなたに少しお話を……」

霧山がそう告げると、道子は少しとまどったような表情をしたが、すぐにふたりを居間へと案内した。

「どういうことでしょう？　私にお話とは……」

道子は運んできた紅茶をカップに注ぎながら訊く。

「……浜野道子さん」と、霧山は呼びかけた。道子の手がほんのわずか止まり、またその反応を押し殺すように動く。霧山は続けた。

「十五年前、センター東駅の売店で働いていた……そうですよね？」

しかし、道子は無反応のまま紅茶を差し出す。

「お茶をどうぞ」

霧山がティーカップに手を伸ばそうとすると、道子が不意につぶやいた。

「それで……？」

霧山は少し面食らって、眼鏡を外そうとした。道子が含み笑いで言う。

「だって、趣味でお調べになってるんでしょう？　私のほうから『その証拠は？』などと問い質《ただ》してもしょうがないことでしょう」

「ああ……そうですね」と、霧山はまた眼鏡をかけ直した。

「お話し下さい」

道子は霧山たちの正面に座り直して、居ずまいを正す。霧山は切り出した。

「私は、当時あなたが住んでいらっしゃったマンションを訪ねてみました。十五年も前のことだし、いくらなんでも、もういらっしゃらないだろうとは思ったんですが……案の定、というか――」

するというと、道子が急に口を挟んだ。

「ちょっと待って下さい。そのマンションをお訪ねになったのは、どうして？」

「あなたの証言が、何かおかしいなと思ったからですよ」と、霧山は切り返す。

「証言って？」

「あれは殺人じゃなくて、事故だった、という」

「どういうふうに？　何かおかしいことを言ったのですか？　売店の売り子が」

霧山が説明しようとするそばから、道子は矢継ぎ早にたたみかける。霧山は困って、しずかのほうを見やった。しずかが自分を奮い立たせるようにして、口を開く。

「つまり！……あなたの証言には、事件とは関係ない自己顕示欲が隠されていたということです……ちょうど、私が見てもいなかった花を見ていたといって、私に持ってきて下さったように」

しかし、道子は、まるでしずかを無視するかのような態度で霧山に尋ねた。

「案の定、というか……なんですか？　さっき途中で」

しずかがムッとして道子を睨《にら》みつける。霧山は思い出そうとした。

「案の定……？　ああ、はぁ……えぇっと、何を言おうとしてたんだっけ……」

逡巡《しゅんじゅん》する霧山に、なぜか道子が助け舟を出す。

「もしかして、そのマンションそのものがなくなっていたということでは？」

「ああ、それ……」と、霧山は道子を指差した。横でしずかが呆れ果てる。

「よくあることですものねぇ……で？」

すっかり道子のペースで話が進んでいる。霧山は気を取り直し、道子を見つめた。

「あなたは、自分の職場から自分の住むマンションを見、自分の部屋から自分の働く職場を見ていた……面白いことに、そのマンションが、あなたの仕事場に射すはずの朝の光をさえぎっていた……」

道子は悠然と構えて、紅茶を口に運んでいる。霧山は続けた。

「あ、だから、面白いことにっていうのは、そこに何か意味がある気がしたんです」

「意味……？」と、道子はカップを置いて、霧山を見やる。

「ええ……あなたの何かが、あなたの仕事に影を落としてるんだっていう意味……かな」

「何かって？」

「あなたが大切になさっている、あなたの世界でしょうね。それが、そのままあの証言になっている……」

霧山はビデオで繰り返し見た、浜野道子の証言を思い返した。

「……だって、その人の目は、文字を読むというより、私が差し込んだ新聞と周りとの調和を見ているような目でしたから……」

その言葉に感じた小さな違和感が、今回の時効捜査のそもそもの始まりだった。

「聞く人が聞けば、ただの自慢話のような証言ですが、それでもご主人にしてみれば、それに食いつくしかなかった。なにしろ、それが自分の無罪を証明するものだったわけですからね……」

すると、道子は不意に立ち上がり、サイドボードの上のミニコンポのボリュームをひねった。それまで小さく流れていた音楽が完全に聞こえなくなった。

「初めのうち、ご主人は、あなたがなぜ自分を救うような証言をしたのかわからなかった。そして実際、救われた。少なくとも殺人という罪からは……ご主人は、あなたに何か下心があるのではないかと思い、あなたの存在を恐れるようになった。そして、あなたの住所を調べ、あなたに近づいた……」

霧山はそこまで言うと、じっと道子の反応を窺《うかが》った。彼女は表情を変えぬまま、黙って霧山の説明に耳を傾けている。

「ご主人は、このことをネタにあなたに脅迫されると思っていたのではないですか？　だから、おそらく最初は金で解決しようとした。しかし、あなたの目的はもちろん、お金なんかではない……ひょっとすると、あなたが差し込んだ新聞を見て、その美しさに目を奪われていたというのは、亡くなった町田さんではなく、ご主人のほうだったのではないでしょうか？　だから、あなたはご主人を庇《かば》うような証言をした……」

すると、道子は声を上げて笑いだした。

「ホホホ……とんだ刑事さんね。まあ、趣味とおっしゃるのなら、こちらも目くじらを立てることもないんですけど……」

その時、ガラッと障子戸が開き、藤沢が居間に入ってきた。

「……霧山さん」と、藤沢はぽつりとつぶやいた。

「はい……？」

すると、藤沢は小さく笑みを浮かべた。

「フフ……胸のつかえがとれたようですよ」

そう言って、藤沢はゆっくり霧山たちの向かい側へと歩を進める。それと入れ替わるように、道子は藤沢と目を合わせないまま、居間から出ていってしまった。藤沢は、さっきまで道子が座っていた場所に、腰を下ろした。

「霧山さん、おっしゃる通りです……私は、妻が何故あんな証言をしたのか、理解できなかった。妻は私に言いました。『私は本当のことを言っただけだ』って。町田は、差し込まれた新聞が美しかったから……その美しさを理解して心を奪われたから、入ってきた電車に気づかなかった……それが本当のことなんだ、と」

「あの……藤沢さん、奥さんが差し込んだ新聞の束を見て、美しいと言ったのは、あなたのほうだったんではありませんか？」

霧山がそう訊《き》くと、藤沢は皮肉っぽい笑みを浮かべた。

「妻にもそう言われました……あの三日前、あなたも新聞の束を眺めて『見事だ』と言ったじゃないか、と。差し込まれた新聞をうっとり眺めて、微笑んでいた、とね」

「違うんですか？」と、霧山は尋ねる。藤沢は曖昧《あいまい》に笑った。

「覚えていません……でも、妻は頑として譲らなかった。『その時、嬉《うれ》しかったから、よく覚えている』と。そんな私が、男同士の問題で同僚を殺すなんて馬鹿な事件を起こすわけがない。背中を押したりするわけがない。あれは事故だと、妻は言い張りました。そのうち、私はその言葉にすがりつくしかなくなっていったんです……」

藤沢と道子は、そこから新しい人生を一緒に歩きはじめたのだろう。霧山は、ようやくすべての謎がひとつに繋《つな》がったと感じていた。藤沢はさらに続ける。

「町田は、私が会社の不正に関わっていることに感づいていました……しょうがなかったんです。会社を守るためには……町田は『会社を辞めるつもりだ』と、私に言っていました。私は、自分のこの苦しみを軽々と乗り越えようとする町田に、激しい憎しみを感じていた……あの時、ホームを歩きながら、町田は重ねて聞いてきた。『君は不正に関わってはいないのか』と」

そこまで訥々《とつとつ》と語りながら、藤沢はうつろな目をして、遠くを見つめた。

「町田さんが、あなたとあなたの上司の不正をどこかに告発するかもしれない……と？」

「わかりません……気がついた時、私は自分の傘の柄のところで、町田の背中を押していました……そうすれば、楽になれると思ったのかもしれません……」

霧山は、ホームに入ってくる電車を、今と同じうつろな目をして見つめている藤沢の姿を想像した。おそらくその瞬間、浜野道子は新聞を差し込むか何か、作業に没頭していて藤沢が町田を押しやる瞬間も、町田が電車に撥《は》ねられる瞬間も、目撃していなかったに違いない。霧山は、彼らの運命が交錯したその瞬間のことを思った。


それから霧山としずかは、藤沢に見送られ、玄関口までやって来た。

「あの……ホントに……？」

藤沢が口ごもりながら霧山の顔を覗《のぞ》き込む。霧山はうなずいた。

「はい、事件はもう時効ですから……口外することも一切ありません。その約束に、犯人の方にこれを。『誰にも言いませんよカード』です」

霧山はそう言って、ポケットからカードを取り出した。

藤沢郁也様
この件は誰にも言いません。
霧山修一朗

「これに、僕の認め印を押しますから、お持ちになって下さい」

霧山は三和土《たたき》のところにしゃがみ込み、床に置いたカードに捺印《なついん》した。立ち上がり、カードを手渡すと、藤沢は文面を目で追って、しみじみとつぶやく。

「ああ、ホントに趣味なんですね」

霧山としずかは、同時に照れ笑いを浮かべた。お辞儀をして去りかけた霧山に、藤沢がもう一度、呼びかける。

「霧山さん……」

「え……？」と、霧山は振り返った。

「どうして、私が……その……」

口ごもる藤沢の意図を察して、霧山は聞き返した。

「決め手ですか？　あなたが町田さん殺しの犯人だという」

藤沢は苦笑いを浮かべて、うつむく。霧山は眼鏡を外し、しずかに手渡した。

「新聞の差し込みを、あなたが美化しすぎたからです。あなたは、奥さんの証言をより完《かん》璧《ぺき》にしようとして、事実以上の事実を捏造《ねつぞう》してしまった……あの日、駅の売店に朝日は射してない。当時は、マンションに……それも奥さんの住んでいたビルにさえぎられて、ホームの端にしか、朝日は届いていなかったんです……つまり、あなたの奥さんを愛さなければ、という気持ちの焦りが、決め手だと言ってもいい」

藤沢はじっと霧山の言葉に耳を傾けていた。霧山は眼鏡を受け取り、再びかけ直す。

「誰でも、注目されて褒められるのは嬉しいことです。あなたは、奥さんにそれをなさってきただけなのかもしれません……」

そう言うと、霧山は一礼して、歩きだそうとした。

「霧山さん……」と、藤沢が再び呼びかける。

「はい」

振り向くと、藤沢は真っ直ぐ顔を上げ、かすかに微笑んでいた。

「私は……私の刑は続いています。結婚してから、ずっと……。あなたが、あの事件を調べてらっしゃると知って、実は、ほっとした……誰かに真実をわかってほしかったんです」

そして、藤沢は深々と頭を下げた。霧山としずかも改めてお辞儀をする。顔を上げると、まだ藤沢は頭を下げたまま動かずにいた。

歩き出した霧山は、庭の向こうの離れで、じっと座っている道子の姿を目に留めた。彼女の凍りついたような表情は、これから先、どう変わるのだろうか。霧山は、複雑な思いで藤沢家をあとにした。

その足で、しずかは霧山を連れ、例の財布をなくした居酒屋へと向かった。カウンターに座るなり、この前は厳しい顔をしていた女将《おかみ》が、笑顔でおしぼりを差し出す。そして、その次に女将は、ピンクの財布を目の前に突き出した。きょとんとしてしずかが見つめ返すと、女将は屈託なく笑う。

「ありましたの、お客様の財布……そこの花瓶の中に入ってましたのよ」

「え……？　花瓶の中？」

霧山が後ろを振り返った。壁の一角に、花瓶に飾られている大きな花がある。しずかは女将から財布を受け取り確認した。女将が説明する。

「えぇ……花を生けるので花瓶に水を入れようとしたら、中で何か音がするので覗いてみたんです……」

「どうして、花瓶の中に？」と、霧山が尋ねた。

「どうしてなんでしょう？」

女将も訝《いぶか》しがった。

「でも、まあ、よかったよね」

霧山が呑気《のんき》な顔でそう言ったが、しずかは釈然としない。慌ただしくフロアを行き来する女将に、他のテーブルの客が声をかける。

「綺麗《きれい》だねぇ、この花」

「ありがとうございます」

女将がお辞儀をして答えた。すると霧山が不意に耳元でささやく。

「なんか、その財布が褒められてる感じ、しない？　その財布から育った花みたいでさ」

「全然しない」

そう言い放って、しずかは席を立った。霧山が顔を強張《こわば》らせる。

「ちょっと……」と言い残して、しずかは財布を持ったまま、トイレに向かった。個室に入ると、財布の中にしまってあった紙をすぐに確認して取り出す。細かく折りたたまれたそれは、霧山と自分の名前が書かれた、あの婚姻届である。

「預けた意味ないし……」

しずかはそうつぶやき、ドアの向こうにいるはずの霧山を睨《にら》みつけるようにした。


翌日——、しずかは途中の花屋で新しい花束を買って、署に出勤してきた。時効管理課へ向かう廊下を進むと、又来とサネイエが何か言い合いながら前を歩いていた。

「じゃあ、いいね？　八時、こないだのイタメシ屋！　私、腹いっぱいにしてから行くから、割り勘ね」と、又来が声を張り上げ、サネイエも負けじと怒鳴る。

「又来さんが腹いっぱいかどうか、どうやってわかるんですか？」

この間から、このふたりは何を揉《も》めているのだろう？　しずかは首をひねった。そのうち、サネイエはぷいと横を向き、階段を上っていってしまう。

「ちょっと、どこ行くのよ、あんた！」

残された又来はしばらく階段を睨みつけていたが、やがて時効管理課に入っていった。

しずかが追いつくと、又来は何やら机の上の物をバタバタとひっくり返し、何かを探しているようだった。

「おや、おや?」

横では熊本と蜂須賀が暇そうに将棋を指している。

「どうしたの?」と、熊本が尋ねた。

「財布がない……ここに置いといたんだけど」

「財布?」

「あの……白いビーズで、真ん中に青い蝶《ちょう》が入っている……」

又来はあちこちを覗き込んで必死に探しているようだったが、熊本と蜂須賀は手伝うでもなく、呑気に将棋を続けていた。

「財布をなくしたよ……と」

「可哀想だよ……と」

ふたりはそんなことを言いながら、駒を張る。

しずかは、彼らの様子を横目で見ながら、刑事課の横の廊下へと急いだ。花瓶のところには下北沢と吉祥寺がいて、まさに古い花を捨てようとしていたところだった。

「あ、ありがと……あとは、私がやるよ」

しずかが声をかけると、ふたりは花を捨てたごみ箱を抱えて歩き去った。しずかは空の花瓶に水を入れてこようと持ち上げたが、ふと中を覗き込んで、何かが入っているのに気づいた。手を入れてみると、そこから出てきたのは財布だった。

「白いビーズに青い蝶……」

さっき、又来が言っていた財布のようだ。その時、誰かが近づいてくる気配がしたので、しずかは咄嗟《とっさ》に財布を花瓶の中に戻してしまった。

やって来たのは霧山だった。しずかが背を向け、花瓶を抱え込むようにしていると、霧山は黙ってその場を通り過ぎる。ところが、すぐにまた戻ってきた。

「あの……ほら、君の財布……花瓶の中に入ってた……あの時、あそこにいたお客さんが、どうして花瓶の中に入ったか証言してくれるっていうんだけど、今夜も行く?」

「証言?」と、しずかは思わず聞き返した。

「そう。見てたらしいんだよね、あの時の騒動を」

その時、又来がきょろきょろと辺りを見回しながら通り過ぎた。しずかは財布のことを伝えようとしたが、霧山がしつこく訊《き》いてくるので、声をかけそびれてしまった。

「……ねぇ、どうする?」

しずかは睨み返した。

「とりあえず、パス」

「どうして?」

「多分、そんな証言、信用できないし」

そう言って、しずかが花瓶を再び持ち上げると、霧山が取り繕うように言う。

「ああ、手伝うよ」

差し出された両手を振り払い、しずかはキッと霧山を睨んだ。

「その前に、ここにどんな花が飾ってあったか、言って」

すると、霧山はきょとんとした顔で、花瓶を見つめた。

「ここに？　花？　飾ってあった？」

「もう、いい」と、しずかはさっさと歩きだした。

「重いでしょ？　手伝うよ」

「いい、自分でやるから」

しずかは冷たく言い放ったが、それでも霧山はついてくる。しずかは立ち止まった。

「なんでついてくるの？　好きなの？」

「えぇ～……!?」と、霧山が呆然《ぼうぜん》となる。

しずかはひとりほくそ笑んで、また歩きだした。

第四話
犯人の575は崖の上

女優のアヤメ旅子《たびこ》は、もうすぐ十五年目を迎える二時間ドラマの人気シリーズ「THEアネゴ探偵・寂水《じゃくすい》先生が行く!!」で、主人公の寂水先生を演じている。「二時間サスペンスの女帝」との異名を持つ彼女は、三十代も半ばを過ぎたが、デビューの頃からちっとも変わらぬベビーフェイスと確かな演技力とで、人気を誇っていた。

彼女が演じる寂水先生は、マントのような重たいコートを羽織り、ベレー帽を被《かぶ》ったいかにも探偵然とした古くさいスタイルの名探偵だが、毎回、事件を解決する度に、岸壁に立って一句詠むという約束事がウケて、高視聴率をキープしてきた。五七五で事件を解決する寂水の活躍を、多くの視聴者が楽しみにしているのである。

その日、ロケを終えてすぐに次の仕事場に移動するため、長い坂道を歩いていた旅子は、不意に足元をすくわれたようになって、つんのめった。

「きゃっ……!」と、膝《ひざ》から崩れ落ちた旅子は、体を起こして足元を見つめた。ハイヒールのかかとがポッキリと折れている。

「大丈夫ですか?」

駆け寄ってきたマネージャーの斎藤は、抱えていたバッグから新品の赤いハイヒールを取り出した。折れたハイヒールを拾い上げ、旅子はじっと見つめる。

「何かありそうね、そろそろ……壊れかけた遊園地を補強する時が来たみたいよ」

旅子は立ち上がり、赤いハイヒールに履き替えると、きょとんとしている斎藤に改めて声をかけた。

「行くよ！」と、旅子は颯爽《さっそう》と坂道を登った。


旅子がやって来た次の現場は、できたばかりの写真集『命ＧＡＫＥ』の発売を記念したサイン会の会場だった。書店の一角に設けられた特設ステージに上った旅子は、長い行列を作ったファンのために、その場で一冊ずつサインをした。

「はい、どうぞ。ありがとう」

次々と現れるファンは、旅子の人気を証明するかのように、老若男女さまざまだった。

小さい子供を連れた主婦らしき女性と握手をした旅子は、次に並んだ若い男性を見上げた。ボサボサの中途半端な長さの髪を乱暴に撫《な》でつけたようなその男性は、一見するとただのダサいオタクのようにも見えたが、意外とセンスの悪くない服を着こなしている。年齢は三十歳くらいだろうか。二時間サスペンスが活動の中心である旅子のファンには、少し珍しいタイプだった。

「ファンです。サイン下さい」と、その男性が妙に上ずった声で言った。

やっぱりただのオタク……？　旅子は引きつった笑顔を隠して、男性が差し出す写真集を受け取った。すると、男の横に立っていた若い女性が不意に叫ぶ。

「何、それ⁉　あ……あの、違います！」

「じゃ、何かほかにご用でも？」

旅子は毅然《きぜん》とした態度で尋ねた。すると、男性のほうが相変わらず上ずった声で答える。

「いや、その……僕、実は、趣味で時効の事件を追ってまして――」

趣味……時効……？　いきなりわけのわからないことを言いだした男性に、旅子はとまどったが、その感情をぐっと押し殺して、微笑みかけた。

「あら……何、それ？　面白そうな企画ね……どこの番組？」

「いや、番組ではないんですけど――」と、男性が少しは落ち着いたのか、とぼけた口調で答える。女性のほうが小声で恥ずかしそうにつぶやいた。

「私たち……警察なんです」

「警察？」

旅子が思わず聞き返すと、男性がきっぱりと答えた。

「はい！　あ……でも、犯人を捕まえるのではなく、あくまで僕の趣味です。時効になった事件を、趣味で解決しようとしてます」

旅子は思わず、横に立っていた斎藤と顔を見合わせた。

「あ、そう……面白そうね。ゆっくり話、聞いてみようかしら……あなた、お名前は？」

すると、男性は満面の笑みを浮かべた。

「霧山修一朗と言います……こちらは同僚の三日月しずかくん」

そう紹介された女性も、ぴょこんと頭を下げる。

旅子は、どことなく抜けているように見えるが、妙に鋭い眼光を放っているその男を、じっと見つめ返した——。


霧山としずかがアヤメ旅子の事件を調べてみる気になったのは、彼女のサイン会を訪れる三日前のことだった。霧山はこのところ送られてくる時効事件に興味をそそられるものがなくて、退屈な日々を過ごしていた。

「はい、検察からです」

サネイエが新しい時効事件のファイルを、霧山の目の前にドンと積み上げる。

「お、また時効事件か？　どれどれ」と、熊本がにじり寄ってきた。

霧山が新しいファイルを順番にめくろうとしていると、廊下に通じるドアが音を立てて開き、タバコをくわえた十文字が現れた。

「おっ、十文字、今日もキマッてるねぇ～。どこもかしこも。こんなところも」

又来がわざとらしく誉《ほ》めそやし、襟足のところを指差す。

「やめて下さいよ」

十文字は真顔でそう答えると、霧山の手元に視線を落とした。

「……おう、霧山。いい事件、見つかったか？　どれだって同じだろう？　趣味なんだから、上からやっていきゃいいじゃないか？」

「そうもいかないんですよね……なかなか、グッとくる事件がなくてねぇ……」

霧山がそうつぶやくと、さっきからぼんやりと時効管理課のやり取りを眺めていた蜂須賀が、急に机を叩《たた》いて立ち上がった。みんながびっくりして見つめる。

「時効事件かあ……〝許されぬ　時効過ぎても　罪は罪〟」

「おっ！　昨日の『アネゴ探偵』だねぇ」と、熊本がすぐに反応した。

「寂水先生が行く!!」

嬉《うれ》しそうに蜂須賀が答える。霧山はわけがわからず熊本たちを見つめた。

「なんすか、それ？」

「気にしなくていいですよ。二時間ドラマ」と、サネイエが手を振る。熊本がつぶやいた。

「昨夜の寂水先生は渋かったよなあ……」

「渋かったっすよねぇ〜……見なかったの？　テレビ」

大袈裟《おおげさ》にうなずいた蜂須賀が、サネイエに向かって尋ねる。

「見てませんよ」

「馬鹿だなあ〜。見たらいいのに」

そして熊本は、ビシッと右腕を伸ばし、ポーズを決めた。

「許されぬ　時効過ぎても　罪は罪」

陶酔しきった表情でつぶやく熊本の決めポーズを、蜂須賀も又来も真似ていた。

「僕もね、熊本さんに言われて見るようになったんだけど、本当、面白いよ」

蜂須賀がしみじみとそう言うと、不意に時効管理課のスペースに諸沢が駆け寄ってきた。

「おいおいおい、僕を差し置いて、そんな素敵な話題を――」

そう言うと、諸沢も熊本と同じ決めポーズで、みんなを見回す。

「お！　いいところに来たね、諸沢くん！」

熊本が感心したように言った。すると、又来が不意につぶやく。

「そう言えば、あの人、昔、疑惑の人になったことあるよね？」

「主役のアヤメ旅子かい？」と、熊本がこともなげに言うので、霧山は思わず訊《き》いた。

「えっ？　どんな事件ですか？」

「えっ？　知らないの？」

又来が呆《あき》れ顔で霧山の顔を見つめる。

「霧山くん、見たほうがいいよ……三日月くんも。ね、ふたりで」

熊本が不敵な笑みを浮かべて、辺りを見回した。諸沢も意味ありげに笑う。

「すっごいコレクションがあるんだよ」

蜂須賀もにじり寄るが、霧山は手を振った。

「いやいや……そんなことはどうでもいいんですけど、どんな事件だったんですか？」

「おっ、食いついてきた」と、熊本が嬉しそうにつぶやく。

「もう時効じゃないかなぁ、あれ」

蜂須賀が首をひねった。サネイエがすかさず答える。

「確か、もう時効です」

すると、ずっと黙って聞いていた十文字がぽつりと言った。

「時効事件じゃないか……霧山、もっと食いつけよ」

「霧山くん、三日月くん……これ、見たまえよ。ふたりで」

そう言って熊本はカバンから取り出したビデオテープの束をドンと机の上に置いた。家で録画したものなのか、市販のVHSテープに手書きのラベルが貼ってある。

「第十九回　落ち武者の祟《たた》り？　草津温泉殺人事件」

霧山がラベルの内容を目で追っていると、しずかが呆れ顔でつぶやいた。

「なんで持ってるんですか？」

すると、熊本は嬉しそうに笑う。

「マイ・ベスト・寂水だ。こんなこともあろうかと、常に持ち歩いている。それに――」

そして熊本は、机の足元から青い布に覆われた大きな塊を持ち上げた。

「なんですか？」と、しずかが怪訝《けげん》そうな声を上げると、熊本は青い布をぱっと外した。

「ジャーン！　ほら！」

布の下から登場したのは、巨大な崖《がけ》のジオラマだった。

「これは、幻の企画第十三回の崖を、二十一分の一で寸分の狂いもなく再現した完璧《かんぺき》なミニチュアだ……霧山くん、この崖に立って、こう、目をつぶると、冴《さ》えるよ～、頭」

熊本は陶酔したような笑みを浮かべる。しずかがおそるおそる尋ねた。

「もしかして、熊本さん……いつもそこに立って、いろいろ考えてるんですね」

「そうだよ。でもこの崖、表面に突起物があって、痛いの……足とか」

「呆れた……」

しずかがつぶやくと、諸沢と蜂須賀が熊本を取り囲む。

「この人ね、伝道師だから」

「信者になりなさい」

すると、十文字が突然声を上げて笑いだした。

「ハハハ。さぁ！　霧山くんがドラマを見ている間に、僕はリアルに仕事してくるかな」

そして十文字は立ち去った。熊本がじっとその背中を見つめる。

それから霧山としずかは、熊本に無理やり押し付けられたビデオを、鑑識課の部屋で見はじめた。

「この人よ……昔、疑惑の人になった、女優のアヤメ旅子」

しずかが画面を指差す。

「どんな事件だったの？」と、霧山は尋ねた。

「なんか、当時のサスペンスの女王が、撮影中に崖から落っこちて死んじゃったのよ。事件か事故かって、大騒ぎされたんだから――」

そう説明すると、しずかは急に立ち上がった。

「あ、私、ファイル持ってくるから、ちょっと待ってて」

「うん……」

霧山は画面を見つめたまま、うなずいた。やがて、しずかがファイルを手に戻ってきたが、霧山はドラマに夢中だった。いつしかクライマックスにさしかかり、アヤメ旅子扮《ふん》する寂水が、岸壁に容疑者たちをおびき寄せる。

「あなたたちの中に、犯人がいます――」

三人の容疑者たちが順にアップになった。霧山は最後に映った女性を指差す。

「犯人は、こいつかな？」

しかし、寂水が指差したのは、一人目の男性だった。

「あれ……!? 違った……」

霧山は悔しくて、すぐに次のビデオを見はじめた。二本目のラストを迎え、霧山は今度は自信たっぷりに犯人と思った男性を指差したが、寂水は、またも別の犯人を指摘した。

「ああ、また違った！」

別のビデオを見はじめようとする霧山に向かって、しずかが呆れ顔でつぶやく。

「ねぇ、霧山くん……ドラマじゃなくて、事件に興味持たないの？」

「え……うん……」

霧山は曖昧《あいまい》な返事をして、画面を見つめた。寂水が崖の上で不敵な笑みを浮かべる。

「寂水の　推理も冴える　崖の上」

寂水はポーズを決めて、カメラのほうを指差した。

「かっこいい……」と、霧山はつぶやいた。しずかが呆れてため息をつく。

それから、なおも熊本セレクションの「THEアネゴ探偵」を見続けた霧山は、すっかりお気に入りになってしまい、熊本がビデオと一緒にくれた寂水先生のブロマイドを、ニヤニヤしながら見つめていた。しずかが急に大声を張り上げる。

「いい、聞いてる？　調べてみたけど、これ、霧山くんの好きそうな時効事件よ」

「うんうん」と、霧山は調子をあわせてうなずいたが、実は話を半分しか聞いていなかった。しずかが「時効」の判子が押されたファイルの表紙を指差す。

「ちゃんと聞きなさいよ！　え〜、事件名、『犬吠埼《いぬぼうさき》温泉「湯けむり」殺人事件』。まるで、二時間ドラマのタイトルね……事件発生は平成三年一月二十九日、被害者は、当時のサスペンスの女帝と呼ばれた白河湯舟《しらかわゆぶね》。彼女扮する寂水探偵、『THEアネゴ探偵・寂水先生が行く!!』は人気のシリーズだった」

「ふむふむ……」と、霧山は少し興味を惹《ひ》かれ、うなずいた。

しずかは白河湯舟が主演する「THEアネゴ探偵」のビデオを再生した。画面に映った女優は、アヤメ旅子に比べるとずいぶんと色っぽい大人の女性だったが、オールドスタイルの探偵ルックはまったく同じだった。

「彼女は事件を解決すると必ず最後に俳句を一句詠むという粋《いき》な決め文句でウケていた」

白河湯舟演じる初代寂水が、まったく同じ決めポーズでカメラのほうを指差す。

「愛しても 罪なあいつの 罪は罪」

霧山はさっきまで見ていたアヤメ旅子の決めポーズを思い出して、にやけた。

「かっこいいよねー」

すると、しずかが熊本から預かってきた崖のミニチュアを机に置き、その上を指差す。

「そしてシリーズ第十三回目の撮影中、ラストシーンのこの崖から彼女は落ちて死んだ……ちなみに、犯人を追い詰めて崖に立つ寂水先生の助手を演じていたのが、現在の女帝、アヤメ旅子だった」

「うん！ うん！」

「台本によると、その時のシーンはこう……寂水が『あなたが犯人ですね』と問い詰め、犯人に決定的なメモを渡す」

「メモ……？」と、霧山は聞き返した。

「すると、犯人は崖から飛び降りようとする……寂水と助手が犯人を押し止めようとして、そして助かる……はずが、揉《も》み合いの芝居が激しく、白河湯舟が崖から落ちてしまった。その時、白河湯舟の頭には、ふたつ打撲の痕《あと》があった……」

「ふたつ？」

「うん……当時の警察発表によると、落ちた時、岩場でバウンドして跳ね上がって、もう一回叩《たた》きつけられたせいで、ふたつ傷があるって」

「なるほど」

「もちろん、その場で撮影は中止……事件か事故か？　マスコミは連日、このニュースを報じた。そして、アヤメ旅子は警察からもマスコミからも疑われたの」

しずかは当時の新聞記事のコピーを広げる。「白河湯舟、崖から転落死……まるでドラマさながらに繰り広げられる疑惑の事件の真相は？」などと、刺激的な見出しがちりばめられていた。

「でも、事件は事故の可能性のほうが強いということになり、過熱していたニュースの終わりとともに、このシリーズの人気も終わるかと思われた……しかし、今まで容疑者だったアヤメ旅子が寂水探偵を演じることで、シリーズが復活を遂げたの」

「そのあとは知ってるよ」とつぶやいて、霧山はまた寂水のブロマイドを見つめた。しずかが呆《あき》れ顔で続ける。

「白河湯舟のあとを受け、アヤメ旅子は二代目・寂水を演じた……すると、意外にもシリーズは前にも増して高視聴率を稼ぎだし、アヤメ旅子は一躍人気者になった。そして、ラストの事件解決の時に詠む一句も、決め台詞《ぜりふ》として、白河湯舟から受け継がれたの……」

霧山はもう一度、アヤメ旅子の「THEアネゴ探偵」のビデオをセットした。クライマックスの決め台詞が流れる。

「人の道　寄り道近道　遠回り……字余り」

霧山が画面に見とれていると、しずかが不意に顔を覗《のぞ》き込む。

「ねえ、どうする？」

「彼女に会いたいなぁ」

「アヤメ旅子に？」

「ぜひとも……うん、会いたいねぇ」

霧山がそう言うと、しずかは口をとがらせた。

「会いに行くだけ？　事件に興味ないんでしょ！」

「いや……僕なりの寂水探偵を演じて見せて、彼女に、自分がイケてるか、見てもらうんだよ、ふん！」

霧山はほくそ笑んで鼻をならした。

「イケてるって、何？」と、しずかが眉間《みけん》にしわを寄せて霧山を睨《にら》んでいた。

サイン会を終えた旅子は、会場だった書店が入っているビルの最上階にあるレストランに、霧山としずかを誘った。ふたりと向かい合って座った旅子は、霧山がどんな話を切り出すのか楽しみにしていたが、案の定、彼が始めたのは、十五年前に白河湯舟が撮影中の事故で亡くなった一件についてだった。旅子の隣に座っていた斎藤が暗い表情になる。

「あの……あの時の事故のことはですね――」

斎藤がそう言いかけると、しずかがすまなそうに口を開く。

「やっぱり、ご気分悪いですよね」

「はい、ちょっと……」と口ごもる斎藤を、旅子はぴしゃりと制した。

「あなたは黙っててちょうだい」

そして、旅子は霧山に微笑みかけた。

「私、あの事件にはまだしこりがあるのよ。いまだに陰でコソコソ言われてますからね。本当は私が殺したんだって……私は、ほら、当時は白河湯舟先輩のもと、助手役で出演してただけなのよ。チョイ役で……そんな私がね、役を奪ったみたいな形で、今や――」

するど、霧山はテーブルを叩くようにして、不意に立ち上がった。

「そんなことありませんよ！」

その拍子に霧山の手がフォークを叩き、反動でテーブルに載っていたパンが跳ね上がった。しずかがそれをキャッチする。

「あなたのお芝居に感銘を受けました！　あなたは実力で、あの役を勝ち取ったんです」

「霧山くん……」

しずかが小声でたしなめる。霧山は周りを見回し、おどおどとした様子で座った。

「あ……すみません」

頭を下げる霧山に、旅子はもう一度、微笑んだ。

「ありがとう。嬉《うれ》しいわ、フフ……あら、そうだ。ねぇ、今度撮影にいらしたらどう？」

「え……!?」と、しずかが目を丸くした。霧山もびっくりしたように旅子を見つめる。

「ほ、本当ですか？　でも、迷惑なんじゃあ……」

「ううん……ちょっとくらい刺激があったほうがいいの。十五年も同じスタッフに囲まれてマンネリなのよ……それに、当時のスタッフからその事件のことも聞けるかも？」

「いいんですか⁉」

霧山はナプキンを握りしめ、身をよじっていた。

それから、ロケのスケジュールが決まったら連絡すると約束して、旅子は帰っていく霧山としずかを見送った。ふたりの姿が店の外に消えると、斎藤が呆《あき》れた口調でつぶやく。

「いいんですか……？　彼らを現場に呼んだりなんかして……」

「いいの……さっきも言ったでしょ？　私はスキャンダラスな女よ。スキャンダルが私の糧なのよ？　ほら、最近の視聴率を見てごらんなさいよ」

「いや、そりゃ、確かに下がってますけど……しかし……」と、斎藤が口ごもる。

そうなのだ。「THEアネゴ探偵」はシリーズも五十作を超え、ネタにも詰まってマンネリ気味のため、全盛期の半分くらいの視聴率まで落ち込んできているのである。

「今はね、何か刺激が必要な時なのよ……わかる？　彼らにひと役買ってもらうってわけよ。マスコミにネタを売ってもらって、ぜひとも彼らに騒いでもらわなくっちゃ」

旅子は週刊誌の表紙に躍る派手な見出しを想像した。

「アヤメ旅子、十五年目の真実！　時効成立徹底検証！」

「あの事件から十五年！　時効後に再燃⁉　アヤメ旅子はやはり犯人だった⁉」

考えるだけでも身震いがする。旅子は不敵に笑った。

「彼らのせいでマスコミが騒ぐ？」と、斎藤が訊《き》く。

「そう……彼らは宣伝部隊なの。私のね……全部計算ずくなのよ。わかった？」

「まいったな……さすが旅子さんだ」

斎藤が苦笑いを浮かべた。旅子は窓の外の夜景に視線を向け、ひとりほくそ笑んだ。

その次の瞬間、旅子の脳裏を十五年前の思い出がよぎる。あの頃、旅子の前には殺気立ったレポーターたちが次々と押し寄せ、大量のカメラのフラッシュが浴びせられた。

「えー、たった今、渦中のアヤメ旅子さんが、警察の事情聴取を終えて、表に出てきました！　果たして事件の真相を、彼女は知っているのでしょうか！」

時と場所を選ばず殺到したマスコミは、旅子を「疑惑の女優」と呼び、事件を検証する報道が、ニュースやワイドショーで何度も流された。

「アヤメ旅子さん！　ちょっと待って下さい！　本当に何も知らないんですか!!」

取り囲んだレポーターたちの声が、旅子の頭の中で再びこだました。


その翌日、旅子はスタッフ会議の席上で、みんなに提案した。

「ねぇ、考えたの……今回のシナリオ、こっちにしない？」

そう言って、旅子は一冊の台本を掲げた。それは幻の企画と世間で呼ばれている「THEアネゴ探偵」第十三回の印刷台本である。

「覚えてる？　あの時のシナリオ」

そう言うと、会議室に居並ぶスタッフの間に緊張が走ったのがわかった。監督の湯河原《ゆがわら》は露骨に顔をしかめてみせる。旅子は構わず続けた。

「幻の台本、第十三回……あの魔の回の台本よ」

旅子はぱらぱらとページをめくった。スタッフの間でため息が漏れる。

「そんな、まさかねぇ……」

思わずつぶやいたプロデューサーの鬼怒川《きぬがわ》に向かって、旅子はキッと顔を上げた。

「そのまさかよ……最近ちょっとマンネリ化してると思わない？ここらでガツンと、この幻の企画を持ってきて――」

「いや、しかし……」と、鬼怒川がつぶやく。それを制したのは、湯河原だった。

「本当にいいのかい？」

旅子はきっぱりと答えた。

「私はスキャンダルを肥やしにして、のし上がってきた女優よ。またこれを機に、華を咲かせたいの。世間を騒がせてみたいと思うのよ」

そして旅子は、会議室の一角にあるホワイトボードを、くるっと一回転させた。こっそり裏面に書いておいた旅子の文字が現れる。

「副題は『アヤメ旅子時効十五周年アニバーサリー、幻の企画、時効おめでとうございます！』……どう？」

沈黙が会議室に流れる。鬼怒川が不意に立ち上がって拍手をした。

「いや、見事だよ。まいった……さすが、アヤメ旅子」

「みなさんは、どう？」と、旅子はぐるっと部屋を見回した。スタッフたちは互いに顔を見合わせている。やがて、湯河原がゴホンと咳払《せきばら》いをして言った。

「ずいぶん、急な話だが……面白そうじゃないか。やってみよう」

その言葉を聞き、スタッフが納得したようにうなずく。旅子は会心の笑みを浮かべた。


その同じ頃、霧山は時効管理課に集まったみんなに、アヤメ旅子と会って話をしたことを説明した。旅子から撮影現場に誘われたことを告げると、熊本たちが目を剝《む》いて叫ぶ。

「えぇ〜っ!!」

霧山は照れ隠しに、頭をぼりぼりと掻《か》いた。

「そうなんですよ。それで今度、お邪魔することになりまして」

「ほ、本当に!?」と、熊本が顔を強張《こわば》らせる。又来は明らかに不機嫌な表情で霧山を睨んでいた。諸沢がつぶやく。

「そんなのありかよ？　いいなあ……」

「サインもらってきてよ！」

蜂須賀の訴えに、霧山はうなずいた。

「当然ですよ」

「霧山くん、相当、浮かれてるよね？　本当に事件を解決させる気なんか、ないんじゃないの？」と、しずかが呆れ顔で言った。霧山は手を横に振る。

「いやいや、僕もこれから解決したあとは一句詠みたいんだよ」

そして、霧山は旅子を真似てポーズを決めた。

「忘れな草　罪ある限り　時効なし」

「それで……肝心の犯人探しはどうなのよ？」

又来が冷ややかな笑みを浮かべる。

「そうそう、そっちですよ」と、サネイエ。しずかも詰め寄る。

「霧山くん、どうなってるかって聞かれてるよ」

霧山は照れ笑いを浮かべた。

「まあ……とにかく、崖《がけ》で犯人を探してきますよ」

すると、熊本が渋い顔になる。

「いいなぁ～。崖で一句詠むんだ……」

ところがその時、携帯電話の着メロが辺りに鳴り響いた。みんながきょとんとした顔で霧山を見つめる。それは、霧山が新しく設定したばかりの、「THEアネゴ探偵」のメインテーマの着メロだった。霧山はポケットの携帯を取り出し、電話に出る。

「はい、もしもし……」

「私……今、大丈夫？」

電話の向こうから聞こえてきたのは、旅子の声だった。霧山は周りを見渡した。

「だ、大丈夫です……」

何かを察知したのか、熊本たちがにじり寄るようにして、霧山をじっと見つめている。

霧山は、みんなに背を向けた。

「いきなりで悪いんだけど、今日、会えないかしら？」と、旅子が告げる。

「も、もちろんっす」

「じゃあ、今夜……ふたりっきりで」

「わ、わ、わ、わかりました……」

「楽しみにしてるわ」

「はい……」と、霧山が電話を切って振り返ると、熊本たちはすぐ目の前まで迫ってきていた。熊本が旅子の決めポーズで霧山を指差す。

「霧山くん、どういうことなの!?」

「い、いや……なんでもないですよ」

霧山は取り囲む熊本たちを押しとどめ、照れ隠しに笑った。

旅子は、時間が空いた時にいつも行く隠れ家的なバーで、霧山が来るのを待っていた。約束の時間からほんのわずか遅れて、霧山は店の入口に現れた。やがて彼女に気づいた彼がおそるおそる手を挙げたので、旅子は妖《あや》しく微笑んだ。霧山は真っ直ぐ旅子のほうに近づき、どぎまぎした様子で旅子の向かいに腰を下ろす。

「ねぇ、何か、あれからわかったことあるの？」

所在なげに辺りを見回していた霧山に、旅子は尋ねた。

「はい？……いえ、特に何か。いや、特に……あの、特に、いえ……アハハハ」

霧山は裏返った声でたどたどしく返事をすると、苦笑いを浮かべた。

「私が犯人だと思う？」と、旅子は身を乗り出した。

「いえ、特に、何か……いえ、特に、犯人なんて――」

「そうかしら……私って、世間的にはスキャンダルでのし上がってきた女優ってイメージでしょ？」

「それは誤解ですよ。あなたの芝居は世界一で」

旅子はその霧山の言葉をさえぎった。

「でも、世間は、私の芝居なんかより、私を見てるの……つまり、世間的に私は、悪女だったのよ……知ってるくせに？」

旅子がそう言って微笑むと、霧山は意味ありげに笑った。

「そうです……ね」

「昔はそれが魅力だったのよ。でも、あれから十五年経った……今では私は、ブラックでもグレーでもなく、まっさらなホワイト……時が経つのって怖いわよね。今では私は、正義を司《つかさど》る真っ白な女になっちゃったのよ。スキャンダラスな女じゃなくて、真っ当な、真っ当で、つまらない普通の女優になっちゃった」

霧山はじっと考え込むような表情をしていたが、旅子が顔を覗《のぞ》き込むと、またびっくりして旅子のほうを見つめ返す。旅子は続けた。

「でも、あなたみたいな人が来てくれたおかげで、昔のこと思い出しちゃったの」

そして、旅子は新たに刷り直された幻の第十三回の台本をバッグから取り出し、霧山の前に差し出した。

「これは……？」と、霧山が怪訝《けげん》な顔をする。

「幻の第十三回……明日からの撮影、これに変わったから、ちゃんと読んでおいてね」

霧山は台本を取り上げ、ぱらぱらとめくる。旅子はそんな彼の様子を見ながら、ひくひくと鼻を動かした。

「匂う……」

大袈裟《おおげさ》に鼻を鳴らしながら、旅子は霧山に顔を近づけた。

「えっ……？」

「匂うわ。私を陥れようとする匂いがする」

旅子はテーブル越しに身を乗り出し、霧山の鼻先まで接近する。

「君は私を追い詰めるんだ。寂水みたいに」

唾《つば》でも飲み込んだのか、霧山の喉《のど》がごくりと動いた。

「そんな……」

「フフ……じゃあ、またね」

旅子は微笑み、すっと体を離して立ち上がった。霧山が呆然《ぼうぜん》と旅子を見上げている。旅子は軽く手を振り、その場を離れた。

数日後、約束通り、霧山としずかが「THEアネゴ探偵」の撮影現場にやって来た。今日の撮影は海岸沿いの道を寂水が歩くシーンである。

何度かのリハーサルのあと、いよいよ本番が始まる。寂水の衣裳《いしょう》を身にまとった旅子の姿を、カメラマンの登別《のぼりべつ》が道路の向こうから狙っていた。録音部の黒田《くろだ》は旅子の歩きにあわせて一緒に移動しながら、マイクのついた竿《さお》を掲げて台詞《せりふ》を拾おうとしている。

「時効間際にここに戻ってくるとは、怪しいわね……」

台詞を口にしながら、岩場の陰に目線を向けて歩いていた旅子は、不意に何かにつまずいて、悲鳴を上げた。

「痛ッ！」

見ると、足元に地蔵が転がっていた。撮影用の小道具だろうが、ハリボテではなくそれなりの重さがあった。そもそも、どうしてこんなところに置いてあるのよ！　旅子が心の中で悪態をつくと、カメラの横にいた湯河原がすぐに声をかける。

「カット、カット！」

スタッフが慌てて、旅子のほうに駆け寄ってくる。チーフ助監督の伊香保《いかほ》が叫んだ。

「おい！　その地蔵、わらっとけよ！」

「はい！」と、駆け寄ったスタッフが地蔵を運んでいった。登別がファインダーから目を外し、旅子の足元を指差す。

「そこ、バミっとけ！」

すると、湯河原の後ろから覗き込むようにしていた霧山が、首をひねった。

「監督、監督……わらう、バミるって、なんですか？」

「〝わらう〟ってのは、片づけるってことだ」

湯河原が面倒くさそうに答えた。映像業界独特の用語だ。霧山は熱心にメモなど取っている。すると、霧山の隣に立っていたしずかが得意気につぶやいた。

「〝バミる〟は、役者の位置決めよ」

「へぇ～……三日月くん、よく知ってるね」

旅子は苦笑いを浮かべながら、彼らのやり取りを見ていた。

午後からは崖の上に移動して、謎解きの直前のシーンを撮影していく。旅子は寂水になりきり、ぐっとカメラを見据えた。

「わかった！　この事件！」

真っ直ぐカメラを指差す。カメラの後ろのほうに立っていた霧山が、うっとりした表情で、旅子を真似ていた。

「わかった……この事件！」

「見てるとこ、違うんじゃない？」と、しずかが呆《あき》れ顔で言う。

「しっ！　今、いいとこなんだよ」

霧山がたしなめると、湯河原が不意に立ち上がった。

「カット！　よし、じゃあ、本番行こう！」

霧山が防寒用のグラウンドコートと、熱いお茶が入ったコップを手に、旅子のそばに駆け寄る。旅子はコートを羽織って、お茶を受け取った。

「どうだった？」と、旅子は霧山に訊《き》いた。

「最高です！」

霧山は親指を立てる。

「次、本番行くぞ！」

湯河原がスタッフ全員に呼びかけた。助監督たちが次々と復唱する。

「ちょっと、近いな！　このマイク……こんなに役者さんに近いんですか？」

霧山が不意に叫んだ。見ると、黒田が差し出すマイクに頭をぶつけたのか、霧山はマイクを振り払うような仕種《しぐさ》をしていた。黒田がぶっきらぼうに答える。

「波の音がうるさいからね。このくらいマイクを近づけないと、台詞が拾えないんだよ」

「そうなんですか……」と、霧山はつぶやいた。

旅子はコップを霧山に渡し、コートも脱いだ。

「ちょっと！　本番だから、そこどいて！」

伊香保が霧山に向かって怒鳴る。霧山は慌ててスタッフのほうに戻っていった。

その日の撮影は滞りなく終了し、撮影隊は陽が落ちてから、宿泊している近所のホテルに戻ってきた。食事と風呂《ふろ》を済ませた監督の湯河原雄二《ゆうじ》以下メインスタッフが、宴会場で打ち合わせをしていると聞いて、霧山はそこに顔を出した。湯河原たちはテーブルの上に写真を広げ、次のロケ場所について会議をしているところだった。

「お邪魔します」と、霧山が声をかけると、湯河原たちは手を止め、霧山を見上げた。

「おお、君か……警察の、霧山くんだっけ？」

湯河原がそう言うと、他のスタッフは知らされていなかったのか、怪訝《けげん》な顔をする。

「警察？」

一斉にじっと見つめられ、霧山は照れ隠しに笑った。

「警察の時効係の人だ」

湯河原がそう付け加えると、他のスタッフは首をひねる。

「時効係……？」

「はい……休日を使って、時効になった事件を趣味で調べてます」

すると、湯河原がしみじみとつぶやく。

「彼女もまた、奇特な人だなあ……もう時効になった十五年前のあの事件を、こうしてぶり返すような奴を、こんなところに呼ぶんだから」

「そうですね……」と引きつった笑いを浮かべた男がいた。現場でマイクを持っていた……確か、黒田史郎《しろう》というスタッフだ。霧山はみんなに訊いた。

「皆さん、ずっとこのシリーズをやっているんですよね？」

湯河原が答える。

「そうだよ。もうかれこれ二十年になるかなあ……先代の彼女の分も含めると」

「皆さんも……？」

霧山が水を向けると、周りのスタッフは気まずそうにお互いの顔を見回す。

「ええ、まあ……」

「あの事故の時って、あの瞬間も撮影中だったんですか？」

霧山はカメラマンの登別に向かって尋ねた。

「ああ……」と、登別はぶすっとしたままうなずく。

「じゃあ、カメラは回っていた……それって、見られませんかね？」

「どうかなぁ……どこにいったっけ、あれ？」

登別は周りのスタッフを見渡した。湯河原が渋い表情で考え込む。登別は不意に思い出したようにつぶやいた。

「ああ、そうだよ。警察が持っていっちゃったから、もう、ないかもね」

「そうですか……」

霧山はうなずき、今度は黒田に訊いた。

「じゃあ、あの時、何か聞こえませんでした？」

「さあ……覚えてないなあ……」

黒田は表情も変えずに、ただ首を振った。


スタッフたちから、たいした収穫も得られないまま、霧山はとりあえず風呂に向かった。今回の劇中にも登場するというその温泉は、地元の名物らしかった。霧山は湯船につかりながら、ぼんやりと五七五の句を考えていた。

「時効です　それでも僕は……五・七・五……それでも僕は、えぇと、犯人を……」

すると、近づいてくる人影があった。黒田だった。

「ああ、どうも……どうぞどうぞ」

霧山は会釈をした。黒田は霧山の斜め前に体を滑り込ませる。

「いやあ、アヤメ旅子さんはすごいですねぇ」と、霧山が言うと、黒田は真剣にうなずいた。

「ええ……彼女はすごい女優ですよ」

そこで霧山は思い当たり、黒田に訊いた。

「あ、ちょっと調べたんですけど……黒田さん、あの頃、婚約してたそうですね？　アヤメさんと……なのに、今日見た現場では、お互い距離を感じたんですけど……」

黒田は苦笑いを浮かべた。

「さすが、いろいろ知ってますね……彼女ですか。今じゃ、分があいませんからね。彼女は大女優になりましたから」

「どうして別れたんですか？」

「警察の方はズバズバ聞くなあ……もう十五年も前のことですから、忘れましたよ」

「亡くなった白河湯舟さんの旦那《だんな》さんは、この番組のプロデューサーだったんですよね？」

「えぇ……今の鬼怒川の前のプロデューサーです」と、黒田が真剣な面持ちでうなずいた。

「当時、白河湯舟さんは旦那さんとうまくいっていなかった……それを現場にも持ち込んで、ずいぶんストレスを発散してたと……」

探るように霧山がそう言うと、黒田は遠い目をする。

「湯舟さんは、あのプロデューサーの旦那さんがいなかったら、到底あそこまでスターになっていませんでしたよ……だから、一番恐ろしいのは旦那さんだったんです。結局みんな、犠牲者なんですよ」

そう言って、黒田はぼんやり宙を見つめたまま、もう一度繰り返した。

「そう……僕らみんな、犠牲者だったんです……」

霧山は黒田の横顔をじっと見つめた。

温泉に入りに行った霧山の帰りを、しずかはそわそわしながら部屋で待っていた。

「どうぞ、ごゆっくり」と、布団を敷きに来た仲居が、意味ありげに微笑みながら扉を閉める。しずかは引きつった愛想笑いを返した。

「ちょっと、近すぎないかなあ……」

奥の部屋にぴったり並んで敷かれたふた組の布団を見つめ、しずかは思わず独りごちた。それでも思わず、にやついてしまう。しずかは手前側の布団をつかんで引きずり、畳半分くらいの隙間を空けた。

「ちょっと離しすぎか……」

しずかは布団を元に戻してみた。

「やっぱり、近すぎかあ……」と、また布団を離そうとしていると、ガラッと戸が開いて、霧山が戻ってきた。しずかは慌てて布団から手を離し、何事もなかったように振り返った。

「どうも……怪しいわよね。どいつもこいつも……」

取り繕うようにしずかが言うと、霧山はタオルで頭を拭《ふ》きながら答える。

「う〜ん、そうだね」

「いいお湯だった？」

「うん、そうだね」

霧山の返事は素っ気ない。タオルを頭に載せた霧山は、どっかりと座り込んだ。

「そうだね、そうだねって……ビ、ビールでも飲む？」

しずかは気まずさを取り繕おうと、冷蔵庫からビールを取り出し、テーブルを挟んで霧山の向かい側に腰を下ろした。

「いらない」と、霧山は一言だけつぶやいて、すぐに立ち上がる。

「あ、ビール駄目だもんね……でも、私、飲もうかな……」

しずかは奥の部屋に向かう霧山を見送り、ビールの栓を開けた。

「なんかさあ、もうひとつ部屋を取ってくれればいいのにね。気が利かないよね……まさか、私たちカップルだと思われてるのかな？　ねえ、霧山くん」

しずかはわざと霧山のほうを見ないようにして、そう呼びかけた。グラスにビールを注ぐ手を止めて振り向くと、霧山はさっさと布団に横になり、すでに目をつぶっていた。

「嘘……もう、寝たの？」

しずかは呆《あき》れて、頬を膨らませた。

それだけでも、しずかのショックは計り知れないものだったが、翌朝、さらにしずかを怒らせたのは、窓から射し込む朝日にしずかが目を覚ました時、隣に寝ているはずの霧山の姿が、すでになかったことだった。

「ちょっと、聞き込みに行ってきまぁ〜す」

テーブルの上には、霧山の字で置き手紙がしてあった。しずかはますます不貞腐《ふてくさ》れた。

「もう！　何よ、これ！」

早朝から、クライマックスの謎解きのシーンが撮影される予定の崖《がけ》の上までやって来た霧山は、熊本から預かってきた崖のミニチュアを実物と見比べていた。崖の様子はかなりリアルに再現されている。霧山は熊本の言葉を思い返した。

「でもこの崖、表面に突起物があって、痛いの……足とか」

霧山は辺りを見回し、感心してつぶやいた。

「う〜ん、熊本さん、ちゃんと作ってるよ……すごいなあ、これ」

霧山が崖のミニチュアを足元に置くと、不意に背後から呼び止める人がいた。

「何してるんですか？」

振り返ると、釣り人の恰好《かっこう》をした中年男性がひとり立っている。

「あ、いや……あの、この辺にお住いの方ですか？」と、霧山は聞き返した。

「ああ？　そうだけど……」

「昔、ここで事件がありましたよね？」

霧山がそう言うと、釣り人は怪訝《けげん》な顔をしながらもうなずいた。

「ああ、あの撮影で……懐かしい。でも、あれ以来、この崖は使われなくなっちまってね……ありゃ、ひどい現場でしたよ」

「見てたんですか！」

「いや、事件は見てませんよ……撮影現場をね」

釣り人が語った当時の撮影現場の様子は、こんなふうだった。

白河湯舟演じる寂水先生が、助手のアヤメ旅子を連れて、犯人の女性を崖に追い詰めるシーンを撮影していた時のことである。

「そばに来ないで！」と、犯人役の女優が叫んだ時、次の台詞《せりふ》を言うはずだった旅子が躊《ちゅう》躇《ちょ》する様子を見せたところ、湯舟は急に大声で振り返った。

「……カット！　カット！　もう、カットよ！」

少し離れたところで撮影の様子を見ていたという釣り人は、すぐ手前にいた助監督が舌打ちをしたのを聞いたらしい。

「チッ……なんで女優がカットかけるんだよ」

しかし、すぐに湯河原が駆け寄って、湯舟に尋ねた。

「先生、何か？」

すると、湯舟はそれには構わず旅子に詰め寄った。

「もう何よ！　あんたねぇ、私の芝居のリズムを壊すのよ！　何回言ったらわかるの！」

湯舟は旅子の頰を両手でつまみ上げ、引っ張った。湯河原がなだめつつ、旅子を叱る。

「こら！　先生のバイオリズムに合わせて芝居しないか！」

「すいません……」と、旅子は頭を下げた。

「あんたもあんたなのよ！　私の言う通りやってればいいのよ。わかった！」

湯舟は今度は湯河原に当たり散らす。

「はいっ！　すいません」

強面《こわもて》の湯河原がまるで借りてきた猫のように、平身低頭で謝っていた。湯舟はさらに、釣り人の目の前にいた助監督に向かって叫ぶ。

「おい！　そこのＡＤ！」

「は、はい！」と、助監督が駆け寄った。

「さっき、小声でなんか言ったよな！　聞こえてんだよ！」

湯舟は助監督の額を平手で弾《はじ》いて、苛立《いらだ》った様子で声を張り上げた。

「もう、今日はおしまい！　全員、クビ！　あんたたち、うちの旦那に言って、全員クビにしてやるよ！」

さっさと引き上げていく湯舟に、その場のスタッフが全員深々と頭を下げた。

「すいません！」

釣り人は、そんな様子を呆然《ぼうぜん》と眺めていたのだという――。


「可哀想に……ありゃ、あの女がひどい。いくらなんでもね……」

釣り人はつぶやいた。霧山も思わず心の中で同意する。すると、釣り人は急に霧山の耳に顔を寄せた。

「それからね、こんなのも見ましたよ……」

「え……？　まだあるんですか」と、霧山は釣り人の顔を見つめた。

「実はね……私、そこのホテルの者なんですよ」

釣り人が指差したのは、霧山も昨夜泊まった、ロケ隊の宿泊先である犬吠埼観光ホテルの建物だった。

「はあ……」

釣り人は、ホテルの廊下を掃除している時に、たまたま旅子と黒田が話しているのを立ち聞きしたのだという。

「気を落とすなよ……なんでもないって。頑張れよ」

黒田は彼女をなぐさめていたが、旅子はがっくりとうなだれた。

「もう駄目……何が悪いか、わかんないもん」

「そんなことないって」

するとその時、ふたりから少し離れたところにあるソファに深く腰かけていた湯舟が、急に体を起こしたのだった。

「現場に私情を持ち込むなんて、あなたもアマチュアね……ねえ？」

湯舟は旅子と黒田の顔を交互に見つめる。気まずそうにしている黒田を尻目《しりめ》に、湯舟は旅子の顔を覗《のぞ》き込んだ。

「ねえ……私ね、あなたに謝りたいことがあるの」

「え……？」と、旅子は急に殊勝な態度になった湯舟の顔を見つめ返した。

「あなたとこの人って、婚約してるんでしょ？」

「……はい」

旅子はとまどいながらも、力強くうなずく。湯舟は困った表情で頭を下げた。

「ごめんなさいね」

「どういうことですか?」

旅子は思わず聞き返した。しかし、湯舟は自分のペースで勝手に言葉を続ける。

「知らなかったのよ……でも、本当、知ってたら、あんなこと……」

「あんなこと……?」

「ごめんね……でも、男と女ってうつろうものだから。この人を許してね。私のせいだから。私はただ、彼に悩みを聞いてほしかっただけなのに……」

「なんのことですか?」

「彼に訊《き》いて……じゃあね」と、湯舟は急に冷たく吐き捨てると、牛乳の空き瓶を黒田に押し付けて、さっさとその場を立ち去った。唖然《あぜん》とする旅子に、黒田は何も言えずに、おどおどしているだけだった。

「何があったの?　ねえ?」

旅子はそう問い詰めていたが、黒田は何も答えなかった。釣り人は湯舟のあとを追いかけるようにして、その場から離れたのだという。

「……と、ざっとまあ、こういう話なんですけどね」

釣り人は得意気な顔で、霧山のほうを覗き込む。

「うわあ！　スター、マル秘裏話ですね……貴重なゴシップ、ありがとうございました」

霧山は釣り人に向かって、小さくお辞儀をした。


一泊二日のロケの翌日、出勤したしずかは、熊本たちに取り囲まれて座っている霧山の姿を見つけ、時効管理課に近づいた。下北沢や吉祥寺までが参加した輪の中で、霧山がへらへらと笑っている。しずかは霧山の正面に座り、冷ややかな視線を彼らに向けた。

「で……霧山くん、どうだったの？」

熊本がさらににじり寄る。又来が囃《はや》し立てた。

「カッコいい業界用語、いっぱい覚えてきたらしいよ……なんか、夜でも『おはようございま〜す』って、言うんだって」

「へぇ〜、夜に『おはよう』……」と、熊本が感心する。

「教えて、教えて」

蜂須賀も身を乗り出した。諸沢が霧山の肩に手を置き、顔を覗き込んだ。

「なあ、サインは？　アヤメ旅子とご飯食べたんだろ？」

どんどん盛り上がる熊本たちを見つめて、しずかは心底呆《あき》れたまま、ぶすっとして座っていた。同じように少し距離を置いて彼らを見つめていたサネイエが、隣でささやく。

「大丈夫ですか？」

「何が……？」と、しずかは見つめ返した。

「あ……とにかくその、何かあったんですか？　向こうで……ずいぶん仲が悪くなったみたいですけど……」

しずかはサネイエを睨《にら》んで、言い放った。

「何もないわよ！」

すると、霧山が突然、立ち上がった。熊本たちを見据えた霧山は、またも不敵に笑う。

「僕が思うに、フィックスの画面で見る彼女が美しいと――」

「フィックス？　フィックスって何？」と、吉祥寺がはしゃぐ。

「こう……カメラを固定して、画像が固定することです」

霧山が自慢げに解説した。一同がうなずく。すると、霧山は急に又来の手元にあるファイルを指差した。

「あ、又来さん、それ、わらっといて下さい」

「え？　わら……笑う？」

又来がファイルを手に、おどおどと見つめ返す。

「業界用語で、片づけるっていう意味ですよ」

霧山は妙にキザったらしい口調で答えた。又来が眉間《みけん》にしわを寄せて立ち上がる。

「あ、そう……私がわらうのか。はいはい」

「へぇ～、わらう……」

みんなが感心してうなずくので、霧山はますます調子に乗ったようだった。

「今日は早メシで、仕事をフレームインさせて、フレームアウトさせようかなぁ……」

「フレームイン……フレームアウト……」と、下北沢が復唱する。

「かっこいいなぁ……」

そうつぶやいたのは神泉だった。

「教えて下さい、いろいろ」

サネイエまでそう言って身を乗り出したので、しずかは唖然となった。諸沢が、どこから持ってきたのか、金槌《かなづち》を高々と掲げる。

「たとえばこれ、なんて言うんだ？」

「ナグリ」と、霧山が得意気に答える。

「じゃ、これは？」

蜂須賀が天井の明かりを指差した。

「地明かり」

「じゃ、これはなんですか？」

神泉が机の上にあったガムテープを拾い上げる。

「ガバチョ」

みんなが「へぇ〜」とうなずく。霧山は突然、サネイエの手元を指差した。

「あ……今、サネイエさんが持っているファイル、八百屋ですか？」

「八百屋？」と、サネイエが怪訝《けげん》な顔をする。サネイエの手には、手動シュレッダーにもたせかけるようにして、ファイルが握られていた。

「斜めになっていることを〝八百屋〟って言います……だから、『八百屋にして』って言うと、こうすることとです」

霧山は目の前にあった書類ケースを、斜めに角度をつけてみんなに見せた。

「ほら、八百屋の野菜って、置いてある台が傾斜してるじゃないですか……水平だと見えづらいものも、よく見えるように斜めにしてやると、よく映るっていう意味で、『八百屋にする』っていう言葉が生まれたんですよ」

「なるほど！」と、熊本が手を叩《たた》く。

ふと見ると、霧山を中心にした集団の向こうで、トレンチコートを羽織った十文字が、柱の陰に隠れるようにしながら、何かを必死にメモしているようだった。

「はいはい……右が上手《かみて》、左が下手《しもて》……はい、一緒に！」

霧山はますます調子に乗った。しずかを除いた全員が復唱する。

「右が上手！　左が下手！」

しずかは呆れ返って、もはや何も言う気が起きなかった。


その日、地方の大学に通っている曽我俊介《そがしゅんすけ》は、総武市に美味《おい》しいカレーを出す店があるという評判を雑誌で目にして、はるばる電車を乗り継いで二時間かけてこの街までやって来た。ところが、駅を出て店を探すうちにすっかり道に迷ってしまい、ふらふらと辺りをさまよっていると、やがて総武警察署の前にたどり着いた。

ここなら、道を教えてもらえる……。そう思った曽我は、警察署の玄関のところに立ち止まって、難しい顔で何やら手帳に書き込んでいる男性に視線を向けた。トレンチコートをびしっと着込んだその男性は、やがて手帳を睨んだまま、颯爽《さっそう》と歩きだした。

「あの〜、すいません」

曽我は慌てて呼び止めた。その男は眉間にしわを寄せたまま、振り向く。

「あの、ここに行きたいんですけど……」

そう言って、曽我はカレー屋の情報が書いてある雑誌の切り抜きを男に見せた。

「あぁ、ここね……」

男は手帳を内ポケットにしまい、切り抜きを手にすると、警察署の正面の道を指差した。

「ここを真っ直ぐ行って、上手に出てフレームインして、最初の信号をキューにして、下手の大きなビルなめに、少し食われた感のある小さなビルから、ショットのアオリで、三階をバミって下さい」

大袈裟《おおげさ》に指を何度も鳴《き》らしながら、男はわけのわからない説明を並べた。

「はあ……？」

「見切れそうになるから、注意してロケハンしなさい」

男は切り抜きを返すと、コートの襟をぐっと立てた。

「それじゃあ、これで撤収しますね……おつかれ」

男は曽我の肩をポンと叩き、気取ったポーズを決めて歩き去った。曽我はその後ろ姿を呆気《あっけ》に取られて見送る。

「なんだ……この街……?」と、曽我は思わずつぶやいた。


霧山はまた鑑識課の部屋に籠《こも》って、「THEアネゴ探偵」のビデオを見続けていた。熊本セレクション以外の作品を、鬼怒川からダビングしてもらったのである。画面の中の旅子に見とれていると、しずかがリモコンを操作してテレビの電源を切った。

「霧山くん……ドラマの犯人探しは、もうおしまい!」

「ああ、うん……」と、霧山は深く息を吐いてからうなずいた。

「今までのこと、おさらいしましょ」

「うん、いいよ」

「まず、この崖《がけ》で事件は起きた……」

しずかは例のミニチュアの崖を指差した。霧山は説明を始める。

「僕が、ここの釣り人に聞いた話は、先代の白河湯舟さんは、現場で旅子さんにつらく当たっていた。そして、旅子さんを陰で支えていた録音部の黒田さんと、旅子さんは婚約していたっていうこと……そして、婚約者を湯舟さんに取られた話」

しずかが深くうなずいた。

「うん……この崖で湯舟さんは命を落とした。亡くなったプロデューサーのご主人が、事件だと言い張ったが、結局事故となった……疑われていた旅子さんは、シリーズの二代目・寂水先生となって復活。スキャンダルからのし上がり、現在に至る……」

霧山は温泉で聞いた黒田の話を思い返した。

「録音部の黒田さんは……そう、『僕らはみんな、犠牲者だったんです』って言ってたな……白河湯舟という女優は、スタッフ全員から嫌われていた。そして当時、端役だった旅子さんにつらく当たっていた……ちょっと待てよ」

霧山が考え込むと、しずかがその後を引き継ぐ。

「もし、録音部の黒田さんと浮気していたことが、旦那《だんな》さんにバレたりしたら？」

「主役を降ろされかねないね」と、霧山はつぶやく。

「だよね……」

「うーん……いや、でも、これはちょっと違うのか……」

「え……？　なんで？」

「いや、三日月くんの言っていた、ふたつの傷」

「傷……？」

「うん……湯舟さんの遺体の頭にあったふたつの傷……ふたつの致命傷……？」

しずかが興味深そうにうなずいたその時、霧山の携帯から「ＴＨＥアネゴ探偵」の着メロが流れた。

「はい……もしもし」と、霧山はすぐに電話をとった。

「今夜、空いてる？」

旅子の声が聞こえてきた。

「あ、はい……」

「どうしても会いたいの」

「は、はい……わかりました」

霧山が携帯を切ると、耳をそばだてていたしずかがつぶやく。

「誰……？」

霧山は「ふーん！」と笑ってみせた。

旅子はブルーにライトアップされた橋がよく見える川べりの公園で、霧山と待ち合わせた。この橋はよくロケでも使われる名所で、旅子も何度も撮影に来たことがある。旅子が公園の中を突っ切って駆け寄ると、霧山は欄干にもたれながら、夜の街に青く浮かび上がった橋を眺めていた。

「待った？」と、旅子は声をかけた。霧山が慌てて振り返る。

「いえ……いいえ、ちっとも……っていうか、少しも……あ、全然」

慌てふためく霧山に微笑みかけ、旅子はふーっと息を吐いた。

「息が白ーい……行きましょ」

「はいっ……なんかテレビドラマみたいですねぇ」

霧山が照れくさそうに笑う。旅子は川沿いの道を足早に進んだ。


いつものバーまでやって来た旅子は、霧山に向かって、にっこりと微笑んだ。

「ねえ……今度の土日も撮影に来て下さる？」

「ええ、ぜひとも」と、霧山はうなずいた。

「お願いするわ。あなたにぜひ見届けてほしいの」

「名誉です」

「何かわかった？　あれから……」

旅子が霧山の顔を覗《のぞ》き込むようにして訊《き》くと、彼はわずかに表情を曇らせる。

「今回はお手上げですね……というか、旅子さん、あなたはまるで……」

そして、霧山は口ごもった。旅子は尋ねる。

「何よ……わかった。こう言いたいんでしょ。あなたはまるで、自分を犯人に仕立てたがっているって……あなた、このシリーズ、ちゃんと見てる？」

「見てます」と、霧山は目を剝《む》く。

「じゃあ、寂水の特徴を言ってごらんなさい」

「この探偵は……まるで、ある人を犯人だとしたらって、どんどんその人を犯人として詰めていく感じですね」

「私が犯人だとしたら？」

「えっ？」

面食らった様子の霧山に、旅子は間髪を容《い》れず、続ける。

「じゃあ、これは？」

旅子は店員に合図をした。カウンターの奥から、モニターテレビとビデオデッキがキャスター付きの台に載せられて運ばれてくる。旅子はバッグからビデオテープを取り出し、再生した。モニターに映し出された映像を見て、霧山が息を呑《の》む。画面の中には十五年前の旅子と、寂水の恰好《かっこう》をした白河湯舟が映っているのだ。

「実はね、こっそりもらったの……どう？」

旅子は悪戯《いたずら》っぽく微笑んで、霧山を見つめる。彼は食い入るように画面に見入っていた。崖の上に立っている旅子と湯舟の姿を捉《とら》えた画面の中に、不意にカチンコがフレームインしてくる。旅子は付け加えた。

「これが問題のテイクよ」

やがて、モニターから湯河原の声が流れてきた。

「本番！　ヨーイ、スタート！」

カチンコが鳴る。画面の中の湯舟が、真っ直ぐ一方を指差し、芝居を始めた。

「あなた、それ以上、崖の縁に近寄るのはおやめなさい！」

カメラがゆっくりパンすると、崖に立った犯人役の女優が映った。

「なら、そばに来ないで！」

　画面では、逆上する犯人を、旅子演じる助手がなだめようとしているところだった。

「やめなさい！」

　今見ると、我ながらこの頃の芝居は硬い。声もどこか上ずっているし、態度もおどおどしすぎている。本当に下手だったんだな……と、旅子は思った。

　そして、カメラは再び湯舟にパンした。

「あなたが犯人だという証拠が、ここにあります……さあ、あの手紙を出して」

「はい……」と、画面の中の旅子は懐からメモを取り出した。

「彼女に渡して」

　言われるままに、犯人に手渡す。メモに視線を落とした犯人役の女優は、すぐに顔を強《こわ》張《ば》らせて、旅子と湯舟の顔を見比べた。

「これで、わかったでしょう？」

　湯舟の声が聞こえる。呆然《ぼうぜん》としている犯人から、旅子がメモを取り返した。

「じゃあ、私が読みますね……」

　そして、旅子はメモを広げ、読み上げはじめた。そこから不意に音声が途絶える。

「あれ？　音が……」と、霧山がつぶやいた。

　画面は無音のまま進行していく。旅子がメモを読み上げていると、急に湯舟の顔色が変わった。そして突然、湯舟が旅子に食ってかかり、ふたりは崖《がけ》の上で揉《も》み合った。しばらくふたりの小競り合いが続き、バランスを失った湯舟が体をのけぞるようにして後ろに倒れ込む。その拍子に、フレームインしてきたマイクに湯舟の頭がぶつかった。

倒れ込んだ湯舟の体がフレームアウトした瞬間、画面は〝砂嵐〟に変わった。

「最後は音が入ってないんですね……」

霧山が怪訝《けげん》な顔でつぶやく。

「うん。残念だけど、このテープしかないの」と、旅子が言うと、霧山は身を乗り出した。

「もう一回、見ていいですか？　いや、最後のところだけ……」

霧山は旅子が犯人からメモを奪って読みはじめる辺りを、もう一度再生させた。すぐに音声が途絶える。無音のままの小競り合いの末に湯舟が倒れ込むまでが、再び流れた。

「うーん……やっぱり、ちゃんとメモで何を読んでいるのか知りたいですね」

霧山がつぶやく。旅子はこともなげに言った。

「あら、それなら台本通りよ」

霧山はカバンから台本を取り出し、クライマックスのページを広げる。

「えーと、これですか？『あなたが殺《あや》めた人間が生前残したメモよ〜ん。これで全部わかったわ〜ん』」

霧山は大袈裟《おおげさ》な口調で台詞《せりふ》を読んだ。旅子はうなずく。

「そうよ……霧山くん、あなた、うまいわね、芝居」

旅子がそう言うと、霧山は照れ笑いを浮かべる。

「いえ、そんな……僕はただ、事件を解決したいだけです」

「ゾクゾクするわね……そうだ！ いいこと思いついた！ あなた、役者やってみない？」

「え？ 僕が？」と、霧山は目を丸くした。

「そう、ドラマに出るの。そのほうが、ドラマがすっごくスキャンダラスになるから」

「僕が、ですか⁉」

「本物の警察官がドラマに出演！ 最高！」

目をしばたたかせている霧山を尻目《しりめ》に、旅子は立ち上がった。

「はあ……」と、霧山は小声でつぶやく。

旅子は出口に向かいながら、振り返って霧山に投げキッスをした。霧山が呆《ほう》けた顔でにやついている。旅子は微笑んでみせたが、踵《きびす》を返すと、真顔に戻って店の外に向かった。

その翌日、霧山が「THEアネゴ探偵」に出演することになったことを告げると、熊本たちは口々に絶叫した。

「えぇ〜っ！」

「それ、本当なの？」と、又来。

「そうらしいっす」

霧山は照れて、頭を掻《か》きながら答えた。熊本ががっくりと肩を落とす。

「そんなぁ……そんなことあっていいのか！」

「ちゃんと、台詞覚えました？」と、サネイエ。

「いや……まだ、ちょっとしか」

霧山がそう答えると、十文字が身を乗り出してきた。

「ちょっと見せろよ、その台本！」

霧山が手渡すと、十文字はぱらぱらとページをめくる。諸沢が横から覗き込みながら、声を張り上げた。

「ああ、これが幻の十三回か……まったく、素晴らしいものに参加することになったな、おい、霧山！」

「ちょっと、台詞言ってみろよ」と、十文字に促され、霧山はうなずいた。

「いいですよ……どこですか？」

「じゃあ、この最後のシーン」

「わかりました、やりましょう……じゃあ、寂水先生をどなたか……」

霧山は辺りを見回し、不貞腐《ふてくさ》れた顔で座っているしずかを指差した。

「じゃあ、三日月くん」

しかし、しずかは即座に答える。

「私は嫌よ！」

蜂須賀が「じゃあ……」と手を挙げかけると、十文字がそれを突き飛ばした。

そして、十文字がどこから引っ張り出したのか、寂水ふうのベレー帽を被《かぶ》ろうとしていると、熊本が声を張り上げた。

「ちょっと待て！　ここは、私がやろう！」

熊本はおもむろに立ち上がった。

「俺がやろう！」


それから霧山たちは、時効管理課の長机を崖に見立てて、そこに上った。寂水役の熊本はベレー帽を被り、制服の上着をマントに見立てて肩から羽織っている。犯人役は又来、助手の役はもちろん霧山である。他のみんなは机を取り囲んだ。

「あなた、それ以上、崖の縁に近寄るのはおやめなさい！」

熊本は寂水になりきっていた。

「なら、そばに来ないで！」と、又来も迫真の演技で応《こた》える。霧山は呼びかけた。

「やめなさい！」

「あなたが犯人だという証拠が、ここにあります……さあ、あの手紙を出して」

「はい……」と、霧山は一枚のメモを取り出した。

「彼女に渡して」

霧山は言われるままに、メモを又来に手渡す。文面を見て、又来が青ざめる芝居をした。

熊本が不自然な笑みを浮かべる。

「これでわかったでしょう?」

「こ、これは……」

「あなたが殺めた人間が生前残したメモです。これですべてわかったわ」

熊本に続き、霧山はメモの中身をそらんじる。

「こう書いてありますよね……あなたは、この崖で私を殺すだろう。だが、この崖はいつか、私を殺したあなたに詰め寄る崖なのだ。今こそ、この崖で白状しなさい……」

霧山は又来をじっと見つめた。


十五年前に白河湯舟が命を落としたあの崖の上で、いよいよクライマックスシーンの撮影が始まった。寂水が犯人を問い詰める問題のシーン。旅子は寂水の衣裳《いしょう》に身を包み、犯人役の女性と対峙《たいじ》した。旅子の隣には、ボサボサ頭を綺麗《きれい》に撫《な》でつけた霧山が、助手に扮《ふん》して立っている。

「じゃあ、次、本番行こう！　準備いいな!?」

数回のリハーサルを終え、湯河原が叫んだ。

「いい感じよ」と、旅子はまだ緊張している様子の霧山にささやいた。

「ありがとうございます」

霧山が照れ笑いを浮かべる。モニターの前に湯河原がどっかりと腰を下ろし、スタッフの間にも緊張が走った。

「本番！　ヨーイ、スタート！」

カチンコが鳴り、旅子の台詞《せりふ》から芝居が始まった。

「あなた、それ以上、崖《がけ》の縁に近寄るのはおやめなさい！」

「なら、そばに来ないで！」と、犯人役の女優が叫ぶ。

「やめなさい！」

霧山が声を張り上げる。旅子はじっと犯人を見据えた。

「あなたが犯人だという証拠が、ここにあります……君、あの手紙を出して」

「はい……これですか！」

霧山は内ポケットから一枚のメモを取り出す。

「渡して！」

旅子が叫ぶと、霧山は犯人にそれを手渡した。犯人役の女優はメモを広げ、文面に視線を落とす。旅子は見得を切った。

「どう？　それでもシラを切るつもり……？」

しかし、犯人役の女優の表情には、明らかにとまどいの色が浮かんでいた。彼女は強張《こわば》ったまま、旅子と霧山の顔を見比べている。芝居が止まり、スタッフの間には動揺が走った。すぐ近くでマイクを掲げる黒田も困惑しているように、旅子には感じられた。

そこで旅子はふと思い出した。犯人役の女優のこの反応は、十五年前のあの日、湯舟と自分を前にしたあの時と同じものだ……。

「彼女、どうしたんでしょう?」

そう言ったのは、霧山だった。

「続けて……」と、旅子は小声で犯人役の女優を促したが、やはり彼女は固まったままだった。霧山が歩み寄り、彼女からメモを奪い取った。

「ちょっと、メモ読みますか……」

霧山は、あの日、旅子がそうしたように、メモを手にすると、皆に向かって読み上げはじめた。

「あなたが犯人だということは全部知っていますよ、旅子さん……私は、この崖から落ちて死んだ、白河湯舟です……」

そして、霧山は一度顔を上げた。スタッフにも激しい動揺が走っているのだろう。ざわざわとつぶやく声がして、黒田が眉《まゆ》をひそめたのが見えた。旅子は言葉を失い、じっと霧山を見つめる。霧山は再びメモに視線を落とした。

「旅子さん……あなたはあの時、私の前で、シナリオにはない告白のメモを同じように出しましたよね……私も真似てみました。シナリオに書かれていない手紙を、真似て読んでみることにします……あなたが、あの時の犯人です……旅子さん」

「どうしたの……?」と、旅子は動揺を必死に押し殺して訊《き》いた。

「続けますよ?」

霧山がつぶやく。カメラのほうから、湯河原の声が聞こえた。

「おい、何が起きてるんだ……？」

「あの時あなたが、ちょうどこの立場で同じようにメモを読むシチュエーションになりました。そこであなたは、今と同じようにシナリオと違うことを読みだしたのです……それは、当時の私はずいぶん、夫との関係がうまくいっていなくて、スタッフに愚痴をこぼしていました。その愚痴を聞いてくれたのが、録音部の黒田さんです……」

するど、黒田がマイクを掲げたまま叫んだ。

「僕は、あの女とは何もなかった！　嘘だ！」

旅子は黒田の顔をちらっと見やった。霧山は構わず続ける。

「私は、黒田さんと不倫をするようになり、撮影中も愛し合ったりしていた。それを知っていたあなたは、私の夫……白河にバラしてもいいのかと、メモに書いてきたのです。そして、その途端、あなたと私は揉《も》み合いになりました……何故そこまでして、私を追い詰めたのですか？」

霧山は完全にメモから目を離して、旅子をじっと見つめながら喋《しゃべ》っている。旅子はうつむき、唇を嚙《か》んだ。

「それは、あなたと黒田さんが当時、婚約者だったからですか？　あなたは、役者としても冴《さ》えない上に、男まで奪われた……それが許せなかったのですか？」

そこで旅子はようやく顔を上げ、霧山に向かって挑発するように言った。

「幽霊が喋ってるの？　それともあなた、イタコ？」

　すると、霧山はあっさりとうなずいた。

「はい。これは全部、イタコの声です……でも、ここまででは、まだ不完全なんですよ。実は、死んだ白河湯舟さんは、事件の全貌《ぜんぼう》を知らずに死んだのです」

　そう言うと、霧山はかけていた眼鏡を外し、横に立っていた犯人役の女優にそれを差し出した。面食らった彼女はとまどった素振りを見せたが、やがて眼鏡を受け取った。

「旅子さん……残念ながら、まったく違う結果が出ました」

　霧山はおもむろにそう切り出した。

「え……？」と、旅子は聞き返す。

「あの、ビデオですよ。倒れていく湯舟さんの頭が、正面からフレームアウトしていく時間がありましたよね」

　旅子は頭の中であの映像を思い返した。

「あの瞬間、録音部さんの持っていたマイクに湯舟さんの頭がぶつかるのには驚きました」

　霧山は目の前の黒田を見つめる。黒田の持つマイクは、今も霧山の頭のすぐ後ろにあった。

「このマイクにぶつかるということは、この距離ですよね」

　霧山はそう言って、自分と犯人役の女優が立っているところから、崖のぎりぎり端までの長さを、腕を広げて示した。そこにはまだ、三メートル以上は余裕があった。

「つまり、崖から落ちるスペースの中では彼女は倒れていないんです」

そして霧山は、カメラの後ろのほうに呼びかけた。

「三日月くん！　ちょっと持ってきて！」

「はい！」と返事をして、しずかが大きな塊を運んでくる。見ると、それはこの崖のミニチュアだった。

「あ、返して下さい」

しずかは犯人役の女優にそう声をかけ、彼女が手にしていた霧山の眼鏡を受け取った。

霧山はしずかが抱えたミニチュアの表面を指差す。

「この崖は、鋭い突起を持っています」

「何が言いたいの」

旅子が尋ねると、霧山は今度は、実際の崖にある岩の突起を指差した。

「答えは簡単です……湯舟さんはまず最初に、この突起に頭をぶつけたんだと思われます。つまり、崖から落ちてなんていなかったんです……彼女の遺体には、ふたつの致命的な頭部の傷があった。そのひとつ目が、この崖の上で起きたんです」

霧山はそこで一度、旅子の後ろに立つスタッフの反応を窺《うかが》ったようだった。

「……あの日、撮影されたテープの中では、湯舟さんが倒れ、画面からフレームアウトする瞬間、マイクに頭をぶつけていました。マイクは、湯舟さんの後頭部に当たっています。つまり、湯舟さんが立っていた場所よりも後ろに、マイクがあったということです……湯舟さんの頭にマイクが当たる位置では、崖から落ちないことに気づいたんです」

旅子は霧山の説明を黙って聞いていた。霧山は十五年前に湯舟が横たわった位置を、じっと見下ろした。

「湯舟さんは崖の上で倒れた……揉み合っているうちに湯舟さんは倒れ、打ちどころが悪く、もしかしたら……その時はまだ死んでなかったかもしれません。思うに、崖から落ちたのは、そのあとです。つまり、ひとつ目の傷は崖の上、ふたつ目の傷は崖の下でついたんです……どうやって？」

霧山はスタッフみんなの顔を見回した。

「彼女が自分で落ちるはずがありません。では、誰が湯舟さんを崖から落としたのか？私の推測で言えば……」

旅子の背後で、みんながじっと息を呑《の》んで見つめている気配が伝わってきた。静まり返った崖の上に、霧山の声が響く。

「ここのスタッフ全員です――」

霧山は表情も変えずに、そう言い切った。しずかだけが、驚いたように向き直る。旅子はじっと霧山の顔を見つめ返した。

そして、旅子の脳裏を、十五年前のこの場所の光景が駆け巡った――。

霧山が言う通り、湯舟がこの場所で倒れて頭を打った時、彼女はまだ息があった。

「どうした!?」と、その時、真っ先に駆け寄ってきたのは湯河原だった。それを皮切りに、スタッフが一斉に湯舟と旅子を取り囲む。旅子は泣き崩れた。

「私のせいで……！」

すると、横たわったままの湯舟が、うわ言のように声を振り絞った。

「あんたたち……今度こそ、全員クビよ！　クビ！　ちきしょう、絶対立ってやる……」

しかし、湯舟の体は動かなかった。

「立てない……ああ、どうして……クビよ！　クビ！　全員……」

湯舟の声はやがて消え入るようになった。がっくりと首の力が抜けた彼女を見下ろし、湯河原が言った。

「今のテープ、回っていたか？」

「回ってました……ただ、倒れたところは映ってません」と、登別が言う。

「よし……旅子、泣くな！　これは事故だ！　なぁ、みんな！」

湯河原はスタッフの顔を見回す。みんなが一様にうなずいた。湯舟の脈をとっていた助監督の伊香保が叫ぶ。

「まだ、息があります……どうします？　今から病院に行って——」

しかし、湯河原はその言葉を制して、旅子を見つめた。

「このままだと、お前ひとりが責任をかぶる……俺たちはみんな、我慢に我慢を重ねて、この女の命令を聞いてきた。お前の気持ちは、俺たちの気持ちだ！　この女を、俺たちみんなで運んで、落とそう」

湯河原は湯舟を見下ろし、そう言って崖《がけ》のほうを指差した。一同がうなずく。

数人がかりで湯舟の体を持ち上げた湯河原たちは、彼女を崖の縁まで運んだ。「せ〜の！」という掛け声がした瞬間、旅子は固く目を閉じた。

激しく打ち寄せる波の音だけが、聞こえていた……。


霧山がゆっくりと湯河原たちのほうに歩み寄り、さらに続ける。

「あなたたちは、旅子さんと一心同体になって、白河湯舟の体を崖から落とすことで、罪を共有したんですよね……」

「もういいよ！　よくわかったな」と、湯河原が吐き捨てるように言う。

旅子は霧山に向かって呼びかけた。

「殺す気は、なかったのよ……私は、いつもの崖で、あの人を追い詰めたかっただけ……あれは、そんなつもりじゃなかったの……わかって」

するると、霧山はあっさりと言う。

「つまずいたんですよね？」

それを聞いて、スタッフが口々に同意した。

「そうだよ！　なぁ、みんな？」

「そうですよ。つまずいただけですよ！」

霧山はまた周囲をぐるっと見回す。

「確かに、最初はつまずいただけかもしれません……でも、殺意はありましたよね？　旅子さん……」

旅子は崖の上で湯舟と揉《も》み合った時のことを思い返した。あの時、旅子は力任せに湯舟の体を押した。それが殺意だと言うならば、そう言われても仕方ないかもしれない。

「殺意はあったんですよね？」と、霧山がもう一度、訊《き》く。旅子は何も答えなかった。スタッフも皆、黙ってうつむいている。

「ありましたか……」

霧山は納得したようにつぶやいてから、今度は声を張り上げた。

「以上が、僕が趣味で調べた、すべてです……あとは、犯人の方のご厚意に甘えるしかないんですが……」

旅子は微笑み、ゆっくり顔を上げた。

「このこと、広めなさいよ」

「どこにですか？」と、霧山が聞き返す。旅子は振り返った。

「マスコミによ。周囲の人、全部……あなたは私の宣伝部隊なの！」

すると、まだ崖のミニチュアを抱えていたしずかが、おずおずと言う。

「旅子さん、事件はもう時効ですから、残念ながら、霧山くんがこの事件を口外することはありません」

しかし、旅子は構わず霧山に食い下がった。

「あなた、私の盛り上げ役でしょ？　そのために来てるんだから！」

「いや、無理ですよ。それは約束ですから」

霧山は困惑した表情で、そう言う。霧山の横でマイクを掲げていた黒田が、独り言のようにつぶやいた。

「仕方がなかったんだ……」

すると、今度は登別が叫んだ。

「俺はあの時、カメラを覗《のぞ》いていたから知ってるぞ！　彼女はつまずいただけだよ！　俺たちは殺してなんかいない！」

しかし、霧山はそれらには取りあわず、旅子を真っ直ぐ見つめた。

「アヤメ旅子さん、そして、皆さん……事件はもう、時効ですから」

そう言うと、霧山はしずかに向かって手を差し出した。ミニチュアを下に置き、しずかが眼鏡を手渡す。霧山は眼鏡をかけ直し、みんなに呼びかけた。

「僕がこの事件を口外することはありません。あくまで趣味なんで、これで終わりです……で、いつも犯人の方に、これを渡しているんですけど……」

霧山はポケットから一枚のカードを取り出して、頭上に掲げた。

「『誰にも言いませんよカード』です……これに僕の認め印を押しますから、お持ちになって下さい」

旅子は呆気《あっけ》にとられて、霧山を見つめ返した。しずかが手慣れた様子で判子を取り出し、霧山に手渡す。霧山はそれを隅に押してからカードを差し出した。旅子はおそるおそる手を伸ばす。カードにはこう書かれていた。

アヤメ旅子様
スタッフ御一同様
この件は誰にも言いません。
霧山修一朗

「じゃあ」と、霧山は会釈をして、立ち去ろうとする。旅子はその背中に呼びかけた。

「ちょっと待って！」

霧山が振り返った。

「なんですか？」

「何よ、その態度……あなた、最初っからあたしのファンでもなんでもなかったでしょ？この事件、解きたかっただけでしょ？」

するど、霧山は突然、寂水の決めポーズを真似て、旅子のほうを指差した。

「趣味ですと　逮捕はせねど　罪は罪」

旅子は啞然《あぜん》として、霧山を見つめた。霧山はにっこりと微笑む。

「あなたの句をパクってみました……許されぬ　時効過ぎても　罪は罪」

霧山はもう一度、ポーズを決める。そして、照れ笑いを浮かべた霧山は、しずかに促されて、会釈をすると去っていった。

その後ろ姿を呆然《ぼうぜん》と見つめる旅子のそばに、湯河原たちが近づいてきた。

「どうする？　ラスト……」

湯河原に訊かれ、旅子は無理に微笑んでみせた。

「……しょうがないわね」

「あの霧山って男、役に立ちませんでしたね」と、斎藤がつぶやく。

「彼をなめてたわ……さすがね」

そして旅子は、手元のカードを見つめた。

「許されぬ　時効過ぎても　罪は罪……か……」

旅子は顔を上げ、湯河原に向かって告げた。

「普通に撮り直しましょ」

「よし、わかった……おい、撮り直すぞ！」と、湯河原が叫ぶ。

「はい！」

スタッフが口々に叫んで、再び持ち場に散らばっていった。旅子は、霧山が去っていった方角を、ずっと見つめていた。

その後、「THEアネゴ探偵」の幻の第十三回のリメイク版は、無事にオンエアの日を迎えた。その翌日、時効管理課では、霧山がドラマに出演していなかったことの話題で持ち切りだった。

「やっぱり出てなかったよね？」

「出てないよ……」

霧山が黙々と仕事をしている横で、又来と蜂須賀がヒソヒソと話を続ける。熊本が小声で又来たちをたしなめた。

「こらこら……霧山くんは、ああ見えて結構デリケートなんだから、そんなに言うなよ」

そして、熊本はおもむろに霧山に近づくと、耳元でささやいた。

「ねえ、霧山くん……結局ドラマ、ホサれたの？」

そのまま訊くなよ……！　しずかは呆《あき》れた。

「はい……？」と、霧山がきょとんとした顔で見上げる。

「はいって……昨日の『寂水先生』見てないの？」

「はい」

霧山はあっさりとうなずいた。熊本はなおも食い下がる。

「はいって……君、出るって言ってたけど……出てないじゃん？」

「やっぱり、僕の芝居じゃ駄目だったんじゃないですか？」

霧山がこともなげに言うと、熊本はパッと笑みを浮かべた。

「駄目!?　ああ！　そうかあ！」

大声で言う熊本に、それまで腫《は》れ物に触るようにしていた又来たちもドッと沸いた。

「霧山！　お前、一時《いっとき》いい夢見たな」と、蜂須賀が霧山の頭を小突く。

「まあ、なあ……しょせんお前がな」

諸沢も嬉《うれ》しそうに言った。

「やっぱり、無理だったんですね」

サネイエもいつになく笑みを浮かべる。しずかはみんなの変わり身の早さに呆れた。

「いやいや、もういいんですよ」

霧山はそう言って、手を振った。すると、又来が捜査資料のファイルを無造作に机の上に放り投げる。

「霧山、これ、わらってよ」

そう言われ、霧山は又来を見つめ返した。

「は？　笑う……ってなんでしたっけ？　可笑《おか》しくないですよ、これ」

ファイルを指差す霧山の態度に、又来が慌てる。

「え……？　使い方、間違えてる？　教えてくれたじゃない……」

そこでしずかは、勝ち誇ったようにみんなを見回した。

「霧山くん、もう全部、忘れたみたいですよ……ねぇ」

しずかは霧山の顔を覗《のぞ》き込む。霧山は相変わらずおどおどしていた。

「おはようございます……」

そこに十文字が遅れて現れた。十文字は相変わらず、又来に教えられた妙な口調の「おはよう」を繰り返す。それから十文字は、見ている側が悲しくなるくらいに、とんちんかんな業界用語を並べたてる。

「さあ、今日もフレームインして、仕事わらっちゃってくるかなあ……いやあ、昨日寝てないから、頭がオーバーラップしちゃって……お？　霧山！　何、バミってんの？」

十文字は霧山の手元を指差した。霧山は首を傾げる。

「バミ……バミってるって、なんでしたっけ？」

「まぁ、ドラマに出られなかったのが悔しいのはわかるけど……あんまり、フレームアウトすんな……じゃあ、ケッカッチンなんで、マキでいきます！　メシ押しでね！」

十文字は軽く手を挙げ、いつものトレンチコートをなびかせて去っていった。本当に気の毒な人……。しずかは心の中でそうつぶやいて、霧山に視線を戻した。霧山は黙々と、捜査資料のファイルをめくり続けていた。

第五話

キッスで殺せ！　死の接吻は甘かったかも？

今日も時効管理課はひたすら書類の整理に追われて、慌ただしく動き回っていた。夕方になっても書類の山は一向に減らず、又来やサネイエは言うに及ばず、いつもは、のほほんとしている熊本までもが、あたふたと書類に目を通し、次々と課長印を押している。

「又来くん、管理課からの件はどうなったの？」

熊本が不意に尋ねると、又来が即答した。

「確認中です……サネイエ、ちょっと、そこの鉄の玉、取ってくれない？」

又来は、自分とサネイエのデスクの中間に積み上げられた書類の山の上に載っている鉄の玉を、あごで指し示した。サネイエは露骨に嫌そうな顔をする。

「今、忙しいんですよ」

「いいじゃない、それぐらい」と、又来。

霧山はそんなみんなの様子を横目で見ていたが、堪《こら》えきれなくなり大きなくしゃみをした。さっきから、どうも鼻がむずむずして仕方がない。ところが、そのくしゃみで書類の山に微妙な振動が加わったのか、鉄の玉がゆっくりと動きだし、書類の上から転がり落ちて、サネイエのデスクの上で大きな音を立てた。熊本がその音に反応する。

「あれ？　霧山くん、風邪……？」

「ああ……なんかちょっと、そうみたいです……」

霧山は鼻のところを押さえて、そう答えた。

「君は一見、風邪にもかかわらず忙しそうに働いているように見せかけて、実は次の事件を探しているだけだな？」と、熊本が不敵に笑って、霧山のほうを指差す。

「あ、バレてますね……」

「いかんなあ、仕事の場に趣味を持ち込むのは」

そう言いながらも、熊本はにやにやと霧山をからかっているようだった。

「すいません」

「で、いい時効は見つかったの？」

「いやあ……なかなかパコッとしないんですよねぇ〜」

「そうかそうか。じゃあ、パコッとさせてあげよう」

「そうね……」と、又来も微笑む。

「そうですね」

サネイエまでもが無表情なままだが、立ち上がった。

「え、いいんですか？」

霧山が恐縮してみんなの顔を見回すと、又来がつぶやく。

「パコッとしないんじゃ、しょうがないでしょ」

そして、熊本たちはそれぞれ捜査資料のファイルを手に、霧山の横に並んで座った。

「ありがとうございます」

霧山はぴょこんと頭を下げて、ファイルをめくっていった。

「何やってるんですか？」

そう言って現れたのは、しずかだった。怪訝《けげん》な顔で覗《のぞ》き込むしずかに、霧山は答える。

「皆さんにね、僕の趣味を手伝ってもらってるところだよ」

「霧山くんは〝三国一の幸せ者〟だな」と、熊本が書類をめくりながらつぶやく。

「そんな……おだてないで下さいよ」

霧山はとりあえず、手が届く範囲にいたサネイエと又来の肩をポンポンと叩《たた》いた。

「私も手伝ってあげちゃおっかな……」

しずかはそう言うと、余っている椅子を引っ張ってきて、霧山の隣に座った。

「え、いいの？」と、霧山が聞くと、しずかは笑顔でうなずく。

「まあね」

「三日月くんは〝フジヤマのトビウオ〟だな」

熊本がまた、しみじみとつぶやいた。

「え……？　そう、なんですか？」

しずかがきょとんとした顔で聞く。熊本はそれには構わず、一冊のファイルを霧山の目の前に突き出した。

熊本が手にしたファイルの表紙には、「アイスシャーベット放火殺人事件」と書かれていた。どうも、ピンとこない。

「どうですかねぇ……」

霧山が気乗りしない返事をしていると、サネイエが割り込んでくる。

「これは？」

彼女が差し出したファイルの表紙には、「モーツアルト殺人事件」とあった。

「これは、犯人はサルエルだろ」と、熊本が得意気に言う。

「サリエリじゃ――」

しずかがそう言いかけた途端、又来がファイルを手に立ち上がり、絶叫した。

「あぁ〜〜〜〜!!」

全員が思わず息を呑《の》んで注目すると、又来は鼻を鳴らして笑った。

「フ〜ン！　凄《すご》いの見つけちゃったわよ、凄いの！　見る見る？　これよ、これ！」

又来が掲げたファイルを覗き込み、熊本も感嘆する。

「うわ！　これは凄いね〜！」

「確かに凄いですね」と、サネイエ。

霧山は表紙に書かれている事件の名前を目で追った。

「本郷高志《ほんごうたかし》……変死事件……？　そんな凄いんですか？」

霧山がそうつぶやくと、熊本たちは急に目を剝《む》いた。

「えぇ～！　知らないの⁉」

声を揃えて熊本たちが叫ぶ。しずかまでも、びっくりして霧山を見つめていた。

「え？　はい……」と、霧山はうなずいた。

「霧山、あなた十五年前は確か……中学生ぐらいよね？　それで、この事件知らないって、どういう人生送ってきたわけ！」

又来は呆《あき》れ顔で詰め寄った。霧山は圧倒されながらつぶやく。

「いや……どうでしょう……」

すると、熊本がなだめるように又来の肩に手を置いた。

「まあ、いいじゃないか。人それぞれに人生はあるんだ……よし、わかった。ここは私が人生の先輩として教えてあげよう」

熊本はそう言うと、霧山たちの正面へとゆっくり回り込んだ。霧山は頭を下げる。

「お願いします」

「正式名称『本郷高志変死事件』……しかし、当時そう呼ぶものは誰もいなかった。すべての国民は、こう呼んだんだ……『殺しのキス事件』と」

「殺しのキス事件？」と、霧山は繰り返してみた。

「そう。奇妙なことに、キスをしたら死んでしまったんだな。しかも当時、本郷高志は人気絶頂の歌手……大騒ぎになるのも当然だ！」

本郷高志……。霧山は一生懸命思い出そうとしてみたが、やはりその名前に記憶はなかった。熊本の説明は続く。

「本郷高志のステージ衣裳《いしよう》は、いつもGパンに革ジャン、頭にはバンダナを巻き、真っ黒なサングラス、そして足元には下駄《げた》！　ギター一本で熱唱しながら、曲の合間にはタバコをふかす、とことんロックな男だった……魂を絞り出すように男の生きざまを歌い上げ、出す曲すべてヒット。あらゆる年代の心を捉《とら》え、多くの人が影響を受けた」

「私もファンだったのよ」と、又来。

「私は真似して、三本ギター壊しました」

サネイエがクールな顔で自慢する。熊本がしみじみとつぶやいた。

「本当に、本郷高志には男の生きざまを教えてもらったよ……亡くなる直前の言葉が『オッス』でさ……本郷は最後まで熱い男だったっていう、伝説になっているんだよ」

「そうなんですか……」

霧山はうなずいた。じっと霧山を見つめていた熊本が、不意に親指を立てて突き出す。

「オッス！」

すると、又来とサネイエが同じように親指を立てて応《こた》えた。

「オッス！」

霧山としずかも、おそるおそる同じように真似してみる。そして熊本は俄然《がぜん》、目の色を変え、嬉々《きき》として語りはじめた。

「それでは、これから『殺しのキス事件』の全貌《ぜんぼう》を語ろう……まずは、本郷が私に如何《いか》に影響を与えてくれたのか——から語ろうと思うが、その前に……」

そう言うと、熊本はやにわに自分の席に近づき、机の上の判子を取り上げた。又来がすかさずファイルを差し出す。熊本がバンとその表紙に「時効」の判子を押し当てた——。

霧山はその夜、アパートに帰って、捜査資料のファイルを隅から隅まで熟読した。

「殺しのキス事件」こと「本郷高志変死事件」は、今から十五年前の平成三年二月十四日に起きた。人気歌手の本郷高志はその日、タレントの卵たちを集め、ホテルのスイートルームで王様ゲームに興じていた。王様の指示により、本郷は夏川《なつかわ》リナというグラビアアイドルとディープキスをすることになったのである。ところが、キスを始めた直後、本郷は急に苦しみだし、喉《のど》をかきむしるようにしながら、その場に崩れ落ちた。異変に気づいた周りの者たちが、囃《はや》し立てていた手を止めて見つめる中、本郷はばったりとその場に崩れ落ち、激しく痙攣《けいれん》を起こす。女性たちの悲鳴が上がり、やがて本郷は最後の言葉を切れ切れに吐き出した。

「……オッ……ス」

そして、それっきり本郷の体は動かなくなったのだ。

警察は、その状況から本郷の死を毒物によるものと断定。殺人の可能性が濃厚とし、捜査を進めた。事件現場に居合わせた六人の男女に対しては厳しい取り調べが行なわれ、特に本郷とキスをした夏川リナに重点が置かれた。取り調べに際し、リナは涙ながらに事件への関与を否認。本郷との接点も事件当日まで一切なく、動機が見当たらなかった。

さらに司法解剖の結果、本郷の遺体からは毒物らしきものがまったく発見されなかった。捜査は、本郷殺害の動機を持つ者の洗い出しに向けられた。その結果、最も重要な容疑者として浮上してきたのが、本郷の妻・雪絵《ゆきえ》だった。

本郷と結婚する前の雪絵は医大生。当時、大物歌手と医大生との電撃結婚は世間を賑《にぎ》わせた。しかし、結婚後、本郷の浮気が絶えず、さまざまな女性と路上で抱き合ったりキスをしている写真が週刊誌で何度もスクープされた。

警察は、事件当日が本郷と雪絵の結婚記念日であったことに目をつけ、浮気に耐え切れなくなった怨恨《えんこん》の線と、本郷の莫大《ばくだい》な遺産狙いの両面から、雪絵を徹底的に調べた。さらには、雪絵がその医学的知識からなんらかの方法で毒を盛ったのではないかとも推理した。マスコミは「疑惑の花嫁」として、雪絵のプライバシーを暴き立てる報道を繰り返したが、事件への関与を決定づけるような証拠は何ひとつ見つからなかったのだ。

そして、夫婦の事情にも詳しかった本郷の付き人・及川正義《おいかわまさよし》の「本郷と雪絵は事件直前まで十日あまりも顔も合わせていなかった」という証言などから、警察はアリバイも完璧《かんぺき》だった雪絵の追及をあきらめた。

こうして、本郷高志の殺害方法も謎のまま、事件は時効を迎えたのである——。

翌日、昼休みにしずかを誘って食堂へやって来た霧山は、捜査資料を読んで得た知識を彼女に話した。

「……という事件なんだよ」

するとしずかはうんざりしたような表情を浮かべる。

「知ってるわよ……だいたい、知らない人間なんていないよ、ほら」

しずかが目の前のテーブルの下北沢と吉祥寺を指し示す。テーブルの上のカレーライスとオムライスにも手をつけず、ふたりは本郷の写真集を手に涙を浮かべていた。

「本郷さん……！」

しずかはうどんの丼《どんぶり》を載せたトレイを手に、窓際の席へと向かった。

「で……やることにしたのね？『殺しのキス事件』」

不敵な笑みを浮かべるしずかのあとを追いかけ、霧山は彼女の向かいに腰を下ろした。

「うん……だってさ、キスで人が死ぬなんて凄《すご》いよ。きっと犯人は、パンソファレントな人なんだろうね……」

「なんだ、それは？」と、しずかが顔を上げる。霧山は構わず続けた。

「でもなぁ、『殺しのキス事件』っていう名前がね……もっといい名前なかったのかなぁ」

「たとえば？」

「うーん……口づけ殺人、とか」

しずかは渋い表情になって、首を振った。

「……次」

「殺人チュー意報……バタンチュー……チューリップ殺人……チュー国雑伎団《ざつぎだん》……今週のいチュー押し……チューピーマヨネーズ……くりいむしチュー……」

霧山が何か言うごとに、「次」「次」と否定してきたしずかが、逆に提案する。

「キラー・チューンっていうのは？」

「ああ、いいやいいや、殺しのキス事件で」

霧山はあっさり却下して、素うどんを食べようとした。ところが、そこで不意に込み上げてきて、霧山は激しく咳《せ》き込んだ。しずかが、ぱっと顔を輝かせる。

「あれ……霧山さん、風邪ですか？」

「うん、ちょっとね」

「そっかぁ～、風邪なんだ～」と、しずかは妙に嬉《うれ》しそうだった。


その日の夕方、早めに仕事を終えた霧山は、しずかを連れて、本郷雪絵のもとを訪ねた。若くして本郷高志の未亡人となった雪絵は、マスコミの容赦ない報道に耐えながらも無事に医大を卒業し、その後、内科医となったのである。今では、総武市の一等地にそびえる高層ビルの一角に、「本郷クリニック」を構えている。

多くの医療スタッフが行き交うフロアに足を踏み入れた霧山は、雪絵に返却する遺留品が入った段ボール箱を抱えて、中へと進んだ。

「ねえ、大丈夫？　私、持とうか……風邪だしね」

しずかが後ろから心配そうな顔で覗《のぞ》き込む。

「あ、ありがとう」と、霧山は段ボール箱を彼女に預けた。

「ああ……重……ねえ、ちょっと……半分持って」

しずかは段ボール箱を抱えて、そろそろとあとをついてくる。

霧山は、案内してくれた看護師が開けた院長室のドアをくぐり抜け、中へ進んだ。広い院長室の真ん中にある大きなデスクには、小柄な女性が座っている。当時の新聞記事に載っていた本郷雪絵の写真はそれほど鮮明ではなかったが、目の前の女性が彼女の十五年後の姿であることは、霧山にもすぐにわかった。

「失礼します……あの、ご連絡差し上げた、総武警察の……」

霧山がそう言って名刺を取り出そうとすると、雪絵がそれを制した。

「あ、ご挨拶《あいさつ》は結構ですから……どうぞ」

雪絵はにこやかな表情ではあるが、有無を言わさぬ毅然《きぜん》とした態度で、向かい側の椅子を指し示した。

「はい……では、さっそく……あの、本郷高志さんが亡くなられた当日の遺留品です」

よろよろと段ボール箱を運んできたしずかが、机の上にドンとそれを載せる。

「あの、どうぞ、ご確認下さい」

段ボール箱を押すと、雪絵のデスクごと動いてしまい、霧山は慌てて頭を下げた。

「あ……すいません」

　雪絵は特に反応するでもなく、段ボール箱の封を切った。中には、本郷高志が亡くなった時に身に付けていたサングラス、下駄、所持していたタバコとライターなどが入っている。雪絵はその中から、結婚指輪らしきリングを拾い上げた。ビニールの小袋に入ったそれを、雪絵は少しの間、指でなぞるようにしていたが、すぐにまた箱の中に戻した。

「ええ……問題ないわ。ありがとう」

　そう言って、雪絵は箱の蓋《ふた》を閉じる。霧山は改めてお辞儀をした。

「では、仕事は以上になるんですけれども、ちょっと個人的なお願いがありまして……」

「なんですか？」と、雪絵は怪訝《けげん》な顔をして、再び椅子に深く腰かけた。霧山としずかも、彼女の正面に座る。

「実は、私、個人の趣味として、時効になった事件の犯人を捜しておりまして、私の趣味の捜査に、ご協力いただけませんでしょうか？」

　すると、雪絵は口ごもりながら、じっと霧山を見つめた。

「あの……」

　霧山はすぐに合点がいって、改めて名刺を差し出す。

「霧山修一朗です」

　雪絵は名刺を受け取ると、もう一度霧山の顔を見つめた。

「霧山さん……私、主人のことはもう、さっさと忘れたいの。事件の頃には騒がれて疑われて、ここを始めた時には、毒を盛った医者の病院だなんて言われて……本郷のこともう、うんざりなんです」

「ですよねぇ～。妙なことを申し上げて、本当、すみません」

笑顔で取り繕うしずかに腕をつかまれ、霧山は無理やりお辞儀をさせられたが、雪絵は意外なことを言う。

「まあ……いいですよ」

「え……？　いいんですか？」と、霧山は目を見開いて、彼女を見つめ返した。

「手短に、でしたら」

「あ、ありがとうございます……では、さっそくお聞きしますよ。事件当日は、ちょうど結婚記念日だったそうですが、その日はどう過ごされてました？」

霧山がそう尋ねると、雪絵は表情も変えずに淡々と説明した。

「料理を作って待ってたわ。あの頃は浮気がひどくて、ろくに帰ってこなくなってたんだけど、結婚記念日ぐらいは……と思って、朝からずっと料理を作ってました……夜の七時ぐらいにでき上がって、そのあとは、ただずっと待ってた……そしたら、十時ぐらいだったかしら、玄関のチャイムが鳴ったんです。本郷かと思ってドアを開けたんだけど、付き人の及川だった……」

「及川さんは何の用事で……？」

「いつものように着替えを取りに来ただけでした……レコーディングが長引きそうだから、

着替えを持ってくるように、本郷に頼まれたって……」

雪絵はあくまで淡々と口を開く。しずかが訊《き》いた。

「それで、料理はどうされたんですか？」

「十二時まで待って、全部捨てたわ」

雪絵は少し眉《まゆ》をひそめて、うつむきながらそう答えた。霧山はうなずく。

「そうですか……では、少々立ち入ったことをお聞きいたしますが、ご主人とは月に何回ほどキスを……？」

すると、雪絵は霧山をじっと睨《にら》みつけるようにして、黙りこくった。しずかが、隣でしかめっ面をしている。雪絵がすっと視線を逸《そ》らして、つぶやく。

「多分……仲の良かった頃は、普通にしてましたよ。普通の夫婦ぐらいには」

本郷クリニックからの帰り道、しずかが妙に晴れ晴れとした表情で言った。

「あの人、犯人じゃないわね」

「なんで？」と、霧山は尋ねる。

「女の人は嘘をつく時、相手の顔をじっと見て言うのよ……でも、雪絵さんはきょろきょろしてた。犯人だったら、何か嘘言うよね……あっ、逆に、男の人は嘘つく時、きょろきょろするのよ〜」

勝ち誇ったような顔で、しずかが霧山の肩を叩《たた》いた。霧山はことさらわざとらしくきょろきょろしながら言う。

「三日月くんの推理は、相変わらずすさまじいなぁ～」

「嘘つくな！」と、しずかがふくれっ面になった。

それからふたりは及川正義からも証言を聞こうと、街外れにある小さな雑居ビルまでやって来た。及川は本郷の死後、芸能界から離れて「ガッツ物産」という会社を起《た》ち上げているという。ビルの三階の窓に「ガッツ物産」の文字を認め、霧山は中に入っていった。

狭い階段を上っていくと、何やら激しい口調の男の声が聞こえてくる。

「くよくよすんな、男だろ！　小さくまとまんな！」

「オッス！」

檄《げき》に応《こた》える複数の男たちの声もした。明かりが漏れる扉を開けると、頭にバンダナを巻いた浅黒い顔の男と、彼の前にずらりと並んでいる数人のスーツ姿の男たちの姿があった。事務所のあちこちには本郷高志のポスターが貼られ、その隙間に「でっかくはじけようぜ」「硬派」などという文字が書かれた紙が、いたるところに掲げられている。

霧山としずかが入ってきたことに気づいたのか、バンダナの浅黒い男は霧山を見て、ぱっと顔を輝かせた。

「先ほど連絡をいただいた方ですか？　どうも、及川です……こちらへどうぞ」

霧山は及川に促されるまま、事務所の一角にある応接セットに案内された。どっかりと座った及川が、たたみかけるように言う。

「どうぞ、なんでも聞いて下さい！　趣味だろうがなんだろうが、本郷さんを殺した奴を捜してくれるんなら、俺、なんでもしますから！」

圧倒されるようにちょこんと座っていた霧山は、大きく息を吐いて、深々と頭を下げた。

「よろしくお願いします！」

自分でも何故だかわからないまま、霧山は上ずった声でそう叫んでいた。

「いいねえ、男らしいね……こちらこそ！」

及川は握手を求め、霧山はがっちりとその手を握り返した。

「よろしくお願いします！」

しずかは完全に引いてしまっているようだったが、霧山は構わず叫んだ。

「さっそくですが！　及川さんは、本郷さんの予定に一番詳しかったと思われます！　まずは、事件当日のことを教えて下さい！……ガッツ！」

「いいねえ……うん、あれは、レコーディングが九時頃に終わってね、本郷さんを車に乗せて、ご自宅に向かったんだよ……で、着替えを取ってきて、その後、十一時頃だな。例の事件のあったホテルに送り届けて、スイートルームの入口で本郷さんを見送った……結局、あれが最後になっちまった」

そう言うと、及川は悔しそうに唇を嚙《か》んだ。霧山は普通の口調に戻して尋ねた。

「その日の雪絵さんに、何か変わった点はありませんでしたか？」

「ああ……ひどい剣幕だった」と、及川はうなずく。

「どんなふうに？」

「着替えを取ってくるように頼まれたって言うと、すごい目で睨まれて、強引に部屋の中に引きずり込まれたんですよ……テーブルの上にはものすごい豪華な料理が並んでいて、『これ全部食べろ』って」

「雪絵さんが？」

「そうですよ……」

霧山としずかは思わず顔を見合わせた。

「食べたんですか？」と、霧山が訊くと、及川は当然という顔でうなずく。

「食いましたよ。体育会系ですからね……本郷さんを待たせっぱなしなのが、気になってましたけど」

「あれ……？　雪絵さんは、料理を捨てたって言いましたけど……」

しずかがそう言うと、及川は眉間《みけん》にしわを寄せた。

「ちょっと……これ見てもらえますか」

そして及川は立ち上がり、事務所にいる社員のひとりに声をかけて、大きなタオルを受け取った。及川がガバッとそれを広げて見せる。黄色に染め抜かれたそのタオルには、大きな字で「食べ物を粗末にするな　T・HONGO」と書かれていた。

「僕のいうことを信じてもらえますか……？」と、及川はしずかの目を見つめる。

「……は、はい」

しずかは怯《おび》えながら必死に声を振り絞るようにして答えた。霧山は改めて尋ねる。

「ところで……及川さん、今はお仕事は何を？」

「ああ……タオルと下駄《げた》を扱ってます。本郷さんが亡くなった後、本郷メモリアルタオルと下駄のセットを売り出しましてね。これが飛ぶように売れて、いつの間にか、それが本業になってしまいました」

及川は照れくさそうに笑った。霧山は彼が手にしているタオルを指差した。

「それがそのタオルですか……ちょっといいですか？」

霧山はタオルを受け取ると、その肌触りを確認し、少し広げてみた。

「あれ？　これ、普通のタオルより、ちょっと大きめですね……」

「よく、気づきましたね……いや、これね、特注品なんですよ。ちょっといいですか？」

及川はそう言うと、霧山からタオルを取り上げた。

「こうやってね、片方の足を上げて、タオルを振り回してから、肩にかけるんですよ」

そして及川は実際にタオルを振り回してみせた。霧山としずかが思わずのけぞる。しかし、及川はまったく気にするでもなく、上機嫌で説明を続けた。

「これが、本郷スタイルです……ちょっとした、マフラー代わりにもなるんですよ」

「メッセージも書いてあるし……」

霧山がそう言うと、及川はさらに嬉々《きき》として身を乗り出した。

「はい、いろんな言葉がありますよ。ご覧になりますか？」

「いや、結構……」と、霧山は手を振ったが、及川はまったく聞く耳を持たずに、社員たちに別のタオルを持ってこさせる。

「これなんか、どうですかね？」

及川はまたタオルを広げた。そこには「男十四匹　T・HONGO」という文字が書かれている。霧山はつぶやいた。

「男十四匹……？」

「これね、泣けるエピソードなんですよ……いや、本郷さんがね、〝男一匹〟って書こうとしたんだけど、〝匹〟の漢字を〝四〟って書いちゃったんですよ。これ、一本多くてね……で、どうしようかなってことになったんだけど、ええい！　じゃあ、これ〝男十四匹〟にしちゃえってことになってね……ねえ、泣けるでしょ」

及川は一気にそうまくし立てた。なるほど、言われてみれば「十」の文字が、後から縦棒を書き入れたように、えらく不自然に見える。

「はあ……」と、霧山がうなずくと、及川は興奮して、今度は下駄を持ってこさせた。

「あとね、これ見て。『ファイト下駄』っていうんだけど、いかがですか？　タオルとセットで……」

及川は足が当たるところに朱色の文字で「ファイト」と書かれている下駄をふたりのほうに掲げた。霧山は慌てて手を振った。

「あ、いや、僕はファイトないんで、結構です」

「ええ……そうかなあ？　『男十四匹タオル』と『ファイト下駄』、似合うと思うんだけどなあ……」

霧山としずかは互いに顔を見合わせて、苦笑いを浮かべた。

翌日、霧山としずかは、又来たちに昨日の成果を報告していた。

「雪絵さんと及川さんの言ってることが、食い違ってるんですよ」

しずかがそうつぶやくと、又来がうなずく。

「ひとりは『捨てた』と言い、ひとりは『食べた』と言う……」

「毒はどうやって盛ったんですか？」と、サネイエ。

「え……？　それはこれからですよ！」

しずかは口をとがらせる。

「何、怒ってんのよ……」

又来がそう言いかけた時、巨大な段ボール箱を抱えた熊本がよろよろと近づいてきて、又来にぶち当たった。

「痛《い》たたた！」

悲鳴を上げる又来には構わず、熊本は呑気《のんき》な声で言った。

「やってるね、みんな」

そして熊本は、その巨大な段ボール箱を机の上にドンと置いた。

「なんですか、それ？」と、霧山が訊《き》くと、熊本は嬉々として蓋《ふた》を開ける。

「霧山くん、質問した印に君にご褒美だ……本郷高志に関するものが詰まっている」

「えっ？　あ、ありがとうございます」

霧山は中を覗《のぞ》き込んだ。やたらとバカでかい段ボール箱の割に、中身はごくわずかだった。熊本が昨日も見た例の下駄を取り出す。

「ほら、見てくれよ、これ……サイン入りだよ」

「ああ……『ファイト下駄』ですね？」と、しずかが得意気な顔でつぶやいた。

「お、三日月くん、詳しいね……それから、これがメッセージ入りのタオル」

熊本がそう言って広げたタオルには、「勝つ丼　T・HONGO」と書かれていた。

「ねえ、霧山くん、下駄とセットで買わない？」

「いや、いらないです」

「似合うと思うけどなあ……まだまだあるんだよ」

そう言って、熊本は段ボール箱の中をさらに漁《あさ》る。タオルを受け取ったしずかは、及川を真似してタオルをくるくる回したり、肩にかけたりしていた。

「ほらほら、これこれ、スクープされた時のスクラップとかさ……あ、これ貴重だよ。結婚当時のビデオ」

熊本が数冊のスクラップブックと一本のビデオテープを手渡す。

「ああ、これは、助かりますね、課長」

ぱらぱらとスクラップブックをめくると、そこには本郷が女性と密会している様子がスクープされた記事の切り抜きが、たくさん貼られていた。

「霧山は幸せ者だなぁ〜」と、又来が冷やかす。

するとその時、時効管理課に突然、怒号が響いた。

「霧山！」

みんながびっくりして振り返ると、近づいてきたのは、妙な恰好《かっこう》をした十文字だった。いつものトレンチコートではなく、黒の革ジャンにGパン姿、頭にはバンダナを巻いて、サングラスをかけた十文字は、刑事課と時効管理課を隔てる仕切りの棚を飛び越えるようにして現れた。

「小さくまとまんなよ」

十文字は立ちポーズを決めると、そう言った。熊本が誉《ほ》めそやす。

「よ！　本郷高志」

「熱いねぇ……胸板も厚い」と、又来。

「恐縮です」

十文字はそう言って、胸を張った。サネイエが指差す。

「鼻水出てますよ」

「えっ！」

すると、いつの間に隣にやって来たのか、蜂須賀が十文字に向かって、すっとハンカチを差し出した。

「十文字くん……」

気づいた十文字は、ハンカチを受け取って、軽くお辞儀をした。

「どうも、すいません……蜂須賀蜂雄《はちお》先輩」

「そんな名前じゃないよ」と、蜂須賀が苦笑する。十文字は大袈裟《おおげさ》なポーズで、豪快に洟《はな》をかんだ。又来がつぶやく。

「男だねぇ～」

「外の張り込みも、この恰好だからねぇ」

蜂須賀が指差すと、十文字はハンカチを蜂須賀に返しながら、つぶやいた。

「ハチさん……男にゃ、こんな寒さ、クソだ」

「一昨日《おととい》からずっと、この調子……」

「俺の大切な人の命日だったんですよ」と、十文字は目を伏せる。

「それで喪に服してるんでしょ……わかってるよ」

蜂須賀はなだめるように言った。霧山にはどうも意味がよくわからないが、十文字は本郷高志を偲《しの》んで、彼にそっくりの恰好をしているということらしい。

「ところで、十文字さんが担当している例の事件、どうなりました？」

サネイエが、そう尋ねる。すると、十文字はしずかが持っていた「勝つ丼タオル」を奪い取り、思い切り振り回してから肩にかけた。

「おう……チョコレートボール連続殴打事件のことだな」

「チョコレートボールとは、そりゃまた、ちっちゃいなぁ〜」

又来がそう言うと、十文字はキッと睨《にら》みつけた。

「ちっちゃいって言うな！」

又来は小さくファイティングポーズを取って、見つめ返す。そう言えば、又来が黒板に記録している十文字に思い切りどつかれた回数は、いつの間にか十一回に増えていた。

「確か、犯人は無差別に人を殴っていくんですよね？」

十文字と又来の睨み合いを気にせず、サネイエが訊く。十文字はうなずいた。

「そうよ……現場には必ずチョコレートボールがばらまかれている。それが謎なんだ」

十文字は妙にかっこつけながら、熊本のデスクにどっかりとふんぞり返って座った。

「それって、狙いはオマケなんじゃないですか？」

ふと思いついて、霧山がそう言うと、十文字はサングラスの奥で霧山を睨んだ。

「なんだと？」

「いや……犯人は、チョコレートボールについてるオマケがほしいんじゃないですか？」

しかし、十文字はまったく取り合わない。

「いや……俺は、現場に残されたチョコレートボールが、ダイイング・メッセージだと読んでいるんだよ」

「でも、死んでませんよね……？」と、サネイエ。すると、十文字は声を張り上げた。

「ちっちゃいことは、いいんだよ！　この事件の奥には深い闇があるんだ……」

そして、十文字は立ち上がった。

「霧山修一朗……いや、霧山。俺は上の奴らが作ったルールに縛られる男じゃねぇ。泥塗るような真似すんじゃねぇぞ。男と男の話だ。でっかくなれよ」

わけのわからないフレーズだけを並べて、十文字は歩きだした。

「オ……ッス」

霧山はそれだけ言って、下駄の音を響かせながら歩く十文字の背中を見送った。


それから、霧山は鑑識課を訪ねて、そこで熊本から借りたビデオを見ていた。それは、本郷高志と雪絵が結婚した当時の様子を伝えるワイドショーの映像だった。結婚会見なのか、ラフなスタイルのふたりが、記者に取り囲まれた中でそっとキスをしている。

「問題は……何を、どうやって……」

霧山は、ぽつりとつぶやいた。

「どうかしたか？」と、奥で顕微鏡を覗いていた諸沢が不意に声をかけてくる。霧山はキスしている本郷と雪絵の画面でビデオを止め、諸沢に訊いた。

「キスで人が死ぬことって、あるんですかね……？」

すると、諸沢は顕微鏡から目を離さずに答える。

「殺人ならな……かつて、口移しで毒の入ったカプセルを飲ませたケースがあったよ」

「いや……でも、毒自体が見つかってないんですよね」

霧山がそう言うと、諸沢は何か思い当たったのか、顕微鏡から目を離し、立ち上がった。

「あ……ちょっと見せたいものがある」

そして、机の引き出しから写真を取り出した諸沢は、霧山の目の前にそれを置いた。そこにはごく普通の中華料理店の店先が写っている。

「これ、どう思う？」と、諸沢が小さく笑みを浮かべた。よく見ると、その店の入口の暖《の》簾《れん》には、「中華料理・他人」と書かれている。

「突き放した名前ですね……」

霧山はそうつぶやいた。

「でも、主人は愛想いいし、味もイケてるんだよ」

「なんで、この名前になったか聞いたんですか？」

「う〜ん……どんな答えが返ってくるか、恐い気がしてな……」

諸沢はそれきり黙りこくった。


その日、仕事を終えた霧山は、再び本郷クリニックを訪ねた。遺留品を届けるという口実もないので、霧山は外来患者に交じって順番を待った。

「どうも、こんにちは」と、霧山が会釈をすると、雪絵は手元のカルテをひらひらさせる。

「雨山《あめやま》さん……ってなってるけど」

「えっ？　そうなんですか……ああ、面倒くさかったんじゃないですか」

すると、雪絵は急に真剣な顔に戻って、霧山を見つめる。

「で……今日はなんですか？」

「急にお聞きしたいことができまして、時間とらせませんので、よろしいですか？」

霧山が笑顔を向けると、雪絵はあっさりと言った。

「じゃあ、上脱いで下さい」

「え……？」

雪絵の態度に気圧《けお》され、霧山はシャツを脱いで上半身裸になった。聴診器を胸に当て、心音を聞いている雪絵に、霧山は尋ねた。

「雪絵さんは、昨日、事件のあった日は結婚記念日だったので、本郷さんのために料理を作って待ってた。けど、本郷さんが帰って来なかったので捨てた……そう、おっしゃってましたよね」

「それが……？」と、雪絵は霧山の喉《のど》や胸を触診しながら聞き返す。

「いや……当時の付き人だった及川さんに確認したところ、及川さんはその料理を食べさせられたって、そう言ってるんですよね……どういうことでしょう？」

すると雪絵は、すっと立ち上がり、後ろにあるベッドを指差した。霧山は指示されるままに、そこに横になる。

「霧山さん、正直に言って……ひょっとして、私のこと疑ってる？」

霧山を見下ろすようにして、雪絵がそう言った。霧山はおどおどと答える。

「えっ……？　僕が？　雪絵さんを？　なんで？」

「男の人って、嘘をつく時、きょろきょろするのね……」

「そうなんですか？」と、霧山はとぼけた。

「でも、私は事件があった時、その現場にいなかったのよ。その私が、どうやって本郷を殺したっていうの？　方法があるなら教えてほしいものだわ」

雪絵はわずかほどにも笑ったりせず、淡々とした口調でそう言った。


雪絵の病院をあとにして、それからしずかと合流した霧山は、本郷高志が死亡した時のキスの相手であった夏川リナに会うため、場末の繁華街を歩いていた。あの事件で、夏川リナは瞬間的にマスコミの寵児《ちょうじ》となったが、すぐに飽きられて芸能界の第一線から消えた。細々とタレント活動は続けていたらしく、霧山はようやく彼女の居場所を突き止めた。

「あ……ここじゃない？」

霧山はネオン街の一角にある寂れた建物を指差した。しずかが怪訝《けげん》そうな声で言う。

「え……？　こんなところで……？」

「ストリップ・ゴールドシアター」という古ぼけた看板の下に、妖《あや》しく微笑む女性のポスターが貼られている。水着姿のその横には、「夏川リナ・殺しのキッスショー」というタイトルが書かれていた。

場末のストリップ小屋にふさわしく、中はさらに煤《すす》けており、客もまばらだった。いかにもやる気のなさそうなダンサーがちょうど踊りを終え、入れ替わるように、黄色の派手なスーツを着た男性の司会者がステージの中央に現れる。

「さあ、いよいよ次は、夏川リナの殺しのキッスショー！　どうぞ！」

霧山としずかは、ステージから少し離れた端のほうに座って、舞台を見つめた。まばらな拍手に迎えられ、うるさいくらいのボリュームで流れるサンバのリズムとともに、サンバカーニバルのような衣裳《いしょう》をまとったダンサーが、客席に背中を向けて歩みでる。

「バンボーレ・アミーゴー！　夏川リナよ〜ん」

そう言ってダンサーは振り返った。霧山は思わず呆気《あっけ》にとられ、口をあんぐり開ける。十五年前の写真と見比べるまでもなく、ステージ上の彼女は、夏川リナとはまったくの別人に見えた。スタイルも顔つきもまるで違うし、度の強そうな眼鏡までかけている。とても、老けたから……というレベルではなかった。

「さあ、王様ゲーム！　死のキッスに挑戦するブレイブなハートの家来はどこ？」

隣を見ると、しずかも目が点になっている。霧山の視線に気づいた彼女は、引きつった表情で、首を左右に振った。

「ちょっとあんた、来なさいよ！　遠慮しなくていいから！」

夏川リナは、嫌がっているひとりの男性客を無理やりステージ上に引っぱり上げ、キスを迫る。霧山としずかは、その惨状に思わず目をつぶった。

ステージが終わったところで、霧山としずかは支配人に協力を求め、楽屋を訪ねた。他の踊り子たちもバタバタと出入りする中、悠然とタバコをふかしているさっきのダンサーに挨拶《あいさつ》をした霧山は、改めて訊《き》いた。

「あの……本当に、夏川リナさん……ですか？」

「そうよ……見違えちゃったでしょ？　あれから苦労してさぁ～、苦労すると女は変わっちゃうのよ……なんでも聞いてちょうだい」

ふてぶてしい態度ではあるが、リナは笑顔でそう言った。霧山は姿勢を正した。

「では、お聞きいたしますが……事件当日、本郷さんに何か変わった点はありました？」

「ああ……警察にも証言したんだけどさぁ、本郷さん、風邪ひいてたみたいだった……しきりに洟《はな》すすったり、咳《せ》き込んじゃったりして。感染《うつ》されたらヤダなって思ってた」

「あの日、キスしたのは、あなただけだったんですよね？」

「そぉよ……ねえ、私とキスしてみない」

しなだれかかる彼女の手を、しずかがぴしゃりと叩《たた》いた。リナは不敵に笑う。

「私、上手《うま》いのよ……私の不幸は、自分とキスができないことね」

そう言うと、リナは風船ガムを口の中に放り込んだ。もぐもぐと顎《あご》を動かしてガムを噛《か》んでいるリナを見ているうち、霧山は、いつの間にか彼女の顔が十五年前の写真のリナとオーバーラップして見えた。

やがて、リナは口を開け、舌を突き出してみせる。彼女の舌の上には紐《ひも》状になったガムが載っていて、見事に結び目ができていた。

翌日、その話を熊本たちに伝えると、又来がすぐにやってみようと言いだした。しずかがガムを買ってきて、みんなに配る。仕事もほったらかしで、全員で口をもぐもぐさせている光景は、傍《はた》から見ればかなり異様だったに違いない。

「難しいねえ、これ……ガムがくっついちゃうんだよ」と、熊本がつぶやく。

「得意なんだけどなぁ、キス」

又来がそう言って、顔をしかめる。霧山もさっきから挑戦しているのだが、まったくうまくいきそうもなかった。不意にしずかが霧山の顔を覗《のぞ》き込む。

「がんばって……！」

霧山はきょとんとして見つめ返した。その時、サネイエが何やら呻《うめ》きながら、机をトントン叩きだす。見ると、サネイエが突き出した舌の上に、紅白二種類のガムで作ったらしき、正月飾りのような結び目が載っていた。

「すごいねぇ～！」と、熊本が感心する。又来も叫んだ。

「めでたいねぇ！　何かいいことあるんじゃないの」

「え……？　そうですかねえ」

霧山がつぶやくと、又来がにやにやと笑う。

「あるんじゃないの〜」

するとそこに突然、神泉が現れた。何故だか、神泉は一匹の猫を抱きかかえている。

「ほらほら、可愛いでしょう。ボンネットの上に寝てたんですよ、これ」

神泉がそう言って、猫をみんなに見せた。ところが、しずかが突然、叫び声を上げる。

「うっわー！」

しずかはいきなり立ち上がると、部屋の隅のほうに逃げていった。あまりの勢いに、みんながびっくりしてしずかを見つめる。

「あれ……どうしたの？」と、霧山はしずかに尋ねた。

「どうしたんですか……？」

神泉も猫を抱えたまま、きょとんと見つめ返す。しずかがまた血相を変えた。

「来ないで！　来ないで来ないで！」

しかし、神泉は首をひねりながら、しずかに近づいていく。

「駄目なんです！　私、猫アレルギーで！」

そう言った途端に、しずかは大きなくしゃみをした。

「ハクション！」

神泉が抱えた猫を押しのけるようにしながら、しずかはくしゃみを繰り返した。その様子を見ていた霧山は、ふと思い当たった。昨夜の夏川リナの言葉が脳裏に蘇《よみがえ》る。

「本郷さん、風邪ひいてたみたいだった……しきりに洟すすったり、咳き込んじゃったりして……」

「あっ、これだ〜！」と、霧山は思わず叫んだ。

「どうしたの？」

熊本に訊かれ、霧山はしずかを指差した。

「これですよ、アレルギー！　ある人には害を与えても、ある人には影響がない」

霧山は、神泉を振り切って逃げてきたしずかの体を捕まえた。

「ちょっと……君はやっぱり凄《すご》いよ！」

霧山はしずかの体を揺さぶりながら、興奮して言った。じっと霧山を見つめていたしずかの顔が歪《ゆが》み、また大きなくしゃみをする。霧山は猫アレルギーではないが、なんだか鼻の奥がむずむずしていた。

アレルギーの件について諸沢の意見も聞こうと、霧山は鑑識課を訪ねた。諸沢は感心したようにうなずく。

「霧山、よく気づいたな……俺も今、気づいたところだ。だけど、惜しかったな……正式名称、アナフィラキシー・ショック！」

「え……？　篠山紀信《しのやまきしん》チョップ？」

霧山が思わず聞き返すと、諸沢は呆《あき》れ顔で一音ずつ区切って繰り返す。

「ア、ナ、フィ、ラ、キ、シー・ショック！」

「なんですか、それ？」

「簡単に言えば、重症のアレルギー反応だ。たとえば、食物アレルギー。食べ物のアレルギーだからって軽く考えてると大変なことになるぞ。ひどい時には死に至ることがある」

霧山はその言葉を聞き、じっと考え込んだ。また鼻の奥がむずむずしてくる。

「十五年前には、まだあまり知られてなかったアレルギーなら、検死の時に調べていない可能性もあるなあ……」

諸沢はそうつぶやいた。霧山は堪《こら》えきれなくなって、大きなくしゃみをした。

「ハクション！」

「おい！　お前も何かのアレルギーじゃないだろうな？」

「いやいや、僕は単純に、風邪みたいです」と、霧山は手を横に振った。

「紛らわしいから、気をつけろよ、お前」

渋い表情でそう言う諸沢を、霧山は苦笑して見つめ返した。

昼休みになり、霧山は署を抜け出して、本郷クリニックに立ち寄った。

「次の方、どうぞ」

診察室から雪絵の声がする。霧山は奥へと進んだ。霧山を見上げた雪絵は、うんざりしたような顔でつぶやく。

「また、あなた……？」

「ええ……実は僕、風邪をひいたみたいで……」

そう言うと、雪絵はてきぱきと診察の準備を始めた。霧山はまた上半身裸になる。

「あの……突然ですけど、本郷さんには何か食物アレルギーがありました？」

診察の合間に霧山がそう訊《き》くと、雪絵は淡々と答える。

「さあ……どうだったかしら」

「たまご……そば……猫……アレルギーもいろいろありますよね」

「ええ……でも、私が知る限りは、特にはなかったわ」

「ああ、そうですか……わかりました」

喉《のど》のところを触診していた雪絵が手を離し、カルテにペンを走らせた。

「他には何か……？」

「いえ、以上です」と、霧山が答えると、雪絵はじっと見つめた。

「そう……じゃあ、口を開けて下さい」

「え……？」

霧山が呆然《ぼうぜん》と見つめ返すと、雪絵はきっぱりと言った。

「診察です」

「ああ……」

霧山は口を開け、雪絵がライトで照らして中を覗き込む。

「あぁ～……」と、雪絵が小さくつぶやきながら、うなずいた。

「え……？　なんですか？」

霧山が顔をしかめて尋ねると、雪絵はあっさりと言う。

「風邪ね」

「だから、最初から風邪だって言ってるのに……」

霧山は口をとがらせたが、雪絵はまったく取り合わない。

「注射しときましょう」

「注射……？」

てきぱきと注射の準備をする雪絵が、注射器の針を見つめながら言う。

「アレルギーとかは？　ないわね？」

「はい」と、霧山はうなずく。

「気づかないのもあるから……」

そう言って、雪絵は注射器を霧山の腕に近付けていった。迫ってくる注射針を見ないようにして、霧山は体を強張《こわば》らせた。

「力抜いて下さいね……」

そう言われて力を緩めた瞬間、左腕にチクッと痛みが走った。顔を歪めて振り返ると、雪絵がじっと霧山のほうを見ていた。

注射が効いたのか、署に戻ってからは少し調子が回復してきた。霧山は熊本から借りたスクラップブックを広げ、スクープ記事を隅々まで読み漁《あさ》るうち、なんとなく違和感を覚えて、ぼんやりと考えをめぐらせていた。すると、不意に又来が怒鳴る。

「霧山！　仕事せい、仕事を！」

しかし、霧山はあくまでマイペースでつぶやいた。

「うん……どうも、引っかかるんですよねぇ〜」

「えっ？　なになに、なんなの？」と、熊本が興味津々という顔で訊く。

「なんか、女性のタイプがバラバラで……」

霧山は、近づいてきた熊本に、スクープ写真のいくつかを指差して見せた。記事ごとに相手の女性が違うのはともかく、その女性たちの外見にあまりにも共通性が感じられないのだ。熊本が首をひねる。

「そうかなあ？　私にはそう見えないけど……あ、そう言えばさあ、このスクープ写真、いつも同じ週刊誌だったよねぇ」

熊本に呼びかけられ又来もすぐに同意した。

「ええ、そうでしたね……毎週、楽しみにしてたもんなあ」

「そうなんですか」と、霧山はふたりの顔を見上げた。

その夜、霧山は熊本に教えられた写真週刊誌の編集部を訪ね、当時から関わっていたというカメラマンの亀田《かめだ》を紹介された。本郷高志の名前を口にすると、亀田はすぐに苦笑いを浮かべる。

「本郷のスクープねえ……」

「はい、その件で」と、霧山が迫ると、亀田はやおら立ち上がった。

「まあ……もう時効だから、バラしてもいいかなぁ……」

「なんですか？」

「ウチの週刊誌ばかりに、あんな大スターのスクープが載るなんて、変な話でしょ？」

「まあ、変ですよね……」

「実はさ……」と、亀田は霧山の耳元に口を寄せた。霧山は耳をすませたが、亀田は何故か大声で言う。

「タレコミ！……があったんだよ」

霧山は耳を押さえて、亀田を睨《にら》みつけた。しかし、亀田はお構いなしに話を続ける。

「いつも謎の男から電話が掛かってきて、そいつの指定した時間と場所に行くと、必ずスクープが撮れたんだよ」

「その男に心当たりは？」と尋ねると、亀田はぼんやりと宙を見つめた。

「ないねえ……でも、妙な奴だったなあ。タレコミしてくる奴っていうのは、なんていうか、六月の洗濯物みたいな、こう、ジメっとした奴が多いんだけど、そいつはさ、妙にすっきりしてて、五月の朝みたいに爽《さわ》やかなタレコミだったんだよ……ま、それくらいしか覚えていないよ。悪いね」

「いいえ……積み重ねが大切ですから」

すると、亀田は不意にぱっと顔を輝かせた。

「そうだ……あとね、妙な噂があったんだよ」

「なんですか？」

「スクープされた相手の女性の家に、あとから、辛ピーが届くんだよ」

「辛ピー？」

「ピーナッツに、小さな辛いおせんべいが混じったやつ」

「ああ……」と、霧山はうなずいたが、妙にそれが心に引っ掛かった。

亀田と別れて、そのままアパートに帰った霧山は、途中のコンビニで買った辛ピーからピーナッツとせんべいをすべて選《よ》り分けて、交互に食べていた。

「ピーナッツアレルギー……」

霧山はふと浮かんだ疑問を確かめるべく、以前買ったまま放りっぱなしにしていた医学書を久しぶりに開いた。さまざまな食物アレルギーの中に、目指すその項目もあった。

ピーナッツアレルギーは、最近になって深刻視されてきた比較的新しい食物アレルギーだ。アメリカでは年間に約百人もが、ピーナッツアレルギーが原因で死亡している。すでに深刻な社会問題になっていて、ある州では、学校にピーナッツ製品を持ち込むことを禁止する規制までできたほどだという。

「うーん……でも、どうやって」と、霧山は思わず独りごちた。

翌日、署の食堂でもじっと考え込んでいた霧山は、向かいに座ったしずかに、まじまじと顔を覗《のぞ》き込まれた。

「もっと、簡単な事件かと思ってたのにねぇ……」

「簡単なら時効にならないよ」と、霧山は素っ気なく返事した。すると、しずかはおもむろに小さな女性警察官のフィギュアを取り出し、それを霧山に向かって突きつける。

「意外なところで、つまずきましたね、霧山くん」

腹話術のつもりなのか、しずかは甲高い声で喋《しゃべ》りながら、フィギュアを動かした。

「なんですか、これ?」

「十文字さんが調査してる、チョコレートボール事件のおまけ……可愛いからひとつもらったの。警察フィギュアなんだけど、署内でも、みんな夢中になっちゃって……」

すると、食堂にいる署員たちが遠巻きに、しずかの手元を見つめているのが、霧山にもわかった。しずかが得意気に辺りを指差す。

「警察関係のが全部あるのよ。警視総監からミニパトまで」

「ふ〜ん……」

そして霧山は、しばらく考え込んだ。しずかがテーブルの上に置いた女性警察官のフィギュアを見つめるうち、いくつかの仮説が頭をよぎる。霧山はおもむろに口を開いた。

「おまけに気を取られ過ぎていたのかもしれない……」

「なんのこと?」と、しずかが首をひねる。

「この事件の名前は何?」

「殺しのキス事件……」

「キスはこの事件の、おまけなんだ……」

「全然、わかりません」と、しずかはまた、フィギュアの声色で言う。

「本郷は、王様ゲームのキスで殺されたんじゃないんだよ」

「じゃ……誰が?」

「怪しいのは、ふたり……」

「二月の月みたいに冷たい感じの女医、雪絵か、五月の朝みたいに爽やかな及川ですか?」

「え……?」と、霧山は見つめ返した。

「なんとなく……」

しずかは照れくさそうに笑った。

翌日は日曜日だった。霧山はしずかを連れて、本郷雪絵の自宅を訪ねた。突然の来訪者が霧山たちだとわかった雪絵は、露骨に不機嫌な顔になった。

「あの……自宅にまで来られるのは迷惑なんですけど……」

霧山はめげずに頭を下げる。

「いや……本当にご迷惑をおかけしてるなと思いまして、今日はおわびの印にですね、こんなものでもと思いまして……どうぞ」

しずかが差し出した包みを受け取り、霧山は雪絵に向かってそれを見せた。東京名物・辛ピーのお土産品である。雪絵はそれを一瞥《いちべつ》して、困ったように霧山を見つめる。

「……わざわざすいません」

それだけ言って、雪絵は辛ピーを受け取った。

「いえ、つまらないものですけど……あの、ちょっとお話を」

「どうぞ」と、雪絵はふたりを招き入れた。

「どうも、すみません」

霧山としずかが案内されて奥に向かうと、三匹の小型犬が一斉に駆け寄ってきた。

「わ〜、可愛い」

しずかが足元にじゃれつく犬たちを見て、相好《そうごう》を崩す。霧山は思わず訊《き》いた。

「あれ？　猫アレルギーじゃないの？」

「そうですよ……これは猫じゃなくて、犬。ねぇ〜」

しずかはしゃがみ込み、一匹の犬を抱きかかえるようにした。口の辺りを舐《な》められ、しずかは顔をくしゃくしゃにして喜んでいる。するとその時、振り返った雪絵が突然、鬼のような形相で叫んだ。

「トンチンカン！」

びっくりして、しずかが固まった。

「トンチンカン……って、私のこと……？」

しずかがつぶやくと、雪絵はまたいつもの冷静な表情に戻る。

「犬の名前ですよ。トン吉、チン平、カン太……さあ、みんなあっちに行ってなさい」

三匹の犬たちは言われた通りに、奥の部屋に行ってしまった。

「で……今日は何を？」と、雪絵がソファに座り、ふたりを見やる。霧山としずかは彼女の向かいに腰を下ろした。

「本郷さんとは、どうして結婚したのかなと思いまして……」

霧山はそう切り出した。雪絵は素っ気なく答える。

「普通に恋愛して、ですよ」

「本郷さんのどういうところが気に入ったんですか？」

「そうね……強いていえば、男らしくて爽《さわ》やかなところ」

そこで、しずかが口を挟んだ。

「五月の朝、みたいな？」

すると、雪絵がしずかを睨《にら》んで、きっぱりと言い切る。

「私、そういうベタな表現好きじゃないの」

「ああ、クールなんですね……」と、しずかは口ごもった。雪絵は続ける。

「ひらひらフリルのついたドレス、熊のぬいぐるみ、あと、なんでも『可愛い』っていう女……そういうのが昔から大嫌いだった。だから、女の子らしくないって言われてたけど」

「でも、十五年前の雪絵さんは、ひらひらフリルのついたドレスとか、熊のぬいぐるみとか、似合ったでしょうに……」

霧山がそう言うと、雪絵は表情も変えずにつぶやく。

「そうね……だから、いつも寄ってくる男はロリコンタイプばかりで、うんざりしてたわ」

「見た目と中身は違うってことですね……」

「そう……見た目に惑わされちゃ駄目」と、雪絵は妙にきっぱりと言い切った。

「それは……？」

「女らしい子が女らしいとは限らない……」

「なるほど」

霧山はうなずいた。隣でしずかが、バッグから何故かおにぎりを取り出し、パクつきはじめた。雪絵はさらに続ける。

「だけど、本郷は、本当の私をわかってくれてた」

「じゃあ、亡くなった時、ショックだったでしょうね？」

「でも、すぐに忘れたわ。いつまでもじくじく引きずるの、私、嫌いだから」

「とことんクールだ」と、霧山は感心した。雪絵がちらっとしずかを見やる。

「あの……お腹が空いてるなら、帰ってもらえませんか」

しずかがおにぎりをかじる手を止めて、じっと雪絵を見つめ返した。霧山もそんなしずかを見つめていた。


雪絵の自宅を出たしずかと霧山は、近くの小さな漁港が見える道を、とぼとぼと歩いた。少し陽が傾き、辺りはオレンジ色に染まっている。

「ああ、なんだか、むかつく人よねぇ〜……トンチンカンって、私のこと言われてるみたいで……ったく！」

しずかはずっとぶつぶつ言いながら歩いた。霧山は何かを考えているような様子で、後ろをついてくる。しずかはおもむろに振り返った。

「もう、霧山くん、なんで黙ってるの？」

すると、霧山はいきなりしずかの肩を抱き寄せ、じっとしずかの顔を見つめた。

「え……？　何、いきなり……？」

しずかはどぎまぎしながら霧山を見つめ返したが、彼の顔はどんどん近づいてくる。しずかは身を固くして、思わず目を閉じた。

ところが、口元に変な感触を感じて、しずかはおそるおそる目を開けた。霧山はキスをするのではなく、何故か鼻をしずかの口元に近づけて、くんくん匂いを嗅《か》いでいた。

「何してるんですか……？」と、しずかは顔を引きつらせたまま訊いた。

「匂うな」

霧山はぽつりとつぶやく。しずかは慌てて口元を手で押さえた。

「え……？」

「犬のオシッコの匂いがするよ」

「ヤダ、そんな……」

「そう言えば、三日月くん、さっき、犬と戯れていたよね」

「そうだけど、私、別に犬のお尻《しり》舐めたわけじゃないわよ」

しずかは口をとがらせた。霧山はもう一度、しずかの口元の匂いを嗅ぐ。

「わかったぞ！」

そして、霧山はポケットからチョークを取り出し、地面に何やら絵を描きはじめた。

「いい？　三日月くんは、さっき犬のトン、チン、カンのうち、どれかから口元を舐められた……仮に、トン吉に舐められたとしよう」

霧山は三匹の犬の絵とお面の横顔のようなものを地面に描き記した。犬の上にはそれぞれ「トン吉」「チン平」「カン太」の文字。最後に霧山は横顔の上に「三日月」と書いた。

「えぇ～、これが私……？」

しずかは抗議したが、霧山はまったく相手にしてくれない。

「トン吉は、僕たちがやって来る前に、チン平のお尻を舐めていたんじゃないかな……？

犬っていうのは、お互いのお尻の匂いを嗅ぐことで、個体確認をする動物だからね」

そして霧山は、トン吉がチン平のお尻としずかを交互に舐《な》めているような感じで、舌の絵を描き加えた。しずかは次第に嫌な気分に襲われる。

「つまり、チン平のオシッコが、トン吉の口を経由して、三日月くんの口についた……だから、匂う！」

「もう、いいから……」と、しずかはうんざりした口調で言った。すると、霧山は再びしずかの肩をぐっと抱き寄せる。

「やっぱり、テーマはキスだったんだよ」

「キス？」

霧山が何度も大きくうなずいた。そのまま彼の顔が近づいてくるので、しずかはまた目を閉じる。ところが、今度もキスの感触は訪れなかった。しずかが目を開けると、また鼻を口元に近づけていた霧山は、急に立ち上がると走り出した。

「あれ？　ちょっと……どこ行くの!?」

しずかが声をかけると、霧山は振り返った。

「五月の朝と、二月の月がぶつかるところ！」

そう言って、霧山はさっさと駆けていく。残されたしずかは、自分でも口元の匂いを嗅いでみて、それから霧山が描いたさっきの絵を見下ろした。

「カン太の役割はないのかよ……なあ」

意味なく地面に描かれているだけのカン太に、しずかは呼びかけてみた。

翌日になり、もう一度、捜査資料を隅々まで読み直していた霧山は、熊本の大きなくしゃみで、ふと顔を上げた。

「あれ？　課長、風邪ですか？」と、又来が遠巻きに熊本を見つめて言う。霧山は彼らのやり取りを、ぼんやりと聞いていた。

「十文字さん、鼻水出してたし、霧山さんも咳《せき》してましたからね……感染《うつ》ったんじゃないんですか？」

サネイエが眉《まゆ》をひそめる。熊本は洟《はな》をすすりながら、何故か嬉《うれ》しそうにつぶやいた。

「こりゃ、今晩は缶詰を開けないとな」

「え……？　風邪ひくと、缶詰開けるんですか？」

又来が訊《き》くと、熊本はしみじみと言う。

「子供の頃、私が風邪をひくと、お母さんがね、缶詰を開けてくれてね……そういうの、あるでしょ？」

「ああ……ありますね」と、又来は口ごもる。

「うちの田舎では、風邪ひくと、裸にされて海岸に出されました」

サネイエがそう言うと、熊本は引きつった笑みを浮かべた。

「そんなことしたら、死ぬだろう」

「私の田舎では、トイレの前にホウキを立て掛けておきました」

又来がそう説明する。

「それで治るの？　風邪……」と、熊本。

「全然、治りませんでした」

又来は苦笑いを浮かべる。すると、そこにしずかがやって来た。

「おう、三日月」

又来が声をかける。心なしか、しずかは元気がない。サネイエがそこで思い出したように訊いた。

「そう言えば、霧山さん、何かつかめました？　その後……」

霧山は小さくうなずく。

「ああ……三日月くんの協力のおかげで、かなりいい線までいったんですけど、あともう一歩ですね」

「そうか……ところで、霧山くん、風邪の具合はどうなの？」

熊本に訊かれて、霧山はふと思い出した。

「あっ……事件に気をとられて、すっかり忘れてましたけど、言われると思い出してきましたね」

「風邪の時はゆっくり休んだほうがいいよ。缶詰でも食って」

霧山はおでこに手をやった。

「あれ、だんだん熱っぽくなってきましたね……早退してもいいですか？」

「風邪じゃあ、しょうがない……いいよ、帰って」

「すみません……ありがとうございます」

そして、霧山は広げていた資料を整理し、帰り支度を始めた。そんな様子を見下ろして、熊本がつぶやく。

「今晩は缶詰だなあ」

「いや、トイレにホウキを立てないと」と、又来。

「なんの話なんですか？」

しずかが訊くと、サネイエが意味ありげに笑った。

「風邪の時はさあ、誰かにそばにいてほしい……って、そういう話ですよ」

荷物をまとめた霧山は、おもむろに立ち上がった。

「じゃあ、失礼します」

すると、しずかが慌てて熊本に言う。

「あ……！　私も早退してもいいですか？」

熊本は苦笑した。

「君はうちの部署の人間じゃないんだから、私にお伺いなんかたてる必要もないのでは」

みんなのやり取りには構わず、霧山はさっさと時効管理課をあとにした。

アパートに帰った霧山は、とりあえず買い置きの缶詰はなかったので、ホウキをトイレの前に立て掛けておいた。もちろん、さすがに裸で海岸に出る気は毛頭ない。再び風邪は悪化したらしく、霧山は次第に襲ってくる寒気と戦いながら、ジャージに着替えた。熱でボーッとする頭を氷のうで冷やして、霧山は及川に電話をした。

「あの……及川さん、本郷さんのことで、ちょっとお聞きしたいことがありまして」

電話の向こうの及川は、相変わらず熱い口調で喋《しゃべ》る。

「はい……なんでも聞いて下さい！」

「亡くなる直前に夏川リナとキスしてますけど、その前に、他の人とキスをしてたってことは、ありませんかね？」

「え……？　あの、それはどういう意味で……」と、及川は聞き返す。答えようとした霧山は、そこで急に咳《せ》き込んでしまった。

「もしもし……？　霧山さん？」

受話器の向こうから、及川の心配そうな声が聞こえてくる。

「すみません……ちょっと、風邪ひいちゃったみたいで……」

「風邪ですか……じゃあ、今からそっちに行きますよ。詳しい話もしたいんで」

「いやいや……いいんですか、こんな夜に」と、霧山は恐縮した。

「風邪の時はすぐに駆けつけろ……って、うちの田舎では言いましてね」

「そうですか……すみません。じゃあ、お待ちしてます……」

霧山がそう言うと、及川はすぐに電話を切った。霧山はベッドの上に座り、壁にもたれたまま、しばらく動けずにいた。


それからすぐに、及川は霧山のアパートまでやって来た。手際よく何かを作りはじめた及川の様子をぼんやり眺めながら、霧山はかすかに漂ってくる匂いに思わず目を細めた。

「さあ、霧山さん、できましたよ」と、及川が声をかける。霧山は毛布にくるまったまま起き上がり、テーブルに近づいた。

「ああ、すみません」

霧山はそう言って、及川の正面の椅子に腰かけた。及川がカセットコンロの上の土鍋《どなべ》のふたを開けると、中に入っていたのは卵酒だった。

「いや……本当にすみません。こんなことまで」

及川は卵酒をおたまですくいながら、コップに注いでいく。

「気にしないで下さい。俺ってね、見た目によらず家庭的なんですよ……さあ、ぐっと飲んで」

そう言って、及川はコップを差し出した。

「ありがとうございます」

霧山はじっと見つめる及川に会釈をして、卵酒を口に運んだ。ほろ苦く、そして甘い香りが口の中に広がる。ひと口、喉《のど》の奥に流し込んで、霧山は大きく息を吐いた。

「ああ……うまいなあ。これ、今まで飲んだ卵酒の中で、一番うまいですね」

そう言うと、及川は急に照れ笑いを浮かべる。

「やめて下さいよ、霧山さん……そんなこと言われたら、俺、本気にしちゃいますよ」

「いやいや、本当ですよ」

そして、霧山はもうひと口飲んでから、及川に訊《き》いた。

「ところで、及川さん……本郷さんが、ピーナッツアレルギーだったというのはご存じでしたか？」

すると、及川はかぶりを振る。

「いえ、全然……あ、でも、そう言えば、ファンからの差し入れの辛ピー、全部捨ててましたね」

「勿体《もったい》ないですね……及川さんがそれを食べるってこともなかったんですか？」

「本郷さんが嫌いなものは、俺も嫌いです。絶対、食べません！」

及川はきっぱりとそう言い切った。霧山は少し考えて、別の話を切り出した。

「じゃあ、本郷さんが亡くなった夜、雪絵さんのところで食べたメニューって、覚えてますか？」

「そうですね……ずいぶん、手の込んだ料理が並んでましたけど……あ、そうだ。なんかね、油っぽかったような気がするんですよね」

そこで霧山は立ち上がり、机の上に置いてあったピーナッツオイルを小指に少し塗ると、及川の前に戻った。

「あの……こんな匂いがしませんでしたか？」

霧山は及川に向かって、小指を差し出した。及川が鼻を近づけてくんくんと嗅《か》ぐ。

「……よくわかりませんね」と、及川は首を傾げた。

「そうですか……じゃあ、ちょっと舐《な》めてみて下さい」

「そんなことして、いいんですか……？」

「ええ。そのほうが、思い出すかもしれないし」

すると、及川は小さくうなずき、霧山の小指の先をぺろっと舌で舐めた。しばらく口の中で味わっていた及川は、やがて思い出したように言った。

「そう言えば……雪絵さんの料理に似ているような……」

「よ〜く、思い出して下さ……」

そこで霧山は、再び激しく咳き込んだ。及川が心配そうに霧山の顔を覗《のぞ》き込む。

「霧山さん、大丈夫ですか？」

霧山は懸命にうなずいたが、咳は止まらなかった。

「霧山さん、もっと体を温めないと駄目ですよ」

「そうですね……」と、霧山は毛布を被《かぶ》り直した。すると、及川は焦《じ》れたように姿勢を正し、すっと霧山の横に移動した。

「失礼しますよ」

そう言うと、及川はいきなり霧山の体を後ろから抱きすくめるようにして温めはじめた。霧山はびっくりして身を固くしたが、咳が出てそれ以上、抗《あらが》えなかった。

「大丈夫……体、温めるだけだから」

及川は霧山の体に回した手に、ぎゅっと力を込めた。霧山はさらに咳き込む。

「わかってる……何も言わなくていいから！」

するとその時、玄関の扉が急に開けられた。霧山も及川も、はっとそちらを見る。

「きーりたん、来てあげたよ〜」という声がして、中に入ってきたのはしずかだった。霧山は及川に背後から抱きすくめられた恰好《かっこう》のまま、しずかを見つめた。

「おでん作ってきたから――」

しずかはそう言って、手にした包みを掲げたが、目が合った瞬間、その場で凍りついた。

「え……？　嘘……」

「え……？　あ、いやいや」

霧山はかぶりを振った。しずかが今にも泣きだしそうに、顔をくしゃくしゃにする。

「ごめん……」と、しずかは踵《きびす》を返すと、すぐに出ていってしまった。バタンと扉が閉まる音がしても、霧山は及川に抱きすくめられたまま、少しも動けなかった。

その翌日、どうにか前夜のしずかの誤解を解いた霧山は、最終的な結論にたどり着いて、しずかとともに本郷クリニックを訪ねた。診療時間も終わり、スタッフが全員帰ってから、霧山は雪絵だけでなく及川にも来てもらって、事件の全容を説明することにしたのだ。

鋭い眼光で霧山を見据える雪絵と、まだ事態を把握していない及川の前で、霧山はおもむろに切り出した。

「では、これから、捜査の結果をお話しします……初めにひとつお断りしておきますと、これはあくまで、僕が趣味で捜査した結果です。事件はすでに時効ですから、たとえ犯人が誰であっても、僕が何かするということはありません」

霧山がそう言うと、及川は何か気を引き締め直したようだった。

「犯人は、この中にいます……」と、霧山は勿体ぶって言った。

及川がきょとんと霧山の顔を見つめる。雪絵はじろっと目を動かしただけだった。

「あ……僕と三日月くんは、別ですよ」

すると、しずかが呆《あき》れたように言う。

「当たり前でしょ」

及川が、はっとしたように雪絵を見つめた。

「雪絵さん、犯人なんですか……？」

しかし、雪絵は鼻で笑った。

「そんなバカな……」

霧山はふたりに向かって付け加えた。

「この時効事件の捜査の正否には、犯人の方の善意の自白が必要なんです」

「善意……？」と、雪絵が訝《いぶか》しがる。

「ええ、どうですか？　自白していただけますか？」

霧山は雪絵と及川を代わる代わる見つめた。ふたりは黙りこくったままだ。

「いただけないようですね……では、僕の推理を進めさせていただきます」

そう言って霧山は眼鏡を外し、しずかに手渡した。しずかは黙ってそれを自分でかける。

「雪絵さん、あなたは事件のあった夜、手料理をここにいる及川さんに無理やり食べさせた……その料理には、たっぷりとピーナッツオイルが使われていましたね」

「ピーナッツ……オイル……？」と、及川がたどたどしく繰り返す。

「本郷さんは、ピーナッツアレルギーでした……あなたはそれを利用して、本郷さんを間接的に殺したんです……犯人はあなたですね？　雪絵さん」

霧山は雪絵の瞳《ひとみ》をじっと見つめた。及川が首をひねって、霧山と雪絵の顔を見比べる。

「あなたがどうやって、ピーナッツオイルを本郷さんの口まで運んだのか……それが最後までわかりませんでした。でも、そのからくりも解けました」

そう言って、霧山は及川の唇をじっと見つめた。

「殺しのキス事件……結局、その呼び名は正しかったんですね……どうですか、自白していただけませんか、雪絵さん……？」

まだきょとんとしている及川を尻目《しりめ》に、雪絵はぽつりと口を開いた。

「……十五年前、私は世間知らずのお嬢ちゃんだったのよ」

雪絵は視線を逸《そ》らして、椅子に腰かけた。

「私の両親は医者で、裕福だったけど、忙しくて一緒にいてくれる時間はわずかだった。そんな両親は私に愛情を示すために、私をまるで人形みたいに着飾らせて、可愛がったの。だけど、私はどんなに着飾っても、いつもひとりぼっちで寂しかった。だから、私は『可愛い服』なんて大嫌いだった……それが高じて、私は『可愛いもののアレルギー』になったの」

「可愛いもののアレルギー？」と、しずかが聞き返す。

「可愛いものを見ると、体中がかゆくなるの……本郷とは、研修で行ってた病院で知り合ったんだけど、彼もピーナッツアレルギーっていう、当時は珍しい病気に悩んでいて、もともと女性との噂が激しいのはわかってたけど、お互いに他人からは理解されない問題を抱えていたから、うまくやっていけると思ったの……でも、浮気は直らず、スクープされる度に懲らしめてやれと思って、相手の女性に辛ピーを送ったわ。辛ピーを食べた女とキスをすれば、アレルギーが出て苦しむんじゃないかと思ったの」

「でも、症状は出なかった……」

霧山は雪絵の横に腰を下ろし、そう訊いた。雪絵は小さくうなずく。

「それで、おかしいと思ったのよ。本郷の抱えている問題は、別にもあるんじゃないかって……」

そして、雪絵は及川を見上げた。及川はとまどった表情をしながらも、まだ事態がまったく飲み込めていないようだった。雪絵はさらに続ける。

「そんな時、私は見てしまったの……本郷が自分で声色を使って出版社に電話して、密会現場の情報を流していたのを……」

「本郷さんは、自分で浮気現場をスクープさせていたんですね」

「それだけじゃない……本郷は毎日迎えに来る及川と、恋人同士のように手を繋《つな》ぎながら歩いていたの。私はそれも見てしまった……最初は、まさかふたりがって、信じられなかった」

すると、及川の体が小刻みに震えだした。霧山も確信していたことではあったが、本郷と及川の道ならぬ関係には、確かな証拠があったわけではない。だが、雪絵はヒントを与えてくれていたのだ。

「女らしい子が女らしいとは限らない……」と、雪絵は霧山が自宅を訪ねた時に言った。それは裏を返せば、いかにも男らしい男が必ずしも本当に男らしいとは限らない……という雪絵のメッセージだったのだろう。

「誰と浮気していようが、結婚記念日だけは私のところに戻ってきてくれる……そう信じて待っていたのに、のこのこと現れたのは、恋人かもしれない及川で……私は思わずカッとなって、料理にピーナッツオイルを入れてしまったの。まさか、本当にあんなことになるなんて……」

そこまで黙って聞いていた及川が、急に取り乱しはじめた。

「え……？　あ、あの、ちょっと待ってくれよ……いったい、どういうことなんだよ」

霧山は及川のほうに向き直った。

「本郷さんは、ピーナッツアレルギーだったんです」

「いや、だから、それはわかったよ……そ、それで？」と、及川は落ち着かない。

「あなたはそれを知らずに、雪絵さんが作ったピーナッツオイルたっぷりの料理を食べてしまった……そして、油ぎった唇のまま、本郷さんのもとへ戻り、その後、送っていったホテルの廊下で……」

霧山がそこまで言うと、及川は少し考える素振りをした。そして、すぐにはっと思い当たったのか、唇を押さえる。

「ここから先は、言わなくてもわかりますよね……？」

霧山は及川の顔を覗《のぞ》き込んだ。男同士でも「殺しのキス」は成立するのだ……。さすがに今回ばかりは、霧山も十五年前の出来事を想像するのはやめておいた。しかし、及川は想像するまでもなく、まざまざとその時のことを思い出したのだろう。見る見る青ざめ、突然、霧山に食ってかかった。

「え……？　じゃあ、俺が……俺のこの唇が本郷さんを……アニキを殺したって言うんですか！」

「いやいや……あなたは、単にピーナッツオイルを運んだだけです。ほら、春になると、野を飛ぶミツバチが蜜《みつ》を求めて、花と花の間を行き交いますよね……その時、ミツバチは知らないうちに、めしべとおしべを結び付けて受粉させているんです。それはすべて、自然の摂理です」

霧山は懸命にそう説明したが、及川はわなわなと震えはじめた。

「アニキ……アニキー！」

霧山の肩をぐっとつかんで、及川が絶叫する。

もがく霧山を助けるように、しずかが間に割って入り、本郷のメモリアルタオルを及川に手渡した。タオルを目にした及川は、がっくりとその場に膝《ひざ》から頽《くずお》れ、タオルに顔をうずめて泣きだした。

「ア、アニキー！　アニキー！……」

霧山としずかは、及川の背中をじっと見つめた。雪絵が大きくため息をつく。

「本郷が愛した人が、男だろうが女だろうが、そんなことはどうでもよかった。私が愛されていないってことがつらかった。結婚記念日にまで裏切られたことが……私が、本郷を殺しました……」

雪絵はうっすらと目に涙を浮かべていた。その言葉を聞き、霧山は軽く頭を下げる。

「ありがとうございます……」

そして、霧山はしずかに手を差し伸べた。かけていた霧山の眼鏡を外し、しずかが手渡す。霧山は眼鏡をかけ直すと、さらに告げた。

「これで、すっきりしました……では、あれを」

しずかはバッグからカードを取り出すと、そっと霧山に手渡した。

「なんですか、それ？」

雪絵が尋ねる。霧山は、カードを表に向け、雪絵に向かって掲げた。

本郷雪絵様
この件は誰にも言いません。
霧山修一朗

「『誰にも言いませんよカード』です。僕のテーマは真相を知ることにあるので、わかった時点で一件落着です……今日伺ったことは、誰にも言いません」

そして霧山は、しずかが差し出した判子も受け取って、カードの隅に認め印を押した。

カードを手渡すと、怪訝《けげん》な顔をしていた雪絵は黙って受け取った。

「でも、ひとつわからないことがあるんですよねぇ……」

霧山がそうつぶやくと、雪絵が逆に聞き返す。

「なんですか……？」

「本郷さんの最後の一言なんですけど……」

霧山がそう言うと、しずかもつぶやく。

「確か、『オッス』と……」

「優秀な霧山さんでもわからないんですか？」と、雪絵が珍しく笑みを浮かべた。

「ええ……さっぱり」

霧山がうなずくと、雪絵はちらっと後ろを振り返る。

「目の前に証拠があるじゃない……」

霧山としずかも、雪絵の視線を追って振り返った。まだうずくまっている及川が、タオルを握りしめて泣きじゃくっている。

「アニキー！」

霧山は雪絵を見つめた。

「え……？　まさか？」

「本郷が最後に言った言葉は、『オッス』ではなくて、『及川、好きだったよ』……」

雪絵はまたクールな表情に戻って、そう言った。霧山は小さくつぶやいてみる。

「及川、好きだったよ……オイカワ、スキ……オイッカ、ス……オッ、ス……？」

「無理がないか？」と、しずかが言った。霧山は再び雪絵を見つめる。

「最後まで、あいつは私を裏切ってた……」

雪絵が最後にそうつぶやき、霧山はしずかと顔を見合わせた。

「アニキー！」

及川の絶叫だけが、いつまでも辺りに響いていた。

いつもの平穏が訪れた時効管理課で、降り注ぐ朝の光を見つめながら、熊本がぽつりとつぶやいた。

「早く、ミツバチの飛び交う季節にならないものかね……」

「うわ、ちょっと気持ち悪いなあ」と、又来が顔をしかめる。

「キ、キツイなあ、又来くん」

熊本が顔を引きつらせた。

「霧山！」

声をかけられて、霧山は顔を上げた。十文字と蜂須賀が時効管理課に近づいてくる。十文字はようやく本郷高志ルックをやめて、いつものトレンチコートを羽織っていた。

「ああ……十文字くん」

すると、又来も気づいて、囃《はや》し立てる。

「お！　トレンチコートが決まってるねぇ」

「やっぱり、そのほうが落ち着くね」と、熊本。十文字は会釈をした。

「どうも……霧山、例のチョコレートボール事件の真相を教えてやろうか」

「ああ……うん」

「犯人の狙いは、これだったんだ」

そう言うと、十文字は懐から一体のフィギュアを取り出し、机の上に置いた。

「あっ、警視総監！」

しずかが声を張り上げて、手を伸ばす。サネイエたちも一斉に取ろうとしたが、十文字は誰よりも早く、再びフィギュアを拾い上げた。

「これで全部揃ったんだから！　揃った時の喜びときたら、あんた！」

十文字は興奮気味にそう叫び、落ち着き払うように息を吐いてから続けた。

「それで俺はピンと来たんだ……犯人の狙いはチョコレートボールじゃなくて、おまけだったとな」

霧山は、じっと見つめる十文字の視線を受け止め、ぽかんと口を開けた。

「あれ？　ああ……ああ、なるほど」

しずかたちも呆《あき》れ顔で十文字に視線を送る。しかし、十文字はそんなことにまったく気づかない様子で、得意気に語った。

「大事なことはな、見たままを信じるなということなんだよ……」

「うん……すごいっすね」

霧山は引きつった顔でうなずいた。

「涙が出るほど勉強になるよ」と、又来。十文字は姿勢を正して、みんなの顔を見回す。

「そうでしょうね……ところで、皆さん、本郷さんの喪に服す期間は終わりました。これからは、元の自分、誰にも影響を受けていない、世界でただひとりの俺自身に戻ります……ハチさん、行きましょうか」

「ああ、そうだね」

蜂須賀は淡々とうなずき、歩き出した十文字のあとに続いた。いったん、時効管理課を離れた十文字は、刑事課との仕切りの棚越しに、霧山に小声で呼びかける。

「霧山……ひとつだけ、お前に伝えておいてやろう……事件は会議室で起きてるんじゃない……」

テレビでやっていた刑事ドラマの台詞《せりふ》そのままである。きょとんと見つめる霧山に向かって、十文字は人さし指をそっと唇に当ててみせた。

「じゃあな」

今度ははっきり口に出して、十文字はみんなに手を振った。又来たちも聞こえていたらしく、啞然《あぜん》としながらその後ろ姿を見送っていた。

「わかりやすすぎ……」と、しずかが隣でつぶやく。

霧山は何も言えずに、しずかと見つめ合った。

第六話

恋の時効は2月14日であるか否かはあなた次第

茗荷谷《みょうがだに》かよ子が、かつて暮らしていた総武《そうぶ》大塚《おおつか》の街に十四年ぶりに戻ってきたのは、今から、およそ一年前のことだった——。

かよ子は、昔ながらの路面電車が今も走るこの街が、とても好きだった。青春時代の思い出も、夫と始めた結婚生活も、娘が生まれて家族三人で新しい出発を誓った門出も、すべてここで息づいてきたものだ。思い出がいっぱい詰まったこの街を離れた十五年前のあの冬の日から、かよ子は娘とふたりきりで、ずっと陽の当たらない場所を転々とする人生を送ることになってしまったのだ。

今、路面電車の停留所に立ち、かよ子は近づいてくる車輛《しゃりょう》を、じっと見つめた。

「もしも明日が　晴れならば　愛する人よ　あの場所で……」

かよ子は、十五年前もよく歌っていた流行《はや》り歌を、小さな声で口ずさんだ。いろんな思い出が蘇《よみがえ》ってくる。かよ子は、心の中でつぶやいた。

「あの頃の路面電車は、今と違って、黄色だったね……あなた……」

到着した電車に乗り込んだかよ子は、窓の外を流れる景色を目で追いながら、ぼんやりと、この街で暮らした日々のことを思った。でも、それは決していい思い出ばかりではない。かよ子は、十五年前にも通ったその場所で、かつての苦い記憶を蘇らせた。

あの日、電車の中から外を眺めていたかよ子は、その踏み切りの手前で、見知らぬ女を連れて歩いている夫の姿を見てしまったのだ。夫に愛人がいるかもしれないという思いは、それ以前からあった。それでも、かよ子は娘のために、わき上がる疑念を必死に押し殺して生きてきた。

冷静に考えれば、浮気の証拠を確実にして、離婚することでも考えればよかったのかもしれない。だが、その日、かよ子が取った行動は、まったく別のものだった。

「もしも明日が　雨ならば　愛する人よ　そばにいて……」

かよ子は、あの日のことを思って、また口ずさんだ。そう、かよ子は夫が憎かったのではない。愛する夫の心が、自分と娘のそばにないことに耐えられなかったのだ。

夫と愛人の姿を目撃したかよ子は、すぐに次の停留所で電車を降り、自宅に戻って台所から包丁を持ち出した。街をさまよい、愛人と別れてひとりで歩いている夫の姿を発見したかよ子は、路面電車が頭上を走る低い橋げたの下で、背後から忍び寄った。

「今日の日よ　さようなら　夢で逢いましょう……」

夫が吹いていた口笛に合わせて、かよ子はそう口ずさんだ。気づいて振り向いた夫に向かって、かよ子は包丁を構えたまま体ごとぶつかっていった。かよ子の叫び声も夫の悲鳴も、ちょうどその時、頭上を走っていった路面電車の音でかき消されたのだ。

かよ子は、十五年前に凶行に及んだその場所を、今、電車に乗って再び通り過ぎようとしていた。見慣れた風景だからこそ、この十四年もの間、二度と見ることはなかった。かよ子は、歌の続きを小さく口ずさんだ。

「そして心の窓辺に灯りともしましょう……」

その時かよ子は、夫の亡骸《なきがら》を前にして呆然《ぼうぜん》とたたずんでいる十五年前の自分の姿を、窓の外に見たような気がしていた。かよ子は、自分を見上げるかつての自分に、そっと声をかけた。

「帰ってきたよ、ここに……」

かよ子は、思い出が詰まったこの街に戻ってきた。娘が二歳になるまで暮らしたこの街の、同じ場所に。いつか必ず帰ってくる場所だと思っていた、この街に。

「帰ってきたよ、もう逃げも隠れもしない……」


二月九日、午後六時――。

霧山は、全署員が緊急に招集された刑事課のフロアで、署長の訓示を聞いていた。いつも呑気《のんき》な時効管理課の面々も、さすがに神妙な顔で起立している。

その時、霧山はふと、前の列に並んでいる十文字の背中がふらふらしているのに気がついた。十文字の隣に立っていたしずかが、そっと彼のわき腹をつつくと、十文字はしずかを見つめ返した。ちらりと見えたその横顔は、明らかに眠たそうだった。立ったまま居眠りをしていたのだろうか。正面に向き直った十文字の背中は、それでもなんとなくふらふらしたままだった。

署長はフロアを見下ろす一段高い通路に立ち、勿体《もったい》つけた態度で挨拶《あいさつ》している。

「ええ……今日は、わざわざ本部から警視総監様がいらしています！　気をつけーッ!!」

そして、署長は背筋をびしっと伸ばし、丁寧にお辞儀をした。ひょろっとした初老の男性が歩み出る。霧山も生でお目にかかるのは初めてだったが、確かに警視総監だ。

「えぇ〜、皆さん……これです。整形逃亡犯、茗荷谷かよ子」

警視総監はそう言うと、指名手配のポスターを掲げてみせた。十五年前に夫を殺害して逃走中の容疑者の手配写真である。

「二月十四日の午前零時に時効を迎えます！　つまり、あと四日と六時間！　皆さん！最後の力を振り絞って、この容疑者逮捕に全力を尽くすことを期待する！」

霧山はふと腕時計を見つめた。時刻は午後六時。刻々と刻まれる時間は、そのまま時効へのカウントダウンである。

すると、隣に立っていたサネイエが、霧山の腕時計を覗《のぞ》き込むようにして言った。

「それ、どこで買ったんですか？」

霧山はサネイエを見つめ返した。

「関係ないじゃん……」

そうつぶやくと、サネイエがきょとんとした顔を向ける。

警視総監の言葉は、まだ続いていた。

「よーく見ておけ！　この顔だ！　ただし、整形しているから気をつけるように！　署内にもポスターを貼っておく！」

署長が警視総監からポスターを受け取り、さらに高く掲げた。

「整形してる……だって」

霧山と同じ列に並んでいた又来がつぶやく。隣の熊本が首を横に振った。

「無理だよ……時効だろ、時効」

「時効だね……」

諸沢も同意する。

「霧山くんの出番じゃないの……？」

「そうそう、霧山に任せたよ」

みんなが口々に「時効だ、霧山だ」と勝手につぶやいていた。振り返ったしずかも、小さく微笑んでいる。霧山は内心、ただ面白がっているだけのみんなの様子に何か穏やかではない気持ちを抱いていたが、そのもやもやした感覚が何によるものなのかは、自分でもはっきりとわからず、ただ苦虫を嚙《か》んだように顔をしかめていた。

しずかの隣では、十文字の背中がまだふらふらと揺れていた。

二月十日、午前十一時――。

霧山は、アパートでぼんやりとテレビのニュースを眺めていた。画面の中では、昨日の警視総監直々の訓示にもあった時効寸前の逃亡犯・茗荷谷かよ子が紹介されていた。犯行現場に近い総武大塚の繁華街の一角に立ったレポーターが訴える。

「あの整形逃亡犯、茗荷谷かよ子容疑者の事件は、あと三日と十三時間で時効成立を迎えようとしています……彼女は、今どこで、何をしているのでしょうか……？」

そして、画面は今度は北総武市の河川敷の映像に切り替わった。若い女性のレポーターが、手元の資料を見ながら呼びかける。

「一方、十五年前に起きた、あの連続女子大生殺人事件の時効が、今日、成立しました……指名手配を受けながら、逃亡し続けている犯人の大学生は、いまだ行方不明です。当時、この陰惨な事件は日本中を震撼《しんかん》させました。許せない犯人は、いまだにどこかにいるのでしょうか？　のほほんと幸せに生きているのでしょうか……本当に許せません！」

霧山は、画面に映った指名手配犯の顔写真を見つめた。これまでにもニュースで何度も見てきた男だ。霧山はテーブルの上に積み上げた未記入の「誰にも言いませんよカード」の山を見つめた。

レポートはさらに続く。女性レポーターが時効を迎えた連続殺人犯による被害者の母親にインタビューをしていた。

「どうですか、今のご心境は？……時効……どう思いますか？」

中年の女性は、マイクを向けられ、黙りこくっていたが、やがて、目に涙を溜《た》め、堰《せき》を切ったように訴えはじめた。

「なんで、時効なんてあるんですか！　どうして！　時効さえなければ、犯人は……犯人は、いつまでも不安でいられるんです！　うちの娘を返して……！」

その悲痛な叫びが、霧山の頭の中で何度もこだました。やるせなくなった霧山は、テレビの電源を切った。それでも母親の声が耳から離れない。霧山は大きくため息をついた。

その時、携帯電話の着信音が鳴り響いた。十文字からだ……。

「はい……？」

「おう……霧山、何やってんだ……日曜なのに家にいるのか？」

いつもの軽い調子の十文字の声だった。霧山は適当に相槌《あいづち》を打つ。

「なあ、今晩飲みに行かないか？……あ、でも、お前、日曜日は趣味の時効捜査官だったもんな……それに、お前、飲めないしなあ」

「十文字さん！」と、霧山は電話に向かって怒鳴った。

「……お前、同期だろ。いちいち、さん付けすんなよ」

霧山はひとつ息を吐いた。

「十文字……！」

「お……おう」

抑えきれない感情があふれて、霧山は少し乱暴な口調になった。

「犯人は、ちゃんと捕まえて下さいよ！　わかった!?」

「どうしたんだよ、やぶから棒に……？　やぶから棒だぞ！」

「それが、あなたの仕事なんです！　僕が犯人を見つける前に、ちゃんとやって下さいよ！……僕はね、もう趣味で時効の捜査するのは、ほとほと嫌になったの！　頑張って犯人捕まえて下さいよ！　わかった？」

霧山がそうまくしたてると、十文字は怪訝《けげん》そうな声を出した。

「どうしたんだよ、お前……なんかわからんが、わかったよ……」

そして霧山は、一方的に電話を切った。また、深くため息をつく。そして、「誰にも言いませんよカード」の山に手を伸ばした。

「こんなもの……！」

霧山は山ごとカードを持ち上げると、思い切りそれを空中に放り投げた。部屋中に足の踏み場もないほど散らばったカードを見つめ、霧山は床に崩れ落ちた。


午後二時四十五分——。

霧山は、耳に残って離れない、さっきの被害者の母親の悲痛な叫びから逃れるように、近所の商店街をふらふらと歩いた。重たい頭を押さえた霧山は、薬局の入口に吸い寄せられた。カウンターに歩み寄ると、店主らしき男性が霧山の顔を覗き込む。霧山は尋ねた。

「あの……すみません、頭痛薬ありますかね？」

「どこが痛いの？」と、店主が訊《き》く。霧山は予想外の質問に、顔をしかめて見つめ返した。

「えぇ〜？　頭ですよ……」

「頭のどこが痛いの？　前？……後ろ？……」

霧山は軽くため息をついた。

「前も後ろもですね」

すると、店主は背後の棚から薬の箱を取り出し、カウンターに並べた。

「じゃあ、これだね……『ヨクナールF』が前用で、『ヨクナールB』が後ろ用。それで駄目なら、またおいで」

薬を買い求めた霧山が薬局を出ていこうとすると、出口の脇のコスメコーナーのところに、挙動がおかしいふたり組の女の子がいた。女子高生くらいだろうか。きょろきょろと店内を見回しながら、商品を手にしていて、明らかに様子が変だった。

霧山が気になって見ていると、そのふたりの女子高生は、無造作にポケットに商品をつっこんだ。背の高いほうの子は霧山と目が合うと、もうひとりの子にささやいた。

「行くよ」と、背の高いほうが強引に腕を引っ張って、ふたりの女子高生はそそくさと表に出ていく。霧山はあとを追いかけた。

「おいおい……ちょっと待ちなさいよ」

薬局を出たところで、霧山は背後から彼女たちに声をかけた。ふたりが立ち止まる。

「ちっ、バレたか……おじさん、見逃してよ」

振り返ってそう言ったのは、背の高いほうの子だった。もうひとりが、袖《そで》を引っ張る。

「カオルちゃん……」

霧山は呆《あき》れて、一気にまくしたてた。

「あのね……誰にも見つからなかったら罪じゃないとか思ってんじゃないよ……バレなくても、罪は罪なの。それがわかった時にはもう遅いんだから……バレてしまった罪より、バレなかった罪は、一生を懸けて償わなきゃいけないんだよ。君たちもそうなりたいの？……バレるから罪じゃない。バレない罪こそ、背負う罪なんだよ」

自分でも言っているうちにその言葉の重みに酔いしれて、霧山はいつしか真情を吐露するように訴えかけていた。しかし、背の高いほうの子は、キッと霧山を睨《にら》みつける。

「何、たらたら説教してんの？　返せばいいんでしょ……はい！」

その子は万引きした商品を霧山の手に押し付けると、もうひとりの子の腕を引いた。

「行こ！」

すると、もうひとりの子は、ぺこりと頭を下げる。

「あの……ごめんなさい」

開き直ったほうに比べると、こっちの子はずいぶん素直だ……。霧山はじっと見つめる。

「二度とやっちゃ駄目だよ」

その子が万引きした商品も受け取り、霧山はそう声をかけた。

「はい……すみません」

小声で謝るその子を、最初の背の高いほうの子が強引に引っ張った。

「マユミ、行くよ！……マユミ！」

去って行くふたりを見送っていると、再び霧山の携帯が鳴った。また十文字だ。

「……はい」と、ことさら無愛想に出ると、十文字がくだを巻くような口調で喋《しゃべ》る。

「なあ、霧山……マジで、今日のお前、おかしいって……何か心配事があるならさ……」

「大丈夫！」

薬局に戻った霧山は、それだけ言って、電話を切った。視線を上げると、薬局の店主が自分のほうを指差している。

「そこのあなた！」

「え……？」と、霧山は見つめ返した。店主はつかつかと近づいてくると、霧山が手にしていた商品をさっと、押さえる。

「ちょっと！……何これ？」

もちろん、万引きふたり組から返してもらったものだから、剝《む》き出しの商品だ。

「いやいや……違いますよ」

霧山は焦った。しかし、店主は明らかに疑いのまなざしを向けている。

「ちょっと来なさい！」

「いや、違いますって！」

無意味な押し問答の末に、霧山は無理やり店の奥へと連れていかれてしまった。いくら自分は警察官だと言っても、店主はまったく信じてくれず、霧山はやむを得ず、しずかに身分を証明するために来てもらおうと考えた。彼女の携帯に電話すると、しずかは妙に甘ったるい声で電話に出た。

「ハローォー……」

「助けて〜！」と、霧山は電話口で叫んだ。店主が横で怒鳴り散らす。

「何が助けてだ！　この盗《ぬす》っ人《と》！」

「頼むよ、三日月くん〜！」


午後六時十三分——。

ようやく、しずかが薬局に現れた。

「霧山くん！」

しかし、霧山はしずかの姿を見て、目をしばたたかせた。しずかは、ツンツンに逆立ったショッキングピンクの髪の毛をして、ナンシー・スパンゲンばりのパンク・ファッションで全身を固めていた。

「わぁ〜、どうしたんだい、ナンシー!?」

霧山は思わずそうつぶやいたが、そんな冗談を言っている余裕は、本当はない。

「あ、あのさ……ちゃんと誤解を解いてくれないかなあ」

すると、店主はしずかにも凄《すご》い剣幕で食ってかかる。

「こいつね、さっきから警察官だって言い張るんだよ……泥棒のくせに！」

しずかはきっぱりと言い返した。

「いえ！　警察官ですよ」

「本当……？」と、店主が鳩が豆鉄砲を喰《く》らったような顔をする。

「そうですよ」

困り果てた霧山は、弱々しい声で訴えた。しずかはさらに付け加える。

「私も、警察官です」

店主はさらにびっくりして、見つめ返した。

「私は、交通課の三日月しずかで、彼は時効課の霧山修一朗です」

しずかは冷静な口調でそう言ったが、店主はしずかの恰好《かっこう》をじろじろと眺め、また強気な姿勢になった。

「あんたら、嘘だあ！」

「本当ですよ！」と、しずかは食ってかかる。しかし、店主はまったく取り合わなかった。まあ、それは確かにそうだろう。霧山は不毛な言い争いを続けるしずかと店主を、呆《あき》れて見つめた。

「ねえ、三日月くん、なんで、そんな頭なの……？」

またしても態度を硬化させた店主が睨《にら》みつける横で、霧山はしずかに訊《き》いた。

「いや……友達が勤めている美容室に行ったら、いきなりこの頭にされちゃって……実験台扱いなのよ、ひとのこと……」

「その恰好は？」

「古着屋をやってる友達も来てて、この頭なら似合うから、着替えろ……って」

「あ、そう……」

「写真も撮っちゃった……エへ」

霧山が苦笑いを浮かべると、店主が声を荒らげた。

「お前ら、何をコソコソ喋ってる！」

すると、そこへひとりの女の子が駆け込んできた。霧山は、それがさっきのマユミと呼ばれていた子であることに気づいた。

「あ……あの、真弓《まゆみ》と申します」

その子は店主に向かって、ぺこりと頭を下げた。そして、霧山にもお辞儀をする。

「さっきはありがと……」

店主がきょとんとして覗《のぞ》き込むと、その子はまた店主に向かって、頭を下げた。

「あの……この人に万引き注意された者です。家へ帰って、これまでこの店で万引きした物、全部持ってきました……ごめんなさい」

そう言って、その子はコスメや雑貨品をカウンターの上に並べた。事態が飲み込めないのか、店主が目を白黒させていると、またしても霧山の携帯が鳴った。今度も十文字だ。

「……もしもし」

か細い声で霧山が出ると、電話の向こうで十文字ががなり立てた。

「おい、霧山ぁ！　どこにいるんだよ？　今さ、熊本さんと諸沢っちとハチさんと……とにかく、みんなで飲んでるんだけどさ……ああ、神泉もいるぞ。どこにいるんだ？　悩み聞いてやるよ！」

霧山は、電話の向こうから漏れてくる緊張感の欠片《かけら》もないノイズに、さすがに辟易《へきえき》させられた。しずかが、そっと霧山の顔色を窺《うかが》う。

「おーい、霧山ぁー！　出て来ーい！」

スピーカーから漏れてくる声で、なんとなく状況を察知したのか、しずかが霧山から携帯を取り上げた。

「十文字さん……？　今から来て下さい……早く！　大至急！」


午後七時三十一分――。

十文字が来てくれたおかげで、ようやく解放されたしずかと霧山は、万引きした商品をすべて弁償して許してもらった真弓と一緒に、路面電車が走る横の通りを歩いていた。

「いいとこあるよね……霧山くん」

しずかは霧山のわき腹を小突いた。

「なんですか……？」と、霧山がとまどいの視線を向ける。十文字が小声でつぶやいた。

「いいとこ……あるよね、確かに」

「そんなことより、熊本さんたちの店に戻んなくていいんですか？　待ってますよ？」

霧山がそう言うと、十文字は眉間《みけん》にしわを寄せた。

「そんなことより、三日月のその出立《いでた》ちは何なんだ?」

「いい……じゃないですか、休みの日くらい」と、しずかは口をとがらせた。

「休みだろうと、警察官たるものはな——」

そう言いかける十文字を制するように、真弓は深々と頭を下げる。

「あ、あの……皆さん、今日は本当にご迷惑をおかけしました」

「いいって、いいって……真弓ちゃんが、きちんと反省したから、こうして、この青年も疑いが晴れたわけだし……」

十文字に肩を叩《たた》かれ、霧山が顔をしかめた。十文字はなおも続ける。

「まあ、俺が来たおかげでもあるわけだが……というか、それが一番重要なわけだ」

すると、真弓は十文字の顔を覗き込むようにして訊いた。

「ねえ……本当に刑事さんですか?」

「そうだよ……酔っ払ってるけど、本当はドラマチック!」と、十文字は胸を張る。

「ふ〜ん、凄いですね。じゃあ、犯人とか捕まえちゃうんだ」

「そうそうそう……スパパパパンって、全国津々浦々!」

「本当に? 凄いね!」

「凄いんだよ!」

盛り上がる十文字と真弓のふたりに、しずかと霧山は思わず顔を見合わせて微笑んだ。

真弓がしずかたちにも呼びかける。

「そうだ……皆さん、今日、うちのお店に来てよ！　ご馳走《ちそう》するから！」

それから四人はしばらく歩いて、スナックが立ち並ぶ路地までやって来た。

「ここだよ」と、真弓が一軒の入口を指差す。「スナック　私」という看板が出ているその店が、真弓の母親がママをやっているスナックだという。霧山が急につぶやいた。

「……でも、やっぱり僕、帰るよ」

「えぇ～、ここまで来たのに……？」と、しずかは霧山の顔を覗き込む。

「いいから、いいから！」

十文字が霧山の腕をつかんで、強引に引っ張った。

「ジュースでも飲んでなよ」

しずかも背中を押し、霧山は結局、店の中に入っていった。

「ただ～いま～」

真弓が奥のカウンターに向かって呼びかける。十文字を先頭に、しずかと霧山はぞろぞろと真弓の後に続いた。

「おかえり」

カウンターの中でグラスを磨いていた、ママらしき女性が顔を上げた。店内には彼女だけで客の姿はない。真弓がカウンターに寄りかかって、みんなを紹介する。

「お母さん、今日は私の奢《おご》りで、皆さんにご馳走して」

「いらっしゃいませ！……真弓、こちらの皆さんは？」

しずかは思わず、霧山と顔を見合わせた。さすがに、お宅の娘さんの万引きのお陰で知り合ったとも言いにくい。

「えぇ〜と……」と、霧山が口ごもっていると、真弓がすっと前に立った。

「こちらが、カオルちゃんのお父さん……こちらが、カオルちゃんのお母様」

真弓は笑顔で霧山としずかを指し示した。

「あら、いつもお世話になっております……真弓の母のレイコと申します」

真弓の母が狭いカウンターの中で、腰を折り曲げて会釈した。

「ああ……いえ」

霧山がたどたどしく頭を下げる。しずかもそれに倣った。

「それから、こちらがおふたりのお友達の方……」

真弓は今度は十文字を指差す。十文字はさっきからぽかんと口を開けて、レイコに見とれていたようだった。真弓が訊く。

「あれ？……お名前は、なんでしたっけ？」

「え……？　ああ……じゅ、十文……字です……十文字疾風です」

口ごもりながら挨拶《あいさつ》した十文字は、最後にびしっと恰好をつけた。

「十文字疾風さん？　素敵なお名前ですね……さあ、どうぞ、お座りになって下さい」

レイコに勧められ、しずかたちはカウンターに横並びに座った。

「カオルちゃんには本当に親しくしていただいて……感謝してるんです」

「ええ……いや」と、しずかは適当に相槌《あいづち》を打ちながら、話を合わせた。真弓が小声でこっそりつぶやく。

「ほら……今日、一緒に万引きしてた子が、カオルちゃんっていう名前なの」

「ああ……」

しずかはうなずいた。横で霧山が納得したように苦笑いを浮かべている。

「私たち、こちらに越してきて、まだ一年経ってないんですけど、やっとお友達ができたって本当に喜んでて……おふたりとも、すごく仲の良さそうなご夫婦ですね」

そう言われて、しずかは思わず、霧山と顔を見合わせた。

「本当ですか？　夫婦に見えます？」と、しずかは嬉《うれ》しさのあまり身を乗り出した。霧山はどうリアクションしていいのか困っているようだった。

「さあ、飲もう！」

十文字がみんなに呼びかけた。

「何にしますか？」

レイコに訊《き》かれ、しずかは答えた。

「あ、コーラで」

すると、霧山も声を揃えて同じことを言った。しずかはにやけて、霧山の肩にもたれかかろうとしたが、逆立った髪の毛が刺さったのか、霧山が頬を押さえて睨《にら》みつける。

「痛いな……刺さるよ、それ」

「ウフフ……」と、しずかはほくそ笑んだ。

その時、真弓がそっとしずかのほうに近づいてきた。

「ねえ、お姉ちゃん……ちょっと、こっち来て……」

小声で真弓にささやかれ、しずかは彼女と一緒に奥のテーブル席に座った。

「なあに……？」

すると、真弓は悪戯《いたずら》っぽく笑う。

「〝うすうす〟って、どう思う？」

「うすうす……？」と、しずかは聞き返した。

「だって、霧山さんがお姉ちゃんのこと好きだって、うすうす知ってるんでしょう？」

「えぇ〜！　何、言ってるの？」

しずかは口ではなんでもない素振りをしたが、内心ではドキドキと焦っていた。

「私、直感でピーンときた、うすうす……まあ、お姉ちゃんも霧山さんが好き、ってこと、うすうす知ってるんだけどね」

真弓は得意気な顔でそう言った。しずかは霧山のほうを、ちらっと見やる。

「うすうす……うすうす、ねえ」

午後十一時五十二分――。
かなりのハイペースで酒をあおっている十文字が、カウンターの隅っこに座って、じっとポーズを作ったまま動かなくなり、一杯も飲んでいない霧山が、まるで酔いつぶれたみたいにだらしなく座っているので、真弓が店の二階にある彼女たち親子の部屋に上がってしまってからは、店内で元気なのはレイコとしずかだけになってしまっていた。

「もしも明日が　晴れならば　愛する人よ　あの場所で……」

レイコがカラオケで懐かしい曲を歌いはじめた。ママの真似事をしようとカウンターの内側に入っていたしずかも、小声で一緒に口ずさむ。なんとなく歌詞は覚えているけれど、これ、なんていう曲だったっけ……。

「もしも明日が　雨ならば　愛する人よ　そばにいて……」

十文字がグラスを傾けながら、レイコの横顔をじっと見つめているのに、しずかは気づいた。ところがその時、どこでこの場所を嗅《か》ぎつけたのか、店内にどっと熊本たちがなだれ込んできた。

「いらっしゃい！」と、レイコが歌うのを中断して声をかける。

「おいおいおい！　十文字くん！　いなくなったと思いきや、こんな粋《いき》なお店に！」

十文字たちの姿に気づいた熊本が、呂律《ろれつ》の怪しい口調で呼びかける。十文字はトレンチコートの襟で顔を隠そうとしたが、無駄だった。

「すいません」

熊本に肩を叩《たた》かれ、十文字は頭を下げた。

「あれ？　霧山くんに、三日月くんまで！」

蜂須賀が次々と指差す。しずかは、カウンターの中からママっぽく微笑んで、みんなの前におしぼりを並べた。

「いらっしゃーい！」

「ここ、なかなかいいね」

諸沢がそう言って、カラオケから流れている曲に気づいた。熊本も反応する。

「おう、懐かしいなあ、この歌！」

「何年くらい前に流行《はや》ったっけ？」

諸沢がそう言うと、蜂須賀が考えてつぶやく。

「十五年くらい前……かな？」

「ええ？　もっと前じゃないの？」と、諸沢。

「私が十八の頃……」

熊本が真顔で言った。

「うそだあ……!?」

「若作りは、若さの秘訣《ひけつ》です！」

神泉もかなり酔っぱらっているらしく、へらへらと笑う。諸沢がレイコに話しかけた。

「ママさん……この人ね、明日、五十八回目の誕生日なんですよ」

「えぇ～」と、レイコが嬌声《きょうせい》を上げる。熊本が食ってかかった。

「失礼な！　四十八回目ですよ！　九回目だったかな……？　忘れた！　男は年齢じゃな

い！　ね？　ママ」

「ええ……おめでとうございます」

レイコはにっこり微笑みかけた。熊本がうっとりとした表情を浮かべる。

「ママ、ありがとう……」

そう言って、熊本はじっとレイコの顔を見つめた。

「私の顔に、何かついてます？」と、レイコが微笑む。熊本は少し真顔になった。

「ママ……どこかで会ってる……？　昔……いや、最近？」

「まあ……」

レイコは目を丸くした。諸沢が熊本に呼びかけた。

「熊本さん、明日の誕生会、ここにしませんか？」

「いいねえ、いいねえ、実にいいねえ！　いい！　よすぎる！」

やたらとはしゃぐ熊本を見て、十文字がぽつりと言った。

「よすぎるんなら、よしましょうよ」

熊本が面食らった顔を向ける。レイコがその場を取り繕うように言った。

「実は、私も四日後に誕生日なんです……」

その時、カウンターの奥の壁にある鳩時計が、深夜零時を告げた。その音に反応して、
レイコが時計を見上げる。

「いいえ……あと、三日……ですね」

「あと三日？　そりゃあ、めでたいなあ」と、諸沢。

「よし！　ここで祝おう！　決めた！」

熊本は自分のことなのか、レイコのことなのかわからないが、そう叫んだ。

「私の誕生日は二月十四日……」

レイコは笑みを浮かべた。十文字も叫ぶ。

「インプットしましたあ！」

「え？　十四日って、バレンタインデーじゃん」

蜂須賀が思い出したようにそう言うと、レイコは黙ってうなずき、熊本が奇声を上げた。

「三日月くん、恋の日は近いぞ～！」

しずかは愛想笑いを返した。十文字が不貞腐《ふてくさ》れたようにウイスキーをあおったのも気になったが、しずかはそこで、さっきから霧山が奥のテーブル席に移動し、ひとりでぽつねんと座っているのに気づいた。しずかは熊本たちの相手はレイコに任せて、カウンターから出て、霧山の横に座った。

「どうしたの？」

しずかが微笑みかけると、霧山はぽつりとつぶやいた。

「旅に出ようかな……」

「え……？」

「なんか、ふっ切れたいんだよね……もう時効、追うの嫌なんだよ」

「どうしたの……？」と、しずかはうつむき加減の霧山の顔を覗《のぞ》き込んだ。

「事件は、時効になる前に、なんとかしなくちゃいけないんだよ……」

「霧山くん……時効になる前に、なんとかしなくちゃいけないのは、事件だけかな？」

「え……？」

霧山がようやく顔を上げる。

「物事には、すべて時効があると思うのよ……たとえば、恋とか」

「恋？」と、霧山は上ずった声で聞き返した。

「恋よ……」

しずかは、じっと霧山を見つめたが、やがて大きくため息をついた。

「もう、鈍感ね……恋にも時効があるのよ」

思わせぶりな視線を投げると、霧山は急に呆《あき》れた顔をした。

「ああ、そういう比喩《ひゆ》ね……」

「比喩!? あのさあ……」

しずかはもっと呆れて、霧山を見つめ返した。しかし、霧山はしずかの言葉をさえぎるようにして、まくしたてる。

「そうだよ！ そういうのは比喩だよ！ 実に文学的だよ……だめだよ、三日月くん。時効は時効だよ！ 恋に時間切れなんかないじゃん。タラコだったら、スーパーで賞味期限のシール貼られるじゃない。そういうのないでしょ？ 恋には」

「恋に賞味期限のシール？」と、しずかは聞き返した。

「そう……！」

「あるよ」

「あるの……!?」

口の端を曲げて、霧山はじっと見つめる。しずかはまた、ため息をついた。そして霧山は、また何かをじっと考え込んでしまったようだった。

「あ〜あ、時効さえなけりゃなぁ……」

霧山が不意につぶやく。しずかは心配になって、霧山の顔を覗き込んだ。

「霧山くん……コーラ、お代わりする？」

霧山は小さくうなずく。すると、熊本が突然叫んだ。

「コーラ飲むな！　コラ！」

「熊本さん、つまらない駄洒落《だじゃれ》、禁止ですよ！」と、蜂須賀が指差す。ところが、レイコが急に声を上げて笑いだした。

「キャハハハハ！」

「あ……ウケた」

蜂須賀が、ぽかんと口を開ける。諸沢が訊《き》いた。

「ママさん……ひょっとして、駄洒落好きなの？」

レイコはうっすら目に涙まで浮かべて笑っていたが、やがて引きつけたように息をしながら、今度はしゃっくりをしだした。

「おかしい……私、笑うと……ヒック……しゃっくりが……ヒック……止まらなくなるんですよね……ヒック」

「ママ、くだらない駄洒落に反応しちゃったんだ」と、諸沢。

「ああ、苦しい……ヒック……しゃっくりが、止まらない……」

熊本はさらに、やに下がる。

「そこがまた、色っぽいんだよなあ……色っぽい唇……んー、キス、キス」

熊本はカラオケが終わって、放りっぱなしになっていたマイクを握った。

「うるさいよ！　もう！」

諸沢たちが熊本を非難する。水割りを飲んで、しゃっくりを止めようとしたレイコが、熊本からさっとマイクを取り上げた。

「おまはん、あんまりごじゃせんと、おとなしゅうしときいや」

レイコがどこかの方言で、そう凄《すご》んでみせた。熊本が照れくさそうに頭を掻《か》く。

「ああ、播州弁《ばんしゅうべん》で怒られた……ハハハ」

「酔うたら、ちょっぴり……ヒック……出るし……」

また、レイコが満面の笑みを浮かべる。熊本が、すっと十文字を指差した。

「そうか、十文字くんと、おんなじだ！」

「そうだ……十文字くん、姫路《ひめじ》だよね」と、蜂須賀も指差す。十文字は立ち上がった。

「レイコさん……姫路でしたか！」

「握手！」

レイコはしゃっくりを堪《こら》えながら、笑顔で十文字と固く握手をした。

「ママは、モテるんだろうなあ……」

熊本がぽつりとつぶやくと、レイコはまた鋭い眼光になって、熊本を睨《にら》んだ。

「そんなもん、あたりきしゃりきやんけ……ヒック……」

そして、レイコはまたパッと笑顔になった。

「私の三日後の誕生日と、熊本さんの誕生日に、乾杯！」

カウンターに座った熊本たちが、慌ててグラスを掲げる。

「ぎょうさん来てもうて、嬉《うれ》しいわ……なーんちゃって」

レイコがおどけたように言う。神泉が噴き出しそうになった。

「なーんちゃって、なんて、久しぶりに聞いちゃいましたよ」

そしてレイコは、飲み干したグラスをカウンターにどんと音を立てて置いた。息を吐く
レイコの耳元を、十文字がじっと見つめている。

「あ……！　耳動かせるんですね」

十文字が突然、指差した。レイコは十文字のほうを振り向く。

「ええ男、見ると、耳動くし……」

十文字がシビレたように、うなだれた。すると、レイコは立て続けに三度も、大きくく

しゃみをした。

「ハックション！」

顔を上げたレイコは、うつろな目をしてつぶやいた。

「もうっ！　誰か、うちの噂してるし……」


二月十一日、午前二時三十六分――。

さすがに耐えきれなくなって、霧山はレイコの店を出ることにした。

「おい、霧山くん、帰っちゃうのか……！」

ベロベロに酔っぱらった熊本がしつこく声をかけたが、霧山は適当にあしらって、店の表まで出てきた。しずかが、あとを追いかけてくる。

「ちょっと……大丈夫？」

「うん、大丈夫だよ……今日は、多分、ひとりで……うん、ひとりがいい……ひとり、多分、ひとりがいいね、今日は……ひとり、ひとり……」

そうつぶやきながら、霧山はしずかに手を振り、アパートへ帰る道をとぼとぼと歩いた。

「ひとり、ひとり、ひとり……」

アパートまでたどり着いた霧山は、真っ暗な部屋の中に上がり、台所の裸電球だけを点《つ》けた。薄暗い光がぼんやりと辺りを照らす。霧山は、部屋の中を見回した。

「ひとりって……寂しい～……なーんちゃって」

そこでふと、霧山は何かを感じた。

「あれ？　あれえ〜っ!?　今日、絶対絶対、何か重要なことにぶつかったぞ〜！　え？」

しかし、それがなんなのか、霧山にはわからなかった。

「なんだっけぇ〜っ！」と、霧山は叫んだが、次第に意識が遠のいていった。


次に気がついた時、霧山は時効管理課の長机の上に、ひとりで横たわっていた。辺りは真っ暗で、霧山の上にだけ、スポットライトのように灯がともっている。霧山は起き上がり、手に握っていた赤ん坊をあやすためのガラガラを見つめた。

その時、不意に遠くのほうから、しずかの声が聞こえてきた。

「恋に時効はあるのよ……」

霧山は辺りを見回した。刑事課の向こうの廊下に光があふれ、誰かが立っているのが見える。霧山は震える声で尋ねた。

「恋に時効はあるのかい……？」

「そうよ、さよなら」

光の中に立ち、そう答えたのは、しずかだった。

「待ってくれ！　その時効、どうにかならないかな」

すると、しずかは小さく微笑んだ。

「このお腹、見て」

しずかがさすっているのは、自分のお腹のところだった。しずかのお腹は、まるで妊婦のように膨らんでいる。

「あ……！」と、霧山は言葉を失った。しずかが、じっとこちらを見つめて訊《き》く。

「わかった？」

「恋の時効って……あるんだ」

霧山がそう言うと、しずかは真顔でうなずく。

「そうよ……さようなら……」

しずかの体は光に包まれるようにして、消えていく。霧山は叫んだ。

「僕は……僕は、恋の時効を捜査するぞ！　君がどこへ行ったって、必ず見つけてみせるぞ！　これは趣味じゃないぞ！」

そのうち、霧山の体も暖かい光に包まれてきた。次第に、宙に浮いたような心地になる。ふわふわとした感覚の中で、一瞬、目を閉じた霧山は、また意識が薄れていった……。

そして、また気がついた時、霧山は、今度は自分のアパートのベッドの中で、窓から差し込む心地よい朝の光に包まれていた。

目覚めた霧山は、目の周りを指でこすった。

「あれ？　なんか……うわ、すごい濡《ぬ》れてる……あれ？　なんか、悲しい夢でも見たのかな……？」

霧山の頭の中は、ぼんやりと霧がかかっているかのようだった。

午前八時五十六分——。

霧山はいつもより少し遅めに、署までやって来た。時効管理課には昨夜の飲み会さながらに、十文字や蜂須賀、諸沢までたむろしていたが、そこで霧山はおもむろに口を開いた。

「今日から、有給休暇とらせてもらいます……」

みんなが一斉に霧山を見る。

「えぇ〜っ！」と声を揃えて、みんなが叫んだが、それはあっという間にかき消えた。

「ま……いっか」

熊本がつぶやく。又来とサネイエも納得したようにうなずく。

「もともと、お前って、毎日、有給休暇とっているようなもんだからなあ」

十文字がタバコをふかしながら、そう言った。サネイエが納得する。

「言えてる……」

「言えてませんよ」と、しずかは否定したが、霧山は力のない声で肯定した。

「いや、言えてますよ……」

しずかが眉《まゆ》をひそめて、霧山を見やる。熊本が微笑んだ。

「ま、リフレッシュしてこい。帰ってきたらまた、元の立派な時効捜査をしてくれよ」

すると、サネイエが呆《あき》れたように言う。

「いや……それ、あまり立派じゃないですよ」

「そうです……全然、立派じゃないですよ。警察官として！　時効が成立する犯人がいるっていうことは、警察官として恥ずかしいことですよ！　作りかけの無駄なダムを取り壊す、無駄な行政と同じです！」

霧山がそうまくしたてると、しずかが悲しそうな目で霧山を見る。

「霧山くん……」

「十文字さん！　僕がいない間、よろしくです！」

霧山がそう呼びかけると、十文字は少しためらいがちに手を挙げて応《こた》えた。

「お……おう。わかった」

霧山がバッグを持ち上げようとすると、しずかがそれを押しとどめる。すると、そこに吉祥寺と下北沢が、例の逃亡犯の手配ポスターを持ってやって来た。

「この整形逃亡犯・茗荷谷かよ子のポスター、どこに貼りますか？」

「どこにでも」と、熊本は吐き捨てるように言った。

「あそこにでも」

又来が適当なところを指差す。サネイエもぽつりとつぶやいた。

「どうせ、あと三日もないし……」

「三日後と言ったら、バレンタイン」

又来が目を輝かせた。熊本も遠い目をしてつぶやいた。

「二月十四日かあ……」

「恋の日だ」と、又来。

「もしも明日が……晴れならば……」

熊本は急に歌いだした。蜂須賀や諸沢も昨夜の余韻が残っているのか、喜色満面でリズムを取る。下北沢が苛《いら》ついた様子で叫んだ。

「どこに貼りますか！」

「どこでもいいよ」

熊本はろくに相手にもしないで、ムードに浸っている。又来が、吉祥寺たちが抱えたポスターの枚数の多さに、うんざりした声を上げた。

「こんなにいっぱい？」

「ただでさえ狭い空間に、こんなに暑苦しい顔をあっちこっちに貼られたら嫌だなあ」

サネイエが忌々《いまいま》しそうにつぶやいた。

「三日後かあ……」と、改めてポスターを眺めた熊本が言う。

「霧山……帰ってきたら、この事件、お前の番だな」

十文字がそう告げて、又来もそれに同調した。

「こういうのは、霧山くんに解決してもらわないとね」

「何、言ってるんですか！」

霧山は叫んだ。十文字が霧山の顔を覗《のぞ》き込む。

「どうした？」

「霧山くん……？」

熊本も怪訝《けげん》そうな顔だ。霧山はきっぱりと言い切った。

「僕はね……もう、時効事件の捜査やめます」

「どうしたんだ？」と、十文字が尋ねる。霧山は何も答えずに去っていこうとした。しかし、ふと目に入った茗荷谷かよ子のポスターがどうも気になって、また戻った。

「あれ……？　どっかで……あれ？」

ポスターの手配写真がどうも気になる。霧山はそれがなんなのか、どうしてもわからず、結局、時効管理課をあとにした。


午後三時二分——。

裏付け捜査の移動中に路面電車に乗った十文字は、その同じ車輛《しゃりょう》で偶然にもレイコに出くわした。彼女の姿を見かけた十文字は、思わず息を呑《の》む。すると、その気配を察したのか、レイコがこちらを見上げた。

「あら……」

ぱっとレイコが、笑みを浮かべる。十文字は内心の焦りを悟られないように、つとめて冷静さを装いながら、軽く会釈をした。

「あ、これは……」

「昨日は、ありがとう」と、レイコが微笑みかける。十文字は照れ隠しに咳《せき》払いをひとつして、窓の外を眺めるポーズをしながら、ぽつりとつぶやいた。

「なんか……運命感じちゃいますね」

「え……？」

レイコがきょとんとした顔で、こちらを覗き込む。十文字は取り繕った。

「いや……その、昨日の今日で、こんなに偶然ばったり会うなんて……ああ、運命というか、引き合わされたというか……テヘヘ」

最後までハードボイルドに決めたかった十文字だが、どうしても緊張してしまって、変な笑い声が出てしまった。十文字は照れ隠しに、そわそわと体を動かした。

「そうですね」

レイコは真っ直ぐこちらを見つめて微笑んだ。十文字は、レイコの隣に腰かけた。

「今夜……あいてますか？」

「あいてますよ」と、レイコはうなずく。

「行きます！」

すると、電車が次の停留所に停まり、レイコは立ち上がった。

「じゃあ、今夜……」

レイコはにっこり笑って、降りていった。

午後七時二十分――。

熊本たちが押しかけてくる前にレイコに会いたいと思って、十文字はひとりで先に「スナック私」の前までやって来たが、中に入る勇気がなくて、店の前をうろうろと行ったり来たりしていた。さんざん悩んで、ようやくドアを開けた十文字が真っ先に目にしたのは、ボディコンシャスな真っ赤なドレスを着たしずかの姿だった。

「あれ……？」と、十文字は間の抜けた声を上げてしまった。

「あら……十文字さん、いらっしゃーい」

しずかが、いかにも営業用の愛想を振りまく。

「三日月さん、いい感じよ」

レイコに褒められ、しずかがぴょんぴょんと飛び跳ねた。

「やった！　褒められた〜！」

十文字は呆《あき》れた。

「なんだ、三日月……何やってんだよ！」

「どう？　私のママぶりは？」と、しずかが目の前で妖《あや》しく微笑んだ。

「お姉ちゃんに手伝ってもらっちゃった」

カウンターに座っていた真弓がVサインを送る。

「呆れたな……まったく！」

十文字はそれだけ吐き捨てるように言うと、しずかには取り合わず席に座った。

「お金もらってないから、大丈夫！」

しずかはそう言うと、真弓と顔を見合わせた。

「ボランティアだもんね」

「ねぇ〜」

聞けば聞くほど呆れるばかりだが、しずかはまったく悪びれる様子もない。

「だって、一回やってみたかったんだもん。スナックのママさん……ねぇ〜」

「ねぇ〜」

しずかは今度はレイコと顔を見合わせる。レイコまでがノリノリなので、十文字はそれ以上、何も言えなかった。

「なんにしますか？」と、レイコに訊《き》かれ、十文字はとりあえず最初の一杯目は、ビールを頼んだ。すると、横で真弓がこそこそとしずかに話しかける。

「ねえ……うすうす」

「何？　今日は、何がうすうす、わかったの？」

しずかがそう言うと、真弓はこっそり十文字のほうを指差していた。

「あれあれ……」

「なるほど……」

しずかもうなずく。十文字は訝《いぶか》しんで、ふたりを見つめた。真弓が口を開く。

「ねえ、十文字さん」

「なんだい」と、十文字はぶっきらぼうに答えた。

「お母さんのこと、好き?」

いきなりそう言われて、十文字は焦った。

「ば……バカ言え!」

レイコに聞こえないように、十文字は小声で怒鳴った。真弓も小声になる。

「好きでしょ?」

十文字は真弓の顔をじっと見つめた。

「どうして、わかるんだよ!」

すると、真弓は小さく微笑んだ。

「うすうす……」

さっぱりわけがわからない……。


午後八時十四分——。

真弓としずかがいるせいでペースがつかめず、一気に酔いが回ってしまった十文字は、レイコのことをぼんやりと見つめていた。不意にレイコが十文字の顔を覗《のぞ》き込む。

「私の顔に、何かついてます?」

「あ、いや……別に……」と、十文字は取り繕った。真弓としずかは十文字を見ながら、にやにや笑っている。そして、真弓が突然、口を開いた。

「ねえ、お母さん……十文字さんはね——」

「こら！」

十文字は怒鳴った。レイコが興味深そうに笑う。

「あら、何かしら？」

「いや、なんでもありません……」

十文字がそう言うのと同時に、真弓が続きを喋《しゃべ》ろうとした。

「ママのことが、だ〜い好――」

その瞬間、入口のドアが乱暴に開き、熊本たちが大騒ぎしながら、どかどかと入ってきた。十文字はほっと安心したような、邪魔が入って悔しいような、複雑な気持ちで見つめる。しずかが立ち上がって、彼らを出迎えた。

「ああ、いらっしゃいませ〜！」

熊本を中心に入ってきたのは、昨夜のメンバーに加えて、又来、サネイエ、それに吉祥寺と下北沢の女性陣だった。神泉が、さっそくカウンターの中央に陣取った熊本の背中を叩《たた》いて、囃《はや》し立てる。

「ハッピーバースデーですよ〜！」

「熊本さん、おめでとう！　とか言ってあげて下さいよ、ママ」

諸沢が催促する。レイコは満面の笑みを浮かべて、お辞儀をした。

「熊本さん、お誕生日おめでとうございます」

「ありがとう！」と、熊本もお辞儀を返す。それが合図だったのか、周りのみんなが一斉にクラッカーを取り出し、パン！　パン！　と鳴らした。そして、さらに熊本たち男性陣はポケットからサングラスを取り出すと、みんなそれぞれかけた。

「見てよ、これ、ママ」

蜂須賀が自慢気に顎《あご》を突き出す。レイコは手を叩いた。

「まあ、かっこいい！」

「レザボア・ドッグス！」と、諸沢がポーズを決める。

「今日ね、バーゲンで五個で五百円だったの……勢いで買っちゃった！」

蜂須賀がやに下がり、レイコは誉《ほ》めそやした。

「かっこいい……ねえ、かっこいいわよねえ？　十文字さん」

レイコにそう振られる前に、十文字は自前のサングラスをこっそりかけていた。熊本が嬉々《きき》として話しかける。

「十文字くんもどうだい……？　あら？　もう、かけてる！」

十文字はポーズを決めて、熊本たちを見つめ返した。

「僕は……これでいいっす」

すると、レイコが笑顔で言う。

「まるで、刑事さんみたい！」

十文字はそれを聞いて、苦笑いを浮かべた。

「みたいって……刑事なんですよ」

「えっ……？」と、レイコが不思議そうな顔をした。

「刑事の端くれとして……いえ、刑事たるもの、マイグラサンのひとつやふたつ、バリッと決めてないとね……」

十文字はかっこよくキメたつもりだったが、レイコはきょとんと十文字を見つめていた。

「え？　刑事さん……？」

「知りませんでしたっけ……？」

「あ……ええ……刑事さんなんだ……？」

そう言って、レイコは真弓のほうを見た。真弓はうつむいたまま、レイコの目を見ずに答える。

「え……？　言ってなかったっけ？」

「知らなかったわよ、そんなこと……」と、レイコはつぶやいた。

「刑事じゃ、マズいんですか？」

十文字がそう訊くと、レイコはまた笑みを浮かべた。

「そんなことないわよ……刑事さんだって、お客さんはお客さん」

すると、熊本が叫んだ。

「お客さんだなんて、ママ……寂しいなあ。クールすぎるよ！」

「あら、ごめんなさい……じゃあ、乾杯しましょう、乾杯」

レイコは取り繕うようにして、ビールを熊本たちに回していく。

十文字は、明らかに困惑した様子だったレイコの態度と、そんな母親の様子をちらちらと気にしている真弓の素振りが、少し引っ掛かった。

二月十二日、午前七時十一分――。


各駅停車に乗って、ぶらりとひなびた港町までやって来た霧山は、前日に続き、この日も釣りに興じていた。アタリを待つ間、霧山は退屈なので、ひとりで声色を使い分け、テレビの旅番組のナレーションの物真似をしていた。

「おやおや、霧山くん、釣りですかぁ～……はい、人生で初めての釣りに来ております……その釣り竿《ざお》は～?……テケテテッテテー……拾った竹の棒～」

途中からは、子供番組の人気キャラクターになってしまった。

「だから、釣れないんだよ……」と、霧山は独りごちた。

ところが、その時、拾った竹の棒で作った釣り竿に、突然激しいアタリが来た。霧山は思わぬ手応《てごた》えに驚き、魚を引っ張り上げようと格闘する。

「きてるきてる! でかいぞ! よし……」

水面まで上がってきた大物の感触に、霧山は興奮した。ところが、手製の竿でリールがないため、テグスを巻き取ることができないので、霧山は竿を押さえたまま、テグスに直接手を伸ばす。糸をたぐり寄せようとしたその時、不意に腰に激痛が走った。

「痛《い》ててて!」

痛さで体のバランスが崩れたその時、無理に引っぱり上げようとしたせいで、せっかく針にかかっていた大物が、暴れて逃げてしまった。

「あぁ～っ！　逃げちゃったよ～！」

霧山は、腰の痛さと大物を逃した悔しさとで、思い切り顔をしかめた。


午後二時四十分――。

十文字は、刑事課のフロアへ向かう廊下を歩いていて、警務課の制服警官たちが、掲示板に貼られた茗荷谷かよ子の手配ポスターを眺めながら話しているのを、聞くとはなしに聞いた。

「取り逃がしちゃうんだろうな……結局、この女も」

「こういう女はね、絶対、捕まらないんだよ」

彼らが立ち去ったあとで、十文字も掲示板の前までやって来た。

「時効かぁ……二月十四日……」

茗荷谷かよ子の時効成立は、二月十四日の午前零時を過ぎた時点である。

「あと……三十三時間かあ」

十文字はそうつぶやき、逃亡時点での茗荷谷かよ子の写真をじっと見つめた。十五年前の写真、しかも、かよ子は逃亡中に美容整形を受け、顔を変えた可能性が極めて高いという。しかし、十文字の脳裏に、不意にある女性のイメージが浮かんだ。

「二月十四日……誕生日……」

十文字は手配ポスターに書かれているかよ子の詳しい特徴について、見ていった。

「特徴その1……駄洒落《だじゃれ》に弱い」

そこで十文字は、一昨日の夜、初めてレイコの店に行った時のことを思い返してみた。熊本の「コーラ飲むな！　コラ！」という、実に低レベルなオヤジギャグに、レイコはお腹を抱えて笑っていた。十文字は次の特徴を目で追う。

「特徴その2……笑いのつぼにハマると、しゃっくりが止まらなくなる……あっ！」

十文字は思わず声を漏らした。熊本の駄洒落のあと、レイコはしばらく引きつけたように、しゃっくりを続けていたのだ。

「特徴その3……酔うと播州弁がポロリポロリとこぼれる……播州弁!?　ああ～っ！」

なんてことだ……！　十文字は愕然《がくぜん》となって、その場にしゃがみこんだ。

「駄洒落、しゃっくり、播州弁……レイコさん……」

かすれる声で、十文字はそうつぶやいた。

午後四時八分――。
霧山もまた、ここ数日、妙に気になって仕方なかった茗荷谷かよ子の手配ポスターのことを思い出していた。釣りのほうは、ぱったりとアタリもなくなったので、霧山はそそくさと引き上げ、駅まで戻ってきた。

霧山は駅の待合室に貼られていた手配ポスターを、しげしげと眺めた。今まで写真ばかりを気にしてきたが、霧山は、かよ子の特徴が書かれている注意書きの部分を、改めてじっくりと読んでみた。

「特徴その4……酔うと、語尾に『なーんちゃって』と付けたがる……」

霧山は真弓に連れられ、レイコに初めて会った夜のことを思い返した。

「ぎょうさん来てもうて、嬉《うれ》しいわ……なーんちゃって」

確かに彼女はそう言っていた。霧山は次の特徴を目で追う。

「特徴その5……耳が動かせる……」

霧山のいた位置からでは、本当に動いていたかどうかはわからなかったが、一番近いところに座っていた十文字が見ていたはずだ。なによりレイコ自身が、いい男を見ると耳が動くと言っていたではないか。

「特徴その6……くしゃみをすると、必ず自分の噂をされていると思っている……あああああ〜っ！」

霧山は思わず、その場で絶叫した。それから、慌ててしずかの携帯を呼び出す。苛々《いらいら》しながら彼女が出るのを待った霧山は、通話が繫《つな》がると猛烈な勢いで喋《しゃべ》りはじめた。

「僕！……霧山！」

「ああ……どうしたの？」

電話の向こうのしずかの声は、実に呑気《のんき》だった。霧山は叫んだ。

「犯人！」

「え……？　何？　誰が？」と、しずかも少し慌てふためく。

「ママだよ！　スナックのママ！」

「ママって、あのママが？」

「そう、あのママ！」

「何の犯人？」

「茗荷谷かよ子！　明後日で時効の！　あの茗荷谷かよ子！」

「え……？」

「なーんちゃって！　動く耳！　くしゃみ！」

「なーんちゃって、動く耳、くしゃみ……？　それがどうかしたの？」

「だから！　あのママが茗荷谷かよ子！」

「茗荷谷かよ子……？　まさか？」

「その、まさかなんだよ！　グラス！　ママの指紋がついたグラスを、諸沢さんに！」

どうにかそれだけ伝えて、霧山は電話を切った。

午後六時三十八分――。
その夜、真弓から一緒に晩ご飯を食べたいという連絡をもらったしずかは、彼女を自分の部屋に招いた。寄せ鍋《なべ》を用意して、すべての支度を終えたしずかが食卓につくと、真弓は超山盛りのしずかのご飯茶碗《ぢゃわん》を指差して訊《き》いた。

「お姉ちゃん、いつもそんなに食べるの？」

「え……？　うん、まあ……」

しずかが照れ笑いを浮かべてそう答えると、真弓は部屋を見回して、小さく微笑んだ。

「ひとり暮らしかあ……いいなあ。自炊とか」

「真弓ちゃんは、引っ越しばっかりしてたんだよね？」

「うん、昔からず〜っと」と、真弓は答える。

「なんで、よく引っ越すのかって思わないの？」

しずかがそう尋ねると、真弓はこともなげに言う。

「もう慣れたから……別に」

しずかはもう一度、しつこく訊いた。真弓が首をひねる。

「いや……そりゃ、思うけど……じゃあ、お姉ちゃんはなんでだと思う？」

「え……？」

逆に訊かれて、しずかは答えに窮した。困って、山盛りのご飯をかきこんでいると、真弓が尋ねる。

「今夜は……ママさん、どうする？」

「……うん、行く」と、しずかはうなずいた。真弓がじっとしずかの顔を見つめる。

「お姉ちゃんさ……霧山さんのこと、好きなの？」

「え……？」

「霧山さんってさ、ちゃんとしてるよね……バレるから罪じゃない、バレない罪こそ背負う罪なんだ……って、私に言って。だから、万引きやめたの」

真弓は微笑んだ。しずかも笑みがこぼれる。

「かっこいいよね……？」

しずかが言うと、真弓は大きくうなずいた。

「うん」


午後九時十七分──。

今日一日、ずっと総武大塚の街をふらつきながら、十文字は悩み続けていた。レイコが本当に茗荷谷かよ子だとしたら……。彼女が本当に夫を殺害して逃亡を続けている整形逃亡犯だとしたら……。十文字は、さまざまに去来する思いをどう受け止めればいいのかわからず、レイコの店にやって来てからも、ただやみくもにグラスを重ねていた。

店には他の客も数名来ている。しずかが、今日もボランティアだと言って店を手伝いに来ているが、彼女の様子を見ていて、気づいたことがひとつあった。どうやら、しずかもレイコが茗荷谷かよ子だと、勘づいているらしいことだ。さりげなさを装ってはいるが、しずかはずっと、レイコと真弓の振る舞いに注意を払い続けている。

そして、決定的な時が来た。ひと組の帰る客を見送ったしずかは、店内に戻ってくるとカウンターに座って、ひと息ついた。その時、洗いものをしながら客と話をしていたレイコが、何気なく伏せて置いたグラスを、しずかは余計な指紋をつけないようにして、こっそり自分のバッグの中に隠したのだ。その動きにレイコは気づかなかったようだが、十文字はすべてを見ていた。

十文字は、カウンター越しに別の客と話しはじめたしずかに気づかれないように、さりげなく、彼女のバッグの中に手を入れて、ハンカチでグラスをこっそり拭《ぬぐ》った。

ところが、その作業の真っ最中に、しずかが振り向いた。十文字は顔を引きつらせ、あくまでさりげなさを装う。しかし、しずかはしっかりと十文字の手の動きを確認していた。信じられないという顔で、しずかが十文字を見る。気づかれたなら、仕方ない。十文字は開き直って、しずかのバッグの中のグラスを堂々とハンカチで拭《ふ》いた。しずかはトイレに立つようなふりをして、十文字の背後に回り込む。

「十文字さん……！　そんなことしていいの？」と、しずかは耳元で凄《すご》んだ。

「好きになっちゃったんだ……」

十文字は、しずかを見つめ返してつぶやいた。

「でも……」

「仕方ないんだ……あと一日ちょっとで時効だよ？　もう、いいじゃないか。彼女だって十五年も辛抱したんだ……娘もいるんだぞ。真弓ちゃんがひとりになったら、どうするん

「でも……もし、あの人が茗荷谷かよ子だったら、やっぱり、警察官として罪を償わせるべきじゃないんですか？」

しずかが毅然《きぜん》とした態度で、十文字を睨《にら》みつける。十文字はぽつりと言った。

「真弓ちゃんに、そう言えるか……？」

すると、しずかは黙りこくった。

二月十三日、午後十二時ちょうど――。

時効成立まで残り十二時間となり、十文字は総武大塚の街を見下ろすデパートの屋上にある遊園地で、ぼんやりと眼下の景色を眺めていた。昨夜、しずかがレイコの指紋を採ろうとする行動は阻止したのに、十文字はまだ、自分が本当にどうするべきなのかを、決めかねていた。大きなため息をついたその時、携帯電話の着メロが鳴り響いた。

「はい……」

十文字は覇気のない声で、電話に出た。

「十文字……？」

電話の向こうの声は霧山だった。

「おー、霧山か……お、呼び捨てか」

そう言うと、霧山は口ごもりながら言い直す。

「じゃあ……十文字さん」

「十文字でいいったら……同期なんだから」

「そんなこと、どっちでもいいよ！」と、霧山はじれったそうに叫んだ。

「まあな……で、用件はなんだ？」

「スナックのママ……」

やっぱり、勘づいていたか……。おそらく、しずかに指紋を採るように言ったのも、霧山なんだろう。十文字は、静かに答えた。

「わかってるよ」

「え……？　わかってたんですか？」

「昨日な」と、十文字は小さく笑った。

「昨日わかったんですか……」

「俺としたことがね、気づかなかったよ」

すると、霧山は電話の向こうで声を張り上げた。

「早く動いて下さいよ！」

「動くって、どう動くんだよ……？」

「そんなの決まってるじゃないですか！　時効は今日なんですよ！」

「ほお……趣味で時効事件を捜査するお前が、そういうこと言うんだ……時効になったほうが、お前にバトンタッチできるんじゃないのか？」

「十文字さん……」

霧山が凄みのある言い方をしたので、十文字はか細い声で答えた。

「はい……」

「はいって……十文字！」

霧山は突然、怒鳴った。十文字も負けじと言い返す。

「なんだよ！　霧山！」

そして、十文字はため息をついた。ベンチに腰かけた十文字は、もう一度、低い声で霧山に呼びかけた。

「わかってるよ……」

「わかってんでしょ？　時効、今日ですよ……ちゃんとして下さい」

「恋しちゃったんだよ……」と、十文字はつぶやいた。

霧山は黙っていた。

「霧山、お前、恋したことあるか？　俺は彼女に恋をしたんだ。俺に、逮捕できるか？　できるわけないと思わないか？……なあ、霧山、頼むから、俺とお前だけ気づかないふりはできないかな？」

「無理でしょう」

霧山は冷たく即答する。十文字は唇を嚙《か》んだ。

「霧山……時効事件担当の霧山、もうちょっと、待ってくれないかな。そうしたら、お前の事件になる――」

すると、霧山はその言葉をさえぎるように言った。

「十文字くん」

「はい……」

「十文字！」

「はい！」

「ちゃんとして下さい……ちゃんとしろ！」

電話の向こうで、霧山が絶叫していた。十文字は覚悟を決めた。

「はい……わかりました、霧山さん……」


午後七時五十分――。

時効までのタイムリミットは、あと四時間となった。十文字は、霧山としずかに付き添われ、レイコの店までやって来た。入口の前で躊躇《ちゅうちょ》した十文字を、ふたりが逃がさないように両脇から抱える。十文字は意を決して、店内に足を踏み入れた。

レイコはカウンターにひとり座って、黒ビールを飲んでいた。客は誰もいない。十文字の姿に気づいたレイコは、グラスを掲げて微笑んだ。

「今日はとことん飲みましょ」

十文字は初めて気づいた。レイコの笑顔が、実はこんなにも悲しいものだったのだと。

「そうですね！」と、十文字は精いっぱい笑ってみせた。カウンターに並んで座った十文字とレイコは、グラスを手に微笑み合った。

「乾杯……」

十文字は、もやもやした気持ちを吹き飛ばすように、黒ビールをあおった。

奥の座席では霧山としずか、それに真弓が黙ったまま座って、ふたりを見つめていた。


午後九時二十分——。

たいした話もできず、ただグラスだけを傾けていた十文字は、何をどう切り出せばいいのか、ずっと迷っていた。レイコは、しゃっくりも播州弁も隠そうとせず、明るく振る舞っている。レイコがまたくしゃみを連発した。

「また、誰かが噂しとるし……ヒック……」

そう言って見つめられ、十文字は照れ隠しに笑った。

「噂しとるのは、誰やろう……この人かいな？」

レイコは十文字を指差した。十文字が黙っていると、レイコはぽつりとつぶやいた。

「うちが誰だか、知っとんのやろう？」

十文字は黙ってうつむいていたが、やがて、キッと顔を上げ、真っ直ぐレイコを見つめた。レイコはもう笑っていなかった。

「でしょう？」

そう言うと、レイコはまた微笑んだ。それは、最初に彼女に出会った時と同じ、あの透き通った笑顔だった。

「はい……」と、十文字はうなずいた。

「やっぱり、ねぇ〜……いつから？」

「昨日」

十文字がそう答えると、レイコは少し意外そうな顔をした。

「じゃあ、最初に会った時は？」

「全然……」

「じゃあ……私が犯人だから、近づいてきたわけじゃないんだ」

「違いますよ」

「嬉《うれ》しいなあ……なんだか、それ」と、レイコは笑った。

「驚きましたよ」

「そりゃあ、驚いたでしょう……犯人だなんて」

「なんで、また、こんな時期に……？」

「ねえ……こんな時に」と、レイコは皮肉っぽい笑みを浮かべた。

「会うのが、あと一日ズレてたら……」

「そうだよ……あと一日、会うのが遅かったら、今頃、時効だったんだから」

十文字はグラスに残ったビールを、一気にぐっとあおった。ふっと息をつき、つぶやく。

「運命って、展開やね……」

レイコも笑う。

「運命って、不思議ね、運命って……最初に会った時、運命を感じたの。幸せの運命……でも、運命って、もうひとつの顔があるの。運命という影、悲しい運命。私の運命って、いつもいつも影だった……」

そこで十文字は、奥のボックス席にいるしずかに合図を送った。しずかがうなずく。

「ねえ……真弓ちゃん、二階に行こうか」

しずかがそう呼びかけたが、真弓はかぶりを振った。

「ううん、ここにいる……」

目に涙を浮かべていたが、それは彼女の強い意志の現れだった。

「じゃあ、逮捕して下さい」

レイコは立ち上がり、すっと両手を前に差し出した。

「まだ、少し時間があります……」と、十文字は彼女の顔を見ずに言った。そのままうつむいていると、レイコが震える声で、あの歌を口ずさみはじめた。

「もしも明日が　晴れならば　愛する人よ　あの場所で……」

彼女はそこで歌うのをやめた。十文字がおそるおそる顔を上げると、レイコは十文字のほうを真っ直ぐ見つめている。

「はい、次……」と、レイコが促した。十文字はとまどいながらも、かすれる声で歌った。

「もしも明日が　雨ならば　愛する人よ　そばにいて……」

そして、十文字はゆっくり立ち上がった。レイコが涙声で続ける。

「今日の日よ　さようなら　夢で逢いましょう……」

レイコは涙を堪《こら》えて、懸命に笑っているように見えた。十文字はポケットから手錠を取り出し、レイコの両手首にかける。

「お母さん……！」

真弓が泣きじゃくりながら、呼びかけた。レイコは振り返り、微笑む。

「真弓……ちゃんと生きてね！」

「うん！」と、真弓は力強くうなずいた。

そして向き直ったレイコは、カウンターの奥に置いてあったハート形のケースを取り出した。リボンがかけられたそれは、どうやらチョコレートらしかった。

「これ……ちょっと早いけど……バレンタイン」

レイコはそう言って、両手でそのチョコを差し出した。十文字は姿勢を正し、彼女に向かって深々と頭を下げる。そして、彼女の手の上からチョコを握りしめた十文字は、そのまましばらく動けなかった。


二月十四日、午前八時三十分――。

出勤途中で偶然会った霧山としずかは、そのまま連れ立って署の前までやって来た。

自転車にまたがっていた霧山は、署の玄関のところに立っている真弓の姿に気づいて、声を上げた。近づくと、真弓はぴょこんとお辞儀をする。

「真弓ちゃん……どうしたの？」と、しずかが尋ねた。すると、真弓は真剣な表情で言う。

「あのね……私、知ってたの」

「わかってるよ……」

霧山は彼女をなだめるように言った。真弓は続ける。

「お母さんが、あの事件起こしたこと、わかったの……確かに二歳だった。その時、何も見てなかった。でも、お母さんが整形する前の顔、なんとなく覚えてた……ブサイクだったけど、愛《いと》おしい、お母さんの顔」

「君は、うすうす知ってたんだね」と、霧山は言った。真弓が悪戯《いたずら》っぽく笑う。

「うすうす……？」

そして真弓と目が合ったしずかも笑った。

「うすうす……」

霧山は、ふたりの顔をきょろきょろと見比べた。真弓がつぶやく。

「うすうすわかってることって、ありますよね、世の中。でも、なかなか口に出せないじゃないですか……あの時、十文字さんが刑事さんだって聞いて、私、お母さんにぶつけてみたんです。でも、お母さんが殺人犯なんて、もうどっちでもよかった……だって、お母さんは、この世にひとりしかいない、私のお母さんだもん」

　霧山はその言葉を聞きながら、自転車から降りようとしたが、急にまた腰に激痛が走って、悲鳴を上げた。

「痛《い》ててて！　あ……あん時の、あれだ……」

　すると、しずかが呆《あき》れたように言う。

「霧山くん、今、いいとこだから……静かにしてよ」

　霧山は懸命に痛みを堪えて、自転車のスタンドを立てた。霧山はカバンからペンを取り出し、真弓たちに背を向ける。

「私、嘘をついてたことを謝りたくて……」

　真弓の声がした。

「嘘……？」と、しずかが聞き返す。

「いつもいつも、お母さんの指名手配のポスター、街で見てた。でも、黙ってた……私も共犯なんです」

「いや、そんなことないよ……」

「私もお母さんと一緒に、刑務所に行くべきなんです」

　そこで霧山は振り返った。真弓は思い詰めた顔になっていた。

「痛たたた……とにかく、これ、はい……『誰にも言いませんよカード』ね」

　今、記入して認め印も押したカードを、霧山は真弓に手渡した。真弓はきょとんとした顔でカードと霧山の顔を見比べる。

茗荷谷真弓様
この件は誰にも言いません。

霧山修一朗

霧山は腰をさすりながら、真弓の顔をじっと見つめた。
「君が、お母さんのことを黙っていたのはわかったけど……もう、すでに時効です。僕はこのことを口外することもないし、とにかく、君がきちんと生きていれば、お母さんも喜ぶと思うよ……そんな、お母さんを愛するパワーで、この青空みたいに幸せになれ！」
霧山は澄み渡る青空を見上げて絶叫した。しずかが微笑み、真弓も無邪気な笑顔を見せる。そして霧山は、吸い込まれそうな青空に向かって、思い切り両手を伸ばした。

午前九時三十五分——。
今日の時効管理課は、茗荷谷かよ子逮捕のニュースで沸いていた。蜂須賀や諸沢までも集まってきて、熊本を取り囲む。しずかは、我関せずという感じで聞き流している霧山の横で、なんとなくみんなの様子を見ていた。

「それにしても、あのママが、あの茗荷谷かよ子だったとは……さすがの私でも気がつかなかったなあ」

熊本がそうつぶやくと、蜂須賀が冷やかす。

「あんなにジロジロ見てたくせに……」

「な、なに言ってんだよ……」と、熊本はうろたえた。

「昔、会ったことのある女に似ている、とか言ってたけど、あれ、ポスターで見たってことだったんですよね？」

諸沢も熊本の肩を小突いた。

「何はともあれ、今回は十文字くん、久々の手柄だったね」

又来がしみじみと、そうつぶやく。

「あれは、表彰もんだね」と、蜂須賀。

「また、霧山さん、同期においていかれる……」

サネイエが霧山を見つめながら、消え入りそうな声で言った。

「しーっ……あれで、センチメンタルになってるんだから」

しかし、霧山は黙々と仕事に没頭していた。又来が笑う。

「霧山くん、なんか晴れ晴れしてるね」

「なんかいいことあったのかしら」

サネイエも感心する。しずかは、そっと霧山の耳元でささやいた。

「霧山くん、今回の『誰にも言いませんよカード』、かっこよかったよ」

しかし、霧山はもうきれいさっぱり忘れたかのように、きょとんとした顔でしずかのほうを見上げた。

「霧山くん、釣りで、腰痛めたんだってなあ！」

熊本がそっと近づいてきて、そう言った。

「もう治りましたよ」と、霧山は即座に答える。

すると、神泉を先頭に下北沢と吉祥寺が時効管理課のスペースに駆け寄ってきた。

「ねえねえ、聞いて下さいよ！　十文字さんが今度、警視総監から表彰されるみたいなんですよ！」

神泉が興奮気味に伝える。下北沢がうっとりとした目でつぶやいた。

「すごいですね、十文字さん……かっこいいー！」

「どこ行ったんですか？　今日は十文字さん、現れてないんですか？」

吉祥寺がみんなの顔を見回す。熊本は刑事課のフロアを眺めた。

「そう言えば、いないねぇ」

「どこ行ったのかな……？」と、蜂須賀。

「十文字、なんか寂しそうだったなあ」

又来がそうつぶやくと、霧山が立ち上がった。

「まあ、恋に時効はありませんからね」

そう言って、霧山はみんなに微笑みかけると、さっさと廊下のほうに向かった。きょとんとなった一同は、互いに顔を見合わせて、首をひねる。

「また、おかしくなっちゃったよ」と、熊本がつぶやいた。

「大丈夫？」

又来が声をかけたが、霧山は気にせず歩いていく。しずかは、うっとりと霧山の後ろ姿を見送った。

「確かに……恋に時効なし！」

しずかはそうつぶやいて、ひそかにガッツポーズを決めた。


その頃、十文字は、総武大塚の街を今日もあてどもなく歩いていた。

十文字が最終的に選んだ方法が、果たして本当に正しかったのかどうか、今はまだわからない。そして、おそらくこの先もずっと、正解はわからないだろう。

朝の澄んだ空気に包まれた商店街を歩きながら、十文字はあの歌を口ずさんだ。

「今日の日を　想い出に　そっと残しましょう……」

十文字はビルの隙間に見える、小さな青空をじっと見上げた——。

第七話

主婦が裸足になる理由《わけ》をみんなで考えよう！

霧山はその日、時効管理課に名指しでかかってきた妙な電話を受けた。

「もしもし……七年前に起きた平成三億円事件なんですけど、今日で時効ですよね……そのことで、ちょっとお話ししたいことがあるんですけど……」

電話の相手は女性の声だった。初めて聞くその声は、抑揚を押し殺した、感情のないものに感じられた。

「平成三億円事件ですか……ぇぇ～っと、あなたは？」

「犯人ですよ、あの事件の……」

「えっ……犯人⁉」と、思わず間の抜けた声を上げてしまった霧山を、ぐるりと取り囲むようにしていた熊本たちが怪訝《けげん》な目で見る。

「はい……わかりました……」

霧山が電話を切ると、ちょうどその時、しずかがやって来た。みんなの異様な空気を察したのか、しずかは霧山のほうを覗《のぞ》き込む。

「どうしたの……？」

「三日月くん……付き合ってくれる？」

「えっ……!?　あ、はい」

しずかは何故か、はにかみながら答えた。

霧山は、さっきの電話で女に指定された、街の宝くじ売場の近くまでやって来た。ベンチに並んで腰かけた霧山としずかは、隣のソーセージ売場で買ったソーセージにかぶりつきながら、宝くじ売場のブースから聞こえてくるラジオの音に耳を澄ませていた。

「奥さん、それはね、〝妬《ねた》み〟って言うの……隣の芝生って言葉、知ってるでしょ？　隣の家の芝生は綺麗《きれい》に見えるっていう……」

そのラジオ番組は、なれなれしい口調のパーソナリティーが、主婦からの電話相談を受けるという内容のようだった。

「うち、マンションですから、芝生はないんです」

「あのね、奥さんさあ、そんなに不満だったら、ご主人と別れたらどうなの？……奥さん、聞こえてる？」

電話口の主婦は黙りこくってしまったようだ。

「奥さん!……もしかして、ご主人、帰ってきたの!?　だったら、適当なこと話して……私、誰にでもなるから……」

そこで、唐突にその番組は終わった。

「いつも、ここで終わるのよ」と、しずかがつぶやく。

「へぇ〜、知らなかったよ。こんな番組が人気なんだ……『奥様人生相談』？」

そう言いながら、霧山はソーセージをぱくつく。

「そう。主婦の気持ちを代弁してるって、評判なの……夕方にも再放送があるんだけど、それはね、微妙に旦那《だんな》さんにも聞かせたがってるってことらしいね」

「へぇ〜……」

その時、霧山たちの目の前に、何やら人を捜しているふうの女性の姿があった。

「ねえ、あれじゃない？」と、しずかがこっそり指差す。

「ああ、っぽいねぇ……うん」

霧山は立ち上がり、「前後賞合わせて三億円」の旗がバタバタと音を立ててはためく横を、その女性に近づいていった。しずかが、足早に後ろからついてくる。ところが霧山は、行き交う人々の波に飲み込まれて、つい女性の姿を見失ってしまった。

「あれ……？　見失っちゃったよ」

霧山がそうつぶやくと、しずかが時計を見て、慌てたように言った。

「ごめん……私、そろそろ署に戻らないと」

そして、しずかは先に帰っていった。ひとり残された霧山が辺りを見回していると、不意に誰かが呼び止める。

「霧山さん……」

霧山が振り向くと、そこにさっきの女性が立っていて、ぺこりとお辞儀をした。

署に戻ってきたしずかは、交通課の本来の仕事を処理して、それから時効管理課を覗いてみた。熊本が捜査資料のファイルを睨《にら》んでしかめっ面をしていて、又来とサネイエがその様子をなんとなく見守っている。しずかは気になって尋ねた。

「どうしたんですか？」

「うーん……」と、熊本が唸《うな》る。

「課長が判子押さないんですよ」

サネイエが呆《あき》れたような口調で言った。熊本は口ごもりつつも言い訳をする。

「いや、霧山くんがいないからさ、今ひとつ気持ちが……」

「私、押してあげましょうか？」

又来が身を乗り出すと、熊本はそれを制した。

「私の仕事でしょ」

「ああ、一応、そう思ってんだ……」

「又来くん、キライ」

熊本が手にしていたファイルは、問題の「平成三億円事件」だった。

「事件が起きた時には、手口が昭和の三億円事件にそっくりだったから、二番煎《せん》じとか言われて、ほとんど相手にされなかったんですよね？」

サネイエがファイルを覗き込みながら、つぶやく。又来がうなずいた。

「ニュースとしても、あんまり、脚光浴びなかったのよね……」

「まあ、その分、警察としても、非難を浴びなくて済んだってことでは、あるんだよな」

熊本がにやにや笑いながらそう言った。そこでしずかは、はっと思い出し、みんなに尋ねた。

「あ、それより、霧山くんは？」

すると、熊本が顔を上げる。

「あれ……？　犯人だって言ってる女と会えたからって……」

「喫茶店で話、聞くって」と、又来。

「えっ……？」

しずかは思わず声を上げた。サネイエが尋ねる。

「どういう女なんですか？　その、名乗り出た女って……」

しずかはさっき見かけた女性の姿を思い返し、苦笑いを浮かべた。

「どういう女って……私は、あんまりタイプじゃないですね」

「それ、霧山くんは、タイプだってこと？」と、熊本が意地の悪い笑い方をする。

「今頃、全然違う話してたりしてね……今度の日曜、空いてる？　とかさ」

又来が面白がって、そんなことを言うので、しずかは不貞腐《ふてくさ》れた。すると、そこに十文字がやって来る。

「ん？　霧山くんは？」

「あ、あのね……」

熊本が口ごもると、又来が助け船を出した。

「コンビニに、接着剤買いに行くって」

「あれ、そうなの？　それでいいの？」

熊本がうろたえる。十文字がつぶやいた。

「例の平成三億円事件について、あいつに近づいている人物がいるって聞いたから……」

「時効になったんだよ、ほら」と、熊本がファイルを見せる。

「ええ、時効……それが怖い。あの事件は、俺が刑事課に配属されて初めて担当した事件でしたからね……この事件について、三日月くんにも少し話しておこうか……」

そして、十文字は遠い目をして語りはじめた。

「平成十一年二月二十四日、総府《そうふ》武中《ぶちゅう》市で現金輸送車が何者かに襲われ、現金三億円が盗まれるという事件が起きた……その手口は、昭和四十三年の、あの三億円事件に実にそっくりだった……白バイ警官を装った犯人が現金輸送車に近づき、車に爆弾が仕掛けられていると脅した上で、車の下に潜り込んで爆弾に見せかけた発煙筒を焚《た》く。運転手たちが避難している間に、犯人は悠々と現金輸送車を奪って逃走した……」

熊本たちは、じっと十文字の言葉に耳を傾けている。事件のことを思い返している……というより、むしろ昭和の三億円事件やあの頃の状況のほうを思い出しているのかもしれない。

「あまりにその手口が昭和の三億円事件に似通っていたため、この平成三億円事件は、二番煎じだと言われたが、結局、元祖三億円事件と同様に真相は突き止められなかった……それは捜査の手ぬるさというより、まさか同じ手口で？……という社会そのものの油断をついたものだったと、今は言うしかない……」

十文字は自分の言葉に酔いしれたように、ポーズを決めている。しずかは黙って聞いていたが、熊本が意を決したように立ち上がったので、思わずそちらに注目した。

「よし……！」

熊本は判子を振りかぶると、「総府武中市平成三億円事件（事件発生平成十一年二月二十四日）」と書かれたファイルの表紙に、「時効」の文字を押した。

霧山は昼下がりの喫茶店で、秋津《あきつ》聡子《さとこ》というその女性と向かい合って座った。三十五歳だという聡子は、多少よそ行きの服装はしているが、どことなく地味に見える。聡子は、バッグから折りたたんだ新聞記事の切り抜きを取り出して、霧山に向かってすっと差し出した。

「別に、自慢するつもりで持ち歩いてるんじゃありません……七年前の新聞の切り抜きをこうして持ってるくらいだから、いくらかは信用してもらえるんじゃないかと……」

霧山は新聞記事をしげしげと眺めた。それは確かに、平成三億円事件を報じた七年前の記事だった。

だからと言ってすぐに納得できるわけでもなく、霧山が首をひねっていると、聡子が不意に叫んだ。

「やっぱり信用してない！　電話でも言ったでしょう？　この事件の犯人は、私なんですよ！」

霧山はその剣幕に圧《お》され、首をすくめた。

「私は、警察の手ぬるい捜査を告発するために手記を書くんです。この時効の日を、今や遅しと待っていました。すべてに正確を期すために、遺留品がほしいと言ってるんです」

「でも、あなたが真犯人だという証拠もなく、遺留品をお返しするわけには……」

霧山がそう言うと、聡子は黙ってしまった。

「それはわかっていただけますよね？　あなたが犯人だと言ったからって、それで即、遺留品を、ハイどうぞってわけにはいきませんよ」

その時、霧山はしずかが店内に入ってきたのに気づいた。しずかは、少し離れた席に座って、二人のほうを見ている。

聡子がじっと睨んだ。

「あなたは、時効になった事件を捜査してらっしゃると聞きました……だったら、あなたが、この事件の犯人が私であると突き止めることができたら、遺留品は返していただけるんですね……」

「いいや、それも私の一存では……」

霧山がそう口ごもると、聡子は大袈裟《おおげさ》に嘆いてみせる。

「どうなってるんでしょう？　この頃の男は……」

「いや、男だとか女だとか、そういう問題じゃ……」と、霧山が言い返した時、しずかが向こうのほうで、「GO！」というサインを送ってきた。

霧山がしばらくしずかに向かってアイコンタクトを送っていると、その不穏な気配を察したのか、聡子が急に振り返った。しずかが慌てたように向き直り、こちらに背中を向ける。聡子は怪訝《けげん》な顔で再び霧山を見つめた。

しずかが、おそるおそる振り向く。聡子が見ていないのを確認すると、しずかはまた「GO！」のサインを送ってきた。霧山は、大きく息を吐いてから言った。

「わかりました……。じゃあ、真相を究明して、あなたが犯人であるという確証を得られれば、遺留品はお返しします」

聡子は納得したようにうなずいた。その向こう側で、しずかがこちらに向かって親指を立ててみせながら微笑んでいる。

霧山は何か釈然としない気持ちを抱えたまま、思わず顔をしかめた。

聡子と別れて署に戻ってきた霧山は、さっそく又来たちに取り囲まれた。

「遺留品を返してくれって、言ってるわけだよね？　どうして？」

又来に真っ直ぐ見つめられ、霧山は答えた。

「手記を書きたいって、言ってましたね」

「手記……？」

「『平成三億円事件、犯人は私だ！』って、タイトルらしいですよ」

「正確を期すために、全部の遺留品もチェックしておきたいって……」と、しずか。

「手記ねえ……」

又来がため息をついた。

「確かに、これまでずっと、犯人は男だってことでしか捜査してないはずだよ……だって、あのモンタージュ写真……」

熊本がそうつぶやく。確かに、平成三億円事件で出回った犯人のモンタージュ写真は、昭和と同様、白バイ警官のヘルメットに男性の顔写真が合成されたものだった。

「いずれにしても、これは厳重に保管しておかないとな……」

熊本はそう言って、遺留品の入った段ボール箱を持ち上げると、ロッカーの横にある保管用の金庫の中に厳重にしまい込んだ。

金庫に鍵《かぎ》をかけた熊本は、振り返ると何かぶらぶらと揺れる人形のようなものをこちらに向かって突き出した。霧山はすぐにそれがなんであるかに気づいた。

「あ、厄除《やくよ》け厄《や》っくん！」

霧山は思わず指差した。

「えっ!?」

霧山の声に反応し、又来たちも一斉に熊本が差し出した手に注目する。熊本が手にしていたのは、厄をパクパク食べてくれると評判の〝厄除け厄っくん〟の携帯ストラップだった。しかも、レアもののジャングルベイビー・バージョンである。

熊本は意味深な笑みを浮かべると、〝厄除け厄っくん〟ストラップの紐《ひも》の部分を金庫の鍵の部分にくるくると巻き付けた。鍵のところにぶら下がった〝厄っくん〟が、小刻みに揺れている。

「何、あれ？」と、しずかが不思議そうな表情でつぶやく。霧山は答えようがなくて、首をひねった。

それから熊本は金庫に向かって手を合わせると、二度、柏手《かしわで》を打ち、意味不明な言葉をぶつぶつとつぶやいた。しずかの表情がますます曇る。

「ねえ、何なの、あれ？」

しずかが、今度は霧山の肩を引っ張るようにして訊《き》いた。それでも霧山には答えようがない。

すると、熊本はおもむろに振り返り、自分の席に腰かけた。

「よし、封印したぞ」

満足げな顔で熊本がつぶやく。その一連の作業を時折チラチラ見ていたサネイエが、思い出したように言った。

「だいたい、その盗んだ三億円はどうしたんですか？　もう使っちゃったんですか？」

サネイエにそう言われて、霧山は、はっとなった。

「あ、そうだね……それ聞くの忘れたね……」

「霧山ぁ！」と、又来が声を張り上げる。熊本にも責められ、霧山は頭を掻《か》いた。

霧山はその日の夕方、教えられた住所を頼りに聡子のアパートを探した。入り組んだ路地の奥にある木造モルタルの小さなアパートに、聡子は住んでいた。玄関のチャイムを押すと、中でバタバタと小さな足音がして、「お父ちゃんだ！」という子供の声がする。すぐにバタンとドアが開けられた。

「あの……」

言いかけた霧山の前に顔を見せたのは、もじゃもじゃ頭の六歳くらいの小さな男の子だった。すると、出し抜けに奥から聡子の声がする。

「ごめん！　靴脱ぐ前に惣菜屋《そうざいや》に行ってきてくれる⁉　子供たち、今日はコロッケ食べたいって言ってるから！」

霧山がどうしていいかわからず固まっていると、男の子が奥に向かって呼びかけた。

「知らないおじちゃんだよ」

やがて、聡子が玄関へ出てきた。霧山は丁寧にお辞儀をする。

「すいません、突然……」

「あら……？　どうぞ……」

聡子は霧山を中に招き入れた。狭い部屋の中では、さっきの男の子のほかに、もうひとりおかっぱ頭の四歳くらいの男の子がいて、兄弟でおもちゃを奪い合いながら遊んでいた。部屋の中には、昼間も聞いたラジオの奥様人生相談の音が流れていた。

「奥さん、そりゃ、税金は払わないとまずいよ」

「なんで、貧乏な私が払わなきゃいけないの？　悪いことしていっぱい稼いでるくせに払わない人、いっぱいいるでしょ？」

「あのね、奥さん……私はご主人から税金の振り込みにって渡されたお金を、パチンコに注ぎ込んじゃダメだって言ってんの……やめらんないんでしょ？　パチンコ」

そのうちに、ふたりの男の子がおもちゃのブロックを持って霧山にまとわりついてくる。どうも一緒に遊んでほしいようだ。適当に相手をしながら、何気なく奥の部屋に目をやった霧山は、そこにもうひとり三歳くらいの可愛らしい女の子がちょこんと座って、一生懸命「しんでれら」の絵本を読んでいることに気づいた。

「もしもし、奥さん……奥さん！　もしかしてご主人帰ってらした？　適当に話して。私、誰にでもなるから……」

そこで聡子がラジオを消し、お茶を運んできた。

「何か聞きたいことがあるんでしたら、隠語でお願いしますね……上の子は、もう大人の話してること、わかりますから」

聡子にそう言われ、霧山はつぶやいた。

「隠語ですか……」

男の子たちが、霧山にブロックを組み立てるように催促する。また相手をしてやりながら、霧山は尋ねた。

「あの、ご主人はいつも何時頃……？」

「それ、隠語？」と、聡子が聞き返す。

「いや、これは単なる質問です」

「ケースバイケースですね」

「じゃ、今日は？」

するとと、聡子は小さく笑った。

「大丈夫ですよ、主人なら……私の貞淑は折り紙つきですから」

「いや、あの、そういうことじゃなくてですね……」

「もてる男に限って、小心なのよねぇ」

そう言うと、聡子は不意に立ち上がり、洗濯物を取り込むためにベランダに出た。霧山は、部屋の片隅にある机の上に、何やら工作途中のような部品が転がっているのに気づいて、兄弟の兄のほうに訊いた。

「ねえ、あれ……何？」

「発明だよ……お母ちゃん、発明やってんの」

男の子はあっさり答える。

「へぇ〜……」

霧山は近づいて、机の上をよく見てみた。何を作っているのかはよくわからないが、竹ひごやボール紙で組み立てられている何かの部品や、工作用具があちこちに散らばってい る。そして霧山はふと、小物入れの引き出しからはみ出したまま無造作に置かれている聡 子宛の手紙が目に入り、それをこっそり裏返してみた。差出人のところに「大宮夏美《おおみやなつみ》」と いう名前が書かれている。すると、不意に弟のほうが霧山を注意した。

「怒られるよ、そこら辺、触ると」

「あ、そうかそうか……」と、霧山は子供たちの元に戻った。

今度は兄のほうが不意につぶやく。

「おじちゃん、ボクの誕生日に何かプレゼントくれる？」

「誕生日？」

「もうすぐ誕生日なんだよ」

「へぇ〜、いくつになるの？」

「七つ……」

そこへ洗濯物を抱えて、聡子が戻ってきた。聡子は、出しっぱなしになっていた手紙に 気づき、それをこっそりと隠すようにしまう。霧山はそんな彼女の様子を、さりげなく見 ていた。

「やだ、これ、まだ乾いてない……」

聡子が一枚のシャツをつかんで、そうつぶやく。彼女はそれをもう一度ハンガーにかけ直して、ベランダに戻しに行った。霧山は、彼女が放り投げた洗濯バサミのひとつを、指紋がつかないようにハンカチを使って拾い上げ、素早くポケットに入れた。


その頃、十文字はパチンコ店の景品交換所が襲われたとの通報を受け、近所の店などをしらみつぶしに当たっていた。蜂須賀と一緒に、『珈琲《コーヒー》タイムズ』という名のうらぶれた一軒の喫茶店に足を踏み入れた十文字は、店内に覇気のない疲れ切ったような主婦たちが大勢座っているのを見て、そのどんよりとした雰囲気に、思わず絶句した。

「わっ、なんだ、この空気は!?」と、蜂須賀が声を上げる。十文字は気を取り直して叫んだ。

「警察だ！　今、そこのパチンコ店『百万ドル』の景品交換所から現金が盗まれた！　犯人は主婦らしき女。ここらに逃げ込んだという情報がある。逃げる時、路地のぬかるみを走っているはずだ！　これから、皆さんの靴を調べさせてもらう！」

そして、十文字と蜂須賀はそこにいた主婦たちの足元を調べだした。ところが、彼女たちは何故か全員、裸足《はだし》だった。

「ど、どういうことだ！」と、十文字はうろたえた。

「寒くないのか……!?」

蜂須賀がつぶやく。店内に流れている時代遅れの歌謡曲が、十文字の気持ちをさらに逆なでした。

署に戻った十文字は、参考人として連行されたひとりの主婦を取り調べていた。机の上に泥まみれの靴を数足並べた十文字は、主婦に詰め寄る。

「どの靴にも見おぼえはないと言うんだな？」

主婦は黙りこくっていた。十文字は声を荒らげる。

「返事をしろ！」

「うるさいな……ないって言ってんだろ！」と、主婦は凄《すご》んでみせる。

「言ってんだろ……？　これが女か？　女の使う言葉か⁉」

「女で悪うござんした」

「俺の母方の叔母《おば》は、とてもシャイで可愛い人だった……その叔母がある時、俺にこう言った。疾風くん……あ、疾風ってのは俺の名前だ。十文字疾風、フルネームだ……『疾風くん、女は弱いものよ。裸足で闘う殿方の後ろで、靴を履いて見守るのが女。私は見守ることしかできないの』ってな」

「嘘だあ……」

「嘘じゃなぁい！」

するると、取調室に蜂須賀が入ってきて、十文字に耳打ちする。

「例の三億円……出頭してきたのって、女らしいよ」

「え？　女？　嘘だあ……」と、十文字は思わず言い返した。

「ホント、ホント。今、交通課で情報仕入れてきたから」

十文字はそれを聞き、眉《まゆ》をひそめた。

「ハチさん、この女、しめあげて下さいよ」

蜂須賀にそう言い残して、十文字は取調室を出た。交通課まで行くと、下北沢と吉祥寺、それに神泉が立ち話をしている。十文字は訊《き》いた。

「霧山のとこに『三億円の犯人は自分だ』って出頭してきたのが女だってのは、本当か？」

すると、神泉がうなずく。

「本当らしいですよ。今、霧山さんがその女の家に行ってるそうです」

「もし、真犯人なら、盗んだ三億円をどうしたか知ってるはずだってことで……」

吉祥寺がそう付け加えた。十文字は呆《あき》れた。

「相変わらず、やることがまどろっこしいな……」

その時、取調室から主婦の叫び声が聞こえた。

「やめてぇ！」

十文字は慌てて取調室に戻った。

「何やった!?」とドアを開けると、女が崩れ落ちていて、その前に蜂須賀がちょこんと座っていた。蜂須賀は得意気に言う。

「ちょっと刺してやったよ。女は弱いものよ、なんて、ぬかすから」

「は、ハチさん……」

 蜂須賀の尻のところには、針のようなものが突き出ていた。いくら名前が蜂須賀だからって自分が蜂になることはないだろうに。

十文字は呆然《ぼうぜん》となって、そっとまたドアを閉めた。


霧山は、夕食のおかずにするコロッケを買いに行くという聡子に付き合って、商店街を歩いていた。行きがかり上、いつの間にかなつかれてしまった子供たちの手を引きながら、霧山はまるで家族のように聡子と並んで歩いた。男の子ふたりは、楽しそうに「コロッケ、コロッケ……！」とはしゃいでいる。

「どうして発明なんかやってるか、わかる？」

末っ子の女の子――三歳のヒロミの手を引いた聡子が、ぽつりとつぶやく。

「好きだから、じゃないんですか？」

霧山がそう言うと、聡子は薄く笑った。

「貧乏だからよ……私もね、もう少しマシな男と結婚してりゃ、こんなことにはならなかったんだけど……儲《もう》かるのよ、発明は。一発当てれば、ビルだって建つんだから」

やがて惣菜屋《そうざいや》が見えてきて、子供たちが、わっと駆け寄る。霧山は尋ねた。

「いや……でも、その……三億円は……？」

「悪銭身につかずとは、よく言ったもんですよ。一年に一億ずつ減っていきました……三年目にスッカラカン」

「一年に一億ずつって、どうやって、そんな大金を……」

「バクチよ。決まっててんじゃない」

そして、惣菜屋の前まで来ると、聡子は一万円札を財布から出し、霧山に渡した。

「霧山さん、これで子供たちの言うように買ってやって下さい……今、私、説明しますから」

霧山はうなずき、「ボク、これがいい」とコロッケを指差している弟のほう――四歳のタケシの言うことを聞いた。聡子が耳元でささやく。

「初動捜査のミスは、警察が犯人を男と決めてしまったところにあるんですよ……じゃあ、誰の言葉を警察は信じたのか？」

霧山は素知らぬふりをしながら、兄のほう――六歳のツヨシに訊いた。

「これを何個？」

「おじさんも入れて六個！」と、ツヨシは元気よく答えた。霧山は店員に声をかける。

「じゃ、六個お願いします……続けて下さい」

霧山は聡子に目配せして、小声で言った。聡子は話を続ける。

「わかるでしょ？　犯人の顔を見たのは、あのふたりしかいないんだから」

「現金輸送車を運転していた……」と、霧山はつぶやく。

「そう、あの時のふたり……警察なら、いくらでも捜し当てられるでしょ？」

霧山ははしゃいでいるツヨシとタケシの腕をとって、じっと考え込んだ。

その夜、アパートに帰った霧山は、コロッケをかじりながら、書店で見つけてきた「週刊発明」という雑誌をぱらぱらとめくった。特許や発明に関する情報が掲載されている中、途中の広告ページに「オフィス大宮」という会社の広告を見つけて、霧山は何気なくそれに目を留めた。「発明のことならおまかせ」と書かれたその広告には、「平成のエジソンこと代表・大宮敏彦《としひこ》」という男性の顔写真も載っている。

「ん……大宮……？」

霧山はふと、聡子の家で見た「大宮夏美」という差出人の手紙のことを思い出した。そして、コロッケをまたひと口かじって、独りごちる。

「いけるな、これ」

食べ終わったその時、携帯が鳴った。しずかからのメールの着信だ。

「コロッケ、おいしい？」

メールの文面にはそう書かれていた。

「なんで？」と、霧山は首をひねった。

しずかはその頃、アパートの自分の部屋で、苛々《いらいら》と落ち着かない時間を過ごしていた。

さっきから携帯電話とにらめっこをしながら、メールの返事が来ないことに焦《じ》れていたのである。

「返事は？　返事はどうしたの？」

しずかは今日の夕方、商店街で見かけてしまった霧山の姿を思い返して、ますます苛立った。あろうことか、霧山は例の「三億円事件の犯人だ」と言って出頭してきた秋津聡子という女性と一緒に、小さな子供たちを三人も連れて、まるで家族かと思うように楽しく笑い合いながら、商店街の惣菜屋でコロッケを買い込んでいたのだ。

しずかは、たまたまそこを通りかかり、その光景を見てしまった。霧山と聡子は、顔を寄せ合って何事かささやき合い、買い物を終えると、また子供たちの手を引いて、楽しそうな家族のように帰っていったのである。

「信じらんない……」

こっそり、あとをつけたしずかは、思わずそうつぶやかずにはいられなかった。

その瞬間、携帯電話が突然、鳴りだした。見ると、霧山からの着信である。

「駄目だ！　話す準備ができてない……もう！　メールでいいのに……！」

しずかがあたふたと焦っていると、やがて電話は切れてしまった。

その翌日、霧山は七年前に現金輸送車を運転していた伊東友彦《いとうともひこ》という男性を訪ねた。当時、警備会社の社員として現金輸送車を運転していた伊東は、事件の後で会社を辞め、今は運送会社の配送員をしているという。昼休みを利用して会いに行った霧山が事件の話を持ち出すと、伊東はあっさりと犯人が実は女性であったことを認めた。

「女だった⁉　それは間違いないんですか⁉」

霧山が思わず声を張り上げると、伊東はすぐさま帽子を取って、頭を下げる。

「申し訳ありません……」

「どうして、男だなんて言ったんですか？　それに、あのモンタージュ写真は……！」

霧山が詰問すると、伊東はすまなそうにうなだれ、ぽつりとつぶやく。

「多分、あの犯人は、私のことも、私たちのことも調べ上げていたんだと思います」

「私たちって？」

すると、伊東は誰もいないはずの屋上を、きょろきょろと見回した。

「お恥ずかしい……あの時、私と一緒に輸送車に乗っていた羽田《はねだ》和枝《かずえ》と私は、つまり、その……不倫の関係でした」

伊東はたどたどしい口調でそう言った。霧山は意味がわからず、伊東を見つめ返した。

「月に一度、あの現金輸送車で現金を運んでいる時だけが、のびのびと素直に、ふたりきりになれる時間でした……私たちは、ふたりきりの時間をなるべく多く取るために、近道を覚えました……そして、いつも決まった場所で……」

伊東は言葉を濁した。

「不倫の密会というわけですか……」と、霧山は半ば呆《あき》れてつぶやいた。伊東は照れ笑いを浮かべる。

「青春でした……遅くきた青春でした……だが、私には妻がいた！」

　そこで霧山は、はたと思い当たった。

「ちょっと待って下さい！　え……？　ってことは、その、あなたたちの関係がバレないように、本当は犯人は女だったのに、男だって言ったってことですか!?　つまり、捜査を攪乱《かくらん》するために！」

　すると、伊東は感心したように言う。

「さすがですね」

「いや、さすがとかじゃなくて、だって、そんなこと……」

「失礼ですが、霧山さん、あなたご結婚は？」

「独身ですけど」

「あ、じゃあ、駄目だ……このことで私を責める権利は、あなたにはない！」

　伊東は開き直ったように、力強く言い放つ。霧山は呆れた。

「はぁ……？」

「妻というものが、どんなに怖いものか……それがわからない人間に！」

「いや、そういう問題じゃないでしょう……」

「あの日、私たちはいつもの場所で、ふたりだけの時間を楽しんでいました……私たちの関係は、車に積んであった現金よりも重かった。私たちの世界には、妻だろうと誰だろうと決して入り込めないはずだったんです……」

霧山は、遠くの空を見つめて思い出語りをする伊東を、黙って見つめた。

「ところがその時、車の窓を白バイ警官が叩《たた》きました。それが女性だということは、すぐにわかった……その女は、現金輸送車に爆弾が仕掛けられている可能性があるから、すぐに車から降りなさい、と言うんです。言われた通りにすると、女が車の下に潜り込んで、そうしたらすぐに煙が出はじめました……」

そこで、伊東は大きくため息をついた。

「私たちは、わけがわからず立ち尽くしていました。すると、女は運転席に乗り込もうとした時に、こう言ったんです……『お楽しみのところ、悪いわね。バラされたくなかったら、おとなしくしなさい』って」

「それで、犯人は輸送車ごと、まんまと三億円を奪っていった……」

「私たちは、何が起きたのか、しばらくまったくわかりませんでした……私たちの関係に気づいた妻の仕業じゃないかと思っていたくらいです……」

そう言うと、伊東はがっくりとうなだれた。


署の長い廊下を歩いていたしずかは、あの時、街で見かけた聡子が正面から歩いてくるのに気づいた。次第に距離が近づいたふたりは、ゆっくりとお辞儀をし合う。すれ違いかけたところで、聡子が不意に口を開いた。

「あの……霧山さんは？」

しずかはどう答えていいか迷ったが、結局、正直に説明した。

「今、出ています」

「そう。じゃあ、あなたでもいいわ。話を聞いて下さる？」

そして、しずかは誰も使っていない取調室に彼女を案内した。向かい合って、ひとしきり事件のことを一方的にまくしたてた聡子は、じっとしずかの目を見つめた。

「わかる？　この世にオリジナルなものなど、ひとつもないの。すべては何かの模倣なのよ……あえて言うなら、その模倣の仕方にオリジナルなものはあるんでしょうね」

「はあ……」と、しずかは首を傾げた。聡子は構わず喋《しゃべ》り続ける。

「昭和の三億円事件が解けなかったのなら、別に同じ手口の同じ事件を起こしても、警察は解決できない……そこに私は目をつけたのよ。解決できないことからは何も学ぼうとしない、この人間の浅はかさ……」

「あの……その奪った三億円は、どうなさったんですか？」

しずかは、聡子の言葉をさえぎって訊《き》いた。すると、聡子は不敵な笑みを浮かべる。

「あなた、霧山さんと、どういう関係？」

「ど、同僚ですけど……同じ署内の」

「同じ車の運転席と助手席に乗ったりはしないの？」

「私たち、現金輸送車なんか乗りませんから！」

しずかはムキになって答えた。聡子が苦笑する。

「現金輸送車なんて言ってないわ。ただの車でいいのよ……ねえ、あなたからも霧山さんに言って下さらない？　私の遺留品を早く返してくれるように」

聡子は真剣な表情で、そう詰め寄った。


聡子が訪ねてきたことを電話で霧山に報告したしずかは、熊本たちに事態の推移を一から説明した。聡子の態度が腹に据えかね、しずかはついつい語気が荒くなってしまう。

「あの時、現金輸送車のふたりが、犯人は男だと証言したところから捜査は間違った方向に向かった……そのことを全部知ってるんですよ、あの女は！」

「裏は？」と、又来が訊く。

「霧山くんが運転手を問い詰めたんです……なんと、その運転手、今になって告白しました。あれは女でした、と！」

熊本が怪訝《けげん》な顔でつぶやく。

「なんで、そんな嘘をついたんだ？」

「熊本さん、よく聞いて下さいよ……輸送車のふたりは、不倫の関係だったんです。中年の男と若い女」

「あ、バレるとまずい」と、サネイエ。熊本が呆れる。

「え……？　そんなことで？」

「男は奥さんが怖かった……」

又来がそうつぶやいた。しずかは大きくうなずく。

「ちょっと待てよ……そんなことで、警察はダマされたのか?」

熊本がそう言って、しずかのほうを見上げる。サネイエも疑問を口にした。

「……ってことは、やっぱり、その自白女が犯人だってことですか?」

「冷やかしじゃないってことか……」

又来がそうつぶやいた時、霧山が時効管理課に戻ってきた。霧山はビニールの小袋に入った洗濯バサミを手にしている。

「どうだったの?」と、しずかは訊いた。霧山が暗い表情で首を横に振る。

「当時の遺留品に残されていた指紋と、これの指紋とは一致しないって……」

しずかはがっくりと肩を落とした。その時、熊本が不意に奇声を上げた。

「あれ……? ないぞ、遺留品の段ボール箱が……」

「え!? 三億円のですか?」と、霧山が焦る。

「ここに入れたのに……」

熊本は空っぽになっている金庫を開けてつぶやく。鍵《かぎ》のところには〝厄よけ厄っくん〟が虚《むな》しくぶら下がっていた。

「課長! 課長! 課長!」と、又来が何度も叫び、熊本は顔をしかめた。

「なんで、こんな時に役職で呼ぶんだよ」

「課長、責任問題ですよ」と、又来が責め立てる。

「ちょっと、探しましょうよ。なんでなくなるんですか！」

霧山が呼びかけ、しずかたちは、ばたばたとそこら中を探し回った。


結局、遺留品の段ボール箱は見つからず、事態はやや深刻な方向に向かっていた。いつしか責任のなすり合いになった状況に嫌気が差し、霧山はさっさと仕事を切り上げ、しずかとふたりで近所の大衆食堂に寄って、夕飯を食べることにした。

「あの秋津聡子が真犯人だとして……遺留品をほしがる……手記を書くため……うーん」

コロッケ定食をつまみながら、霧山はぶつぶつと考えごとを続けた。

「でも、あの女に、段ボール箱を盗み出せる時間はなかったはずよ」

しずかが口をとがらせる。霧山はうなずいた。

「うん。それはそうなんだよね」

「そんなこと言って、霧山くん、仕事にかこつけて、あの女に会いたいだけなんじゃないの？」と、しずかはからかうような口調で言う。

「何、言ってんの……？」

「今日もコロッケ食ってるし……子供にもなつかれちゃってるし」

「しょうがないじゃない。僕がなついてくれって頼んだわけでもないんだから」

すると、しずかは少し黙って、またぽつりとつぶやいた。

「何歳だっけ？　あの一番上の子」

「ああ、ツヨシくん……？　もうすぐ誕生日だって言ってたね。七歳になるって……誕生日にプレゼントくれとか言われちゃってさ」

するとその時、店の奥にあるトイレのほうから、女性の声がした。

「すいません、ちょっとドアが……！」

店の従業員が慌てて駆け寄る。今、運び込まれてきた店の宣伝用の大きな人形がトイレのドアを少しふさいでしまったようだった。

「あ、ごめんなさい。今、どかしますから……すいませんね、置き場所がなくて、ついついドアの前に」

従業員は焦って人形をどかした。

「こんな狭い隙間じゃ、出られないわよ」と言って出てきた女性客は、妊娠中のようだった。臨月に近いような大きなお腹を抱えて、女性は霧山たちの横を通りすぎる。

霧山としずかは少し緊張が解けて、互いに顔を見合わせてふっと笑った。ところが、そこで霧山は、はっと思い当たった。

「無理だよ……！」

「え……？　何が？」と、しずかが聞き返す。

「発煙筒！　車の下で！」

霧山は思わず叫んでいた。

翌日、駐禁の取り締まりに出かけたしずかは、国道の違法駐車車輛《しゃりょう》のレッカー作業をしている最中に、通りの向こうを霧山が自転車で駆け抜けていくのを目撃した。

「霧山くん！」

しかし、霧山はしずかに気づかず、あっという間に走り去ってしまう。

「また、あの女のとこに行くつもりだ……もう！」

しずかはそうつぶやいて、口をとがらせた。

作業を終えてまた署に戻ってくると、時効管理課のところで、又来とサネイエがこそこそと何か話し合っている。

「怒られてるよ……」

「怒られてますね」と、サネイエ。しずかは、ふたりに声をかけた。

「どうしたの……？」

すると、又来が刑事課の真ん中にある署長のデスクのところを指差す。仁王立ちになった署長が頭から湯気を出さんばかりに、熊本を激しく叱責《しっせき》しているのが見えた。熊本はうなだれ、ひたすら頭を下げている。

「そりゃそうよね……資料課に申し訳立たないもん」

又来が渋い顔で、そうつぶやいた。しずかはいたたまれない気持ちだったが、どうすることもできず、交通課の自分の席に戻ろうとした。取調室の横を通りかかったその時、しずかはふと、自分を呼ぶ声を聞いた。

「三日月くん……三日月くん……」

少し開いた取調室のドアの向こうから、押し殺したような声でしずかを呼んでいたのは、部屋の隅にうずくまっている十文字だった。

「じゅ……十文字さん……？」

しずかはドアを開け、取調室の中に入った。十文字はいつものコートを肩から引っかけて、ゆっくり見上げる。

「……この十文字疾風、勇み足をしたかもしれない」

「勇み足？」

そして、しずかは十文字の足元に、見覚えのある段ボール箱があるのに気づいた。

「あ……それ、遺留品の段ボール箱！」

しずかが指差すと、十文字は力なく笑った。

「事件を解く鍵《かぎ》でも、あるんじゃないかと思ってな……」

「でもそれ、時効になった事件ですよ」と、しずかは詰め寄る。

「お嬢さんよ、これは、この十文字疾風が一番最初に担当したヤマなんだよ……意地だよ、デカとしての」

十文字の口調は、どことなく傷ついた自分に酔っているような感じだった。大方、悲劇のヒーローでも気取っているのに違いない。

「あ、あの……や、やぶ――」

「矢吹じゃねえ、十文字だよ」

「あ、はあ……」

「悪いな、あんたを好きになっちゃいけねえんだよ」

しずかは呆《あき》れてそれ以上、何も言えなかった。


聡子のアパートまでやって来た霧山は、さっそく聡子を問い詰めた。ツヨシとタケシはそれぞれ小学校と幼稚園に行っているのか、部屋には絵本を読んでいるヒロミしか残っていない。聡子が声を張り上げると、ヒロミはちらちらとふたりの様子を気にしていた。

「家中、探してごらんなさいよ！　そんな段ボール箱が出てきたら、私、その場で首くくってみせるから！」

霧山はその剣幕に押されながらも、精いっぱい言い返す。

「じゃあ、どうしてあれほど遺留品がほしい、遺留品がほしいって、言ったんですか？」

「手記を書くためよ、言ったでしょ！　その前に、私に対する疑いを晴らして！　探し出してみせてよ、ここで！　その段ボール箱を！　それより、どうしてくれるの？　私の遺留品よ！」

するとその時、携帯電話が鳴りだした。霧山は聡子をなだめつつ、電話に出た。

「すいません……あ、三日月くん？　どうしたの？」

「霧山くん、遺留品のことなんだけど……犯人、十文字さんだったのよ」

電話の向こうでしずかがそう言った。霧山は思わず間の抜けた声を出してしまった。

「え？　十文字さん……!?」

「そうなのよ。私、相談されちゃって……内緒で返すには、どうしたらいいかって」

「そりゃ、堂々と返すべきでしょ」と、霧山は答えた。

「だけどさ、あの人の事情もわからないわけじゃないから……あのね、あの事件って、十文字さんが……」

そこで、霧山は射るような聡子の視線を感じて、しずかの話をさえぎった。

「ちょ、ちょっと待って……悪いけど、今、切るわ」

霧山は一方的に電話を切って、取り繕うように聡子に笑いかけた。

「あの……ありました。段ボール箱……お騒がせしました」

聡子はムッとした表情で霧山を睨《にら》みつける。

「まったく、警察というところは！」

霧山は黙って、聡子に深く頭を下げた。

霧山に一方的に電話を切られたしずかは、まったく納得がいかず、いらいらして交通課に戻ってきた。しずかの顔を見るなり、神泉が駆け寄ってくる。

「三日月さん、どこ行ってたんですか？　今、大変ですよ」

「大変？　そんなの知ったこっちゃないわよ！」

しずかは神泉を睨みつけ、それから、フロア中に聞こえるほどの大声で叫んだ。

「皆さーん！　例の段ボール箱、十文字さんが、ちょいと拝借したそうですよお！」

しかし、しずかが叫んだにもかかわらず、署内は妙に静まり返っていた。刑事課のフロアに残っている署員たちが、気まずそうな顔で、しずかのほうを振り向く。

「先輩……」と、吉祥寺がしずかの耳元でささやいた。

「何よ？」

すると、下北沢が中央の署長のデスクのほうを指差す。

「あっち、あっち」

見ると、柱の陰になった辺りに署長と熊本の姿があった。いきなり署長の怒鳴り声がフロアに響く。

「馬鹿もーん！　なんで君が持ってるの！」

しずかは、少し移動して柱の陰に立っている人物を確認した。そこにいたのは、愛用のトレンチコートを羽織って、がっくりうなだれている十文字だった。

「どうしたの？」と、しずかは振り返って訊《き》いた。

「十文字さん、自分がやりましたって……さっき」

下北沢がそう説明する。吉祥寺は何故かうっとりとした視線を向けていた。

「男らしいわ……」

「わちゃー……」

しずかは頭を抱え、身がすくむ思いがして、その場にしゃがみ込んだ。

「ジョージ・ワシントンですねえ……あの桜の木は僕が切ったんだよ……」

神泉が呑気《のんき》な言い方で、つぶやいていた。


霧山はなおも聡子の部屋で、彼女と向かい合っていた。今すぐにでも遺留品を持ってこいという勢いの聡子を、霧山は懸命になだめた。

「あの……でもですね、いくら段ボール箱が見つかったところで、まだ、あなたにお返しするわけにはいかないんですけどね」

「え……？」と、聡子が怪訝《けげん》な顔をする。霧山はわざとあっさりと言い切った。

「だって、あなたは、犯人じゃないから」

「……どうして？」

「七年前の二月二十四日、つまり、あの事件があった時……あ、ごめんなさい。あなたが三億円を盗んだ時、あなたはどうやって現金輸送車から、運転していた男たちを遠ざけました？」

「あの車に爆弾が仕掛けられてるって、言ったわよ」

「それで？　それを信じ込ませるために、あなたは？」

「車の下に潜り込んで、発煙筒を焚《た》いた……」

「それです！　それ、それ！」と、霧山は声を張り上げた。聡子が眉《まゆ》をひそめる。

「何よ……？」

「あなたは車の下に潜り込めなかったはずだ……なぜなら、その時あなたは臨月だった。車の下に潜り込むためには、車体と地面の間隔が狭すぎたんですよ。あの現金輸送車の車体から地面までが約三十五センチ。通常の臨月の妊婦の背中からお腹の先端が……」

霧山がくどくど説明しようとしていると、聡子は何故か薄ら笑いを始めた。霧山はそれに気づいて、言葉を呑《の》み込む。聡子は挑戦的な目をして、つぶやく。

「誰が私のお腹の中にいたのよ、その時」

「ツヨシくんですよ。決まってるじゃありませんか……だって、ツヨシくんの誕生日が平成十一年二月二十八日。つまり、あの事件があった四日後に、彼は生まれてるんですよ」

すると、聡子はふらふらと霧山の前を離れ、ヒロミのところに行く。

「ヒロミ、ツヨシ兄ちゃんは誰の子？　教えてあげたでしょ？　ツヨシ兄ちゃんのこと」

ヒロミは少し考えるような素振りをしていたが、やがて一言だけ口を開いた。

「連れ子……」

霧山は目を見開いた。聡子はヒロミの頭を撫《な》でる。

「そう、よく言えたわね……あの子だけ違うでしょ？　髪の毛の質が……」

確かに、三兄妹の中でツヨシだけが、もじゃもじゃ頭の天然パーマだった。

「ってことは、事件の時、妊娠してなかったってことですか⁉」

その時、玄関のドアが開いて、ツヨシとタケシが帰ってきた。

「ただいま！」

聡子は嫌みっぽく霧山の顔を見て、笑う。タケシが霧山に気づいて、声を上げた。

「やっぱり来てた！　表に自転車が停まってたから、ボク、すぐわかったよ！」

「おじちゃん、遊ぼ！」

ツヨシも霧山の腕を引っ張って、せがむ。

「う、うん……」と、霧山は口ごもり、聡子を見つめた。


遊びをせがむツヨシとタケシを適当にあしらって、霧山は聡子のアパートから出てきた。停めてある自転車に近づくと、ちょうどその時、一台の軽ワゴンが走ってきて、アパートの前に停まるのが見えた。車のボディには「発明のことならおまかせ　オフィス大宮」と書かれている。そのロゴを見つめた霧山は、それがあの「週刊発明」に載っていた広告で見た会社であることを思い出した。

そして霧山は、運転席から降りてきた男性とすれ違い、なんとなく目が合って、会釈するでもなく曖昧《あいまい》に少しだけ頭を下げた。その顔にも見覚えがある。同じ広告に載っていた、確か「平成のエジソン」だ。

振り返ると、その男性は聡子の部屋に向かって行く。「大宮夏美」という差出人からの手紙のことも思い出した霧山は、そのまま男が出てくるのを待つことにした。

しばらくして、男は聡子の部屋から出てきた。霧山は車に戻ってきた男に話しかけ、事情を説明して、同乗させてもらうことにした。荷台にはついでに、自転車も積み込んでもらった。

男は「オフィス大宮」の社長、大宮敏彦だった。

「大宮夏美さんというのは、あなたの奥様だったんですか……」

霧山がそう尋ねると、ハンドルを握った大宮はうなずく。

「そう……女房と秋津聡子さんは、『発明友の会』というサークルで知り合って……まあ、いわば親友だったのよ。でも、女房は病気で死んじまって……去年の夏に、七回忌も済ませて……」

しばらく走って、大宮はあるビルの前で車を停めた。車から降りた大宮は、ビルを指差す。

「ほれ……これが俺が建てたビルだよ」

確かに「大宮ビル」という表示があった。霧山は六階建てのその建物を見上げた。

「というか、女房が俺のために建ててくれたと言ったほうがいいかね……女房は亡くなる半年前に、リバーシブル爪楊子《つまようじ》の発明で特許をとったんだよ。『発明友の会』だけじゃねえ、女房は一躍、主婦仲間の間でヒーロー……いや、ヒロイン扱いされるようになっちまってね……つまり、その特許料でこのビルを建てちまったと、そういうわけだね」

霧山は、そのリバーシブル爪楊子というやつに覚えがあった。

「ああ、あの爪楊子だ……」

それは、一時期ブームになった二通りの使い方ができる爪楊枝で、片側は普通の爪楊枝、反対側は鉤《かぎ》のようになった金属でできていて、歯の裏側も掃除できるというのが、最大の売りだった。

「じゃあ、行こうか」と大宮が言ったので、霧山はビルの入口に向かって歩きかけた。ところが、何故か大宮は通りの反対側に渡ろうとする。霧山がぽかんとして見つめると、大宮は小さく笑った。

「違うよ、あんた……なあに、一発当てりゃ、このビルくらい、すぐに買い戻せるさ」

「えっ……？」

「今のビル……」

そう言って大宮が指差したのは、通りの反対側にある薄汚れた雑居ビルだった。〝暮呂田ビル〟という名のその二階に、今の大宮の事務所はあるという。

狭い階段を上って、薄暗い部屋の中に案内された霧山は、仕事上のものだけとは思えない大量の荷物が山積みになっている事務所の中を、ぐるっと見回した。どうやらここは、大宮の自宅兼仕事場のようだ。無造作に積み上げられた段ボール箱の脇には、いろんな発明品らしきものも展示されている。櫛《くし》先を曲げた「ねっ、猫の爪も借りたい」ブラシ、どこでも給水がとれる「ウォーターメット・給水さん」、髭剃《ひげそ》り「シャビー」、目覚まし音を大きくできる拡声器「覚醒《かくせい》くん」などなど。霧山はそのひとつひとつを眺めた。

「それにしても……相変わらず、彼女は綺麗《きれい》だったなあ。しかも色っぽい」

大宮がその辺を適当に片づけながら、つぶやく。聡子のことだろう。霧山は思い切って訊《き》いてみた。

「あの……秋津さんのお宅には、何しにいらしてたんですか？」

「呼び出されたんだよ。それこそ七年ぶりくらいかな？　急に電話があって……結婚して、子供までいるとは、がっかりだったけどな」

「呼び出されたっていうのは？」

「それがさ、ほら、例のリバーシブル爪楊子。あれは自分が発案したもので、夏美が……オラの女房が自分の名前で申請したもんだから、特許料をよこせ、と……こうなんだよ。いやあ、まいっちまったよ」と、大宮は頭を掻《か》いた。

「どうして、今頃になって……？」

「わかんね。オラはてっきり焼けぼっくいに……なんてつもりで、いそいそ出かけていったんだけどな……」

そう言って、大宮は苦笑いを浮かべた。霧山は思わず尋ねる。

「焼けぼっくい？　あれ？　そういう関係だったんですか？」

すると、大宮は他に誰もいないのに、辺りを憚《はばか》るように声をひそめた。

「ていうか、一度だけね……いやあ、女房にバレるんじゃないか、バレるんじゃないかって思ってたら、六キロも痩《や》せちゃったんだよ……ハハハ」

大宮は照れ隠しなのか、大袈裟《おおげさ》に笑う。霧山は悪戯《いたずら》っぽい笑みを浮かべた。

「六キロ……痩せましたねぇ」

「ひとごとみたいに、あんた」と、大宮は霧山に向かって指差した。霧山は言い返す。

「いや、だって、ひとごとですから……」

「ちょっと見てみる？　今、特許申請中のもの、いろいろあるんだよ」

そう言うと、大宮は靴を脱いで、棚の上から段ボール箱を下ろそうと脚立に登った。ところが、脚立を降りた大宮の背丈が、さっきと比べてずいぶん縮んでいることに、霧山は気づいた。

「あれ……？　大宮さん？」

すると、大宮は霧山が気づいたことに気づいたのか、口のところに指を当てた。

「シー……クレット、なんつって……ハハ」


その夜、霧山は自分の部屋で、十文字から取り返した段ボール箱の中の遺留品をひとつずつ部屋に並べて確認していった。その中のひとつに片方だけの男物の短靴がある。ビニール袋から取り出してよく調べてみると、それは大宮が履いていたのと同じ、厚底のかかとで身長を高く見せるためのシークレット・シューズだった。

「シークレット・シューズだ……」と、霧山はつぶやいた。横でしずかが尋ねる。

「これが結局、犯人は男だってことの根拠になってしまったってことよね」

「でもさ、どういうことなの？　靴が脱げたってこと？　その、三億円強奪の時に」

「……あえて残したんじゃないかな」

「犯人は男だと思わせるために？」

「そうとしか、考えようがないよね」

「じゃあ、あのコロッケ女が、やっぱり犯人だってこと？」

「うーん……」

霧山はその場にごろんと寝転がり、天井を見上げて考え込んだ。しずかが穏やかな顔で霧山を見下ろす。

「霧山くん、学生時代にさ、勉強疲れで、こんなふうに寝っ転がったりした？　で、お母さんが『修一朗、お夜食ですよ』とか言って、勉強部屋に入ってきたりした？」

霧山は、そう話しかけるしずかの顔をしばし見つめていたが、そこで、はっと思って、眉間《みけん》にしわを寄せた。

「あれ？　三日月くん、なんで、僕の部屋にいるの？　え、なんで？」

そう言って霧山は起き上がった。しずかの顔がみるみる不機嫌になる。

「持ってきてあげたんでしょ、これを！」と、しずかは段ボール箱を指差した。

「あ、そうかそうか」

「立ち直れないかもしんない……おやすみ」

そう言うと、しずかはちゃぶ台に思い切り手をついて、立ち上がった。その反動で、ちゃぶ台が大きく傾き、上に載っていたシークレット・シューズが勢いよく舞い上がる。飛んでいったシューズは壁に当たり、そのかかとの部分がカパッと外れた。

「……え？　おや！」

霧山はシークレット・シューズのかかとの部分が着脱可能になっていて、そこに物が収納できるような仕掛けが施されていることに気づいた。

「シークレット・シークレット・シューズだよ……」

かかとに仕込まれていた細い筒状のカプセルを、霧山は開けてみた。中に入っていたのは、細く丸められた一枚の写真だった。

「三日月くん……これ」

霧山が手招きすると、しずかも写真を覗《のぞ》き込む。霧山はそこに写っているものを確認して、しずかに言った。

「三日月くん、ひとつ頼みがある……例のリバーシブル爪楊子、どれくらいの特許料が発生したのか、調べてくれないかな？　つまり、あれでいくらぐらい大宮が儲《もう》かったのか」

「え……？」

霧山はきょとんと自分を見つめるしずかに向かって、力強くうなずいた。

翌日、霧山は遺留品の入った段ボール箱を抱えて、しずかと一緒に聡子のアパートへ向かった。部屋に上がった霧山は、聡子の目の前に三億円事件の遺留品を並べる。ただし、例のシークレット・シューズだけは最初から入れてこなかったので、ここにはなかった。聡子は、ひとつひとつの遺留品を眺めていたが、明らかに落胆した様子だった。

「手記のほうは、もう進めてらっしゃるんですか？」

霧山は長い沈黙を破って、そう訊いた。聡子はそれには答えず、霧山を軽く睨《にら》みつけただけだった。

「仮に、あなたが真犯人でなくても、手記のためだったら暫定的に貸し出してもいいだろうと、時効管理課の課長の許可もいただきましたので……」

すると、聡子はその言葉に過敏に反応した。

「私は暫定的に貸し出してほしいなどとは言ってませんよ。返してくれと言ったんです。違いますか？」

「何のためでしょう……その、あなたが返してほしいとおっしゃる、その理由は……」

「手記のためだと、あなた自身が今、おっしゃったじゃありませんか」

「それは、あなたがそうおっしゃるから、そう言っただけで」

「え……？」と、聡子は皮肉っぽい笑みを浮かべて、霧山の顔を見つめた。

「僕は、手記のためだとは思ってないということかもしれませんね」

「じゃあ、何のため？」

「それを、あなたの口から聞きたい」

「困った人ね……」

「では、今ここで、僕の一存で、この遺留品はすべてあなたにお返しすると言ったら、どうですか？」

聡子は霧山の出方を窺《うかが》うように、じっと黙り込んだ。

「出すぎたことだと、僕が上の者に咎《とが》められ、処分を受ければ、それで済むことです」

「だったら、そうしたらいいでしょう。あなたの一存で遺留品を返した……それで、とっととお帰り下さい」

「いやあ……でも、僕は咎められるのも、処分を受けるのも、好きじゃないんですよ」

「小心者だから？」

「あ……多分、そうです」と、霧山は自嘲《じちょう》した。聡子もそれに合わせて、小さく笑みを浮かべていたが、その目は決して笑ってはいなかった。霧山はふと、つぶやく。

「でも、男なんて、だいたい、そんなもんですよ……多分、あの大宮さんも」

すると、聡子の表情から完全に笑みが消え、明らかに警戒の色が浮かんだ。

「秋津聡子さん……三億円はすでにありませんよ」

霧山はそう言いながら、眼鏡を外した。隣に座っているしずかに、それを手渡す。

「えっ……？」と、聡子は首を傾げた。

「あなたは、あの大宮ビルが、リバーシブル爪楊子《つまようじ》の特許料で建てられたと思ってらっしゃるかもしれませんが、実はそうじゃないんです……あの爪楊子、さほど売れたわけじゃない。現に今はもう、どんな食堂に行っても、それほど見かけない」

「大宮さんのもとに入ってきたお金は、せいぜい五十万円程度だそうです」

しずかがそう付け加えた。聡子は動揺を隠せず、うろたえる。

「嘘よ。だって……」

「夏美さんはあなたに、もっと多額の特許料が入ったと嘘をついたんでしょう……あなたと大宮さんの一度だけのあやまちへの、復讐《ふくしゅう》のつもりだったと思わざるを得ません。それほどまでに夏美さんは、大宮さんを奪われたくなかったんでしょう……」

そこで霧山は大きくひと息ついた。力なくうつむく聡子が、少し気の毒に思えた。

「平成三億円事件の犯人は、夏美さんだと思います。夏美さんは盗んだ三億円を特許料だと言って、大宮さんに渡した。そして、あのビルができた……夏美さんにはバレてなかったと思ってらっしゃったんですよね、大宮さんとの関係……これがバレてたんですね」

聡子は何も言わず、ただじっとうつむいていた。再び訪れた長い沈黙の後、霧山としずかは立ち上がった。

「じゃあ、聡子さん、僕はこれで……お咎め、処分、もう大丈夫です。六キロ痩《や》せた人の話をしたら、自分はそれほど小心者でもないような気がしてきました……あ、大宮さんね、あなたとの関係が奥さんにバレるんじゃないかと思って、六キロ痩せたそうですよ」

そして霧山は靴を履き、しずかと一緒に出ていこうとした。ところが、聡子が声をかけて、呼び止める。

「霧山さん……いて下さい。もうしばらく……」

霧山はゆっくり振り返った。聡子はじっと霧山を見つめていた。

「靴を……脱いで下さい」

そう言われ、霧山は思わず笑みを浮かべた。

「よかった……このまま帰るの、どうしようかなと思ってたんですよ」

そして、霧山は靴を脱いだ。実は霧山が履いてきたのは、左側だけが例の遺留品のシークレット・シューズだったのである。脱いだ靴を拾い上げ、霧山は聡子に見せた。

「これですよね？　あなたがほしかった遺留品は……」

そう言うと、聡子が目を見開く。

「これは、さすがの警察でも気がつかなかった……あなたの発明の勝利ですよ」

霧山は靴の仕掛けをスライドさせた。その途端に、聡子が霧山から靴を奪い取り、かかとに隠されていた筒状のカプセルを抜き取る。ところが、中身を取り出して広げた聡子は、凍りついたようにその場に立ち尽くした。

「思っていたものとは、違いました？」

霧山はそう声をかけた。聡子が手にしているのは、聡子と大宮の密会の証拠となるツーショット写真だったのだ。おそらく撮影したのは、大宮夏美だろう。

「三億円の隠し場所が、そこに残ってたはずですよね？」

霧山がそう言うと、聡子は机の上に置かれた夏美からの手紙に視線を落とした。

「あなたは、かねてから夏美さんとふたりで話題にしていた、昭和の三億円事件を真似た新しい現金輸送車襲撃計画の話をしているうちに、その時、ちょうどふたりで発明品として開発していた『かかとに爪楊子の靴』を見て閃《ひらめ》いた……この靴を現場に遺留品として残しておけば、犯行時に焦って脱げてしまったということになって、犯人は男だと思わせることができる、と」

霧山はそこで言葉を区切った。聡子の体がわずかに震えている。

「夏美さんは、現金輸送車の運転手と会話をすれば、すぐに女であることがバレてしまうと言って反対したでしょう？　そこであなたは、すでにリサーチ済みだった現金輸送車の運転手と彼の不倫相手である女性のことを夏美さんに説明して納得させようとした……」

そこまで言うと、聡子は何かを吹っ切るように、大きくため息をついた。

「ええ、そうよ……私は、ふたりが他人に知られたくない関係であること、そして男の小心ぶりを力説したわ……いつもそうだった。私がアイディアを出し、夏美はそれを聞いて、うなずいているだけだったのよ……」

「そこであなたは、警察に対する挑戦をひとつ提案した……かかとに爪楊子が入れられる靴という自分たちの発明を試してみようと、言ったんですよね」

「そう……靴のかかとに、盗んだ現金の隠し場所を残しておくことにしたの。もし、それが見破られたら、私たちの負け……」

そして、聡子は自分たちの密会写真をもう一度、見つめた。霧山はその瞳《ひとみ》を覗《のぞ》き込む。

「あなたたちは、『発明友の会』で大宮さんに出会ったんですよね？」

「ええ……私が現金輸送車の話をしていた頃から、夏美はすでに大宮に近づこうとしていた……」

「そして実際、結婚なさったわけですよね」

「そうね……その直後に、夏美は、あのリバーシブル爪楊子を自分の名前で特許を申請した。私のアイディアを、ただうなずいて聞いていただけなのに……だから、私はちょっとしたいじわるのつもりで、大宮と関係を持ってやったんだわ」

そして、聡子は自嘲気味に笑った。

「最後だけ、私の言いなりにならなかったってことなのね……」

霧山は、平成三億円事件が起きたことを最初に知った時の、彼女の驚きを想像した。あのニュースを見て、世の中の誰よりも驚いていたのは、その計画を立てた聡子自身だったろう……。

「夏美は、いつもそうだった……全部、私のアイディアなのよ。爪楊子も現金輸送車を襲うことも……テレビのニュースで三億円事件を知った時は、ああ、世の中にはこんな女もいるんだって、あきらめるしかなかった」

しかし、そこで聡子は、またかすかに微笑んだ。

「ただ、夏美があの犯罪を実行し、わざとこの靴を現場に残して、裸足で走っている姿を想像したら、何故だか、どこか許せるような気もしたの……」

聡子は窓の外を見つめ、ぽつりとつぶやいた。

「夏美……」

霧山は、しずかに手を差し伸べ、彼女から眼鏡を受け取った。それをかけ直し、霧山は聡子に呼びかける。

「秋津聡子さん……この三億円事件は、すでに時効です。あくまで、僕が趣味で捜査したことです。ただ、今回は遺留品のことで、実務にまで手を伸ばしてしまいましたが……あなたは真犯人として手記を書いて下さい。僕が、あなたが真犯人ではないなどと、口外することはありません」

そして霧山は、ポケットからカードを取り出した。

「これ、『誰にも言いませんよカード』です……これに、僕の認め印を押しますから、お持ちになって下さい」

霧山は名前の横に判子を押し、カードを聡子に手渡した。聡子が視線を落とす。

秋津聡子様
この件は誰にも言いません。
霧山修一朗

「誰にも言いませんよ……」と、聡子はわずかに微笑みながらつぶやいた。

霧山は軽く笑みを返し、そして改めて尋ねた。

「あなたは、もうちょっとマシな男と結婚すれば、こんなことにはならなかったとおっしゃった……今でも、そう思ってますか？」

しかし、聡子は何も答えなかった。

「何より、あなたは罪をおかせなかった……それは、あなたにとっても、旦那《だんな》さんにとっても、そして、お子さんにとっても多分、幸せなことです」

霧山はそう言って、ずっと奥の部屋で真剣に絵本を読んでいるヒロミのことを見つめた。

その視線に気づいた聡子もヒロミのほうを振り返る。向き直った聡子は、子供を温かく見守る優しい母親の顔をしていた。

「それじゃあ、失礼します」と、霧山は頭を下げた。

「霧山さん……」

聡子に呼び止められ、霧山は玄関口で振り返る。

「はい……なんですか？」

すると、聡子は机の横にしまってあった一足の下駄《げた》を取り出した。

「よかったら、この下駄を……これ、鼻緒に爪楊子《つまようじ》がしまえるようになってるんです……」

「ああ……ありがとうございます」

霧山は片方だけ残った自分の靴を抱え、聡子がくれた下駄に履き替えた。

「三日月さん……」と、聡子は今度はしずかを呼び止めた。

「はい……？」

聡子はしずかを真っ直ぐ見つめる。

「あなたに見られていることが、私はつらかった……」

「どうしてですか？」

しずかが訊《き》くと、聡子はうっすら微笑んだ。

「……あなたが、若いからよ」


パチンコ景品交換所襲撃事件の捜査に当たっていた十文字と蜂須賀は、この日も手がかりを求めて商店街を走り回っていた。休憩がてら宝くじ売場の横のベンチに座り、隣のソーセージ屋で買ったソーセージにかぶり付いていた十文字は、ふと、宝くじ売場のブースから流れてくるラジオの「奥様人生相談」に耳を傾けた。

「なんだって？　奥さん……奥さん、もう一度言って……」

「だから、私、いけないことしたんです……パチンコ屋の景品交換所から、お金を盗みました……」

十文字は思わず叫んだ。

「何ィ〜!?」

ちゃんと聞いていなかったのか、横で蜂須賀がびっくりして目を剝《む》いている。

「おい、十文字くん……」

「ハチさん！　放送局！　逆探知！」と、十文字はラジオを指差した。

「うん……!?　じゃあ、今、これ全部、食べるから……」

蜂須賀が慌てて残りのソーセージを口に押し込む。そして十文字は、脱兎《だっと》のごとく駆けだした。


翌日、しずかが時効管理課まで出向くと、何故か熊本たちがみんなでコロッケをかじっていた。よくよく訊くと、どうやら霧山が例の商店街の惣菜屋《そうざいや》で大量に買い込んできて、みんなに配ったらしい。霧山は能天気な顔で、しずかにもコロッケを勧めたが、しずかは食べる気になれず、断った。不意に熊本がつぶやく。

「おいしいか？　これ？」

「まあ、まあ、でしょ」と、又来。

「サネイエくん、どうよ？」

熊本が訊くと、サネイエもうなずく。

「まあ、まあ、ですね」

すると、熊本がサネイエの手元を覗《のぞ》き込んだ。

「とか、言いながら、何それ？　三つもせしめて」

サネイエは顔をしかめて、慌てて手元を隠した。

「三日月くん、本当に食べないの？」と、霧山が訊いてきた。

「はい、いりません」

しずかは冷たく言い放った。

「美味《おい》しいのに……」

「みんな『まあまあ』とか言ってるじゃない」

「だって、自分の口で確かめてみないと、わからないでしょ」

「霧山くんの場合、美味しく感じる事情でもあるんじゃないの？」

「何それ？」

「フ～ン！」

しずかが霧山と言い争っているうちに、サネイエがこっそり気配を消して立ち上がり、部屋から出て行った。おそらくコロッケを隠し持っていたに違いない。みんなも目ざとくそれに気づいたのか、又来を先頭にサネイエのあとを追いかけていった。結局、時効管理課に残ったのは、しずかだけになった。

しずかは、辺りを見回し、机の上に置いたままになっているコロッケにそっと手を伸ばした。ひと口かじってみると、意外と悪くない。半分くらい食べたところで、しずかは不意に人の気配を感じて振り返った。

「諸沢だよ」

「諸沢さんに持ってってたんだ」

熊本たちの冷やかすような声が聞こえ、霧山を先頭にみんなが廊下から戻ってきた。

「三日月くん……サネイエくんが鑑識課にコロッケを……」

しずかと目が合った霧山は、そこで言葉を呑《の》み込んだ。しずかは、食べかけのコロッケを握りしめているところを、霧山に見られてしまった。

「あれ……?」

霧山が、きょとんとしずかのほうを見つめる。しずかはコロッケを置いて、ぷいと横を向いた。

「あまり、美味しくない……」

しずかはそう言って、その場を離れようとしたが、よく見ると刑事課でも交通課でも、そこにいる署員たちがみんなコロッケを食べていて、思わず絶句した。どれだけ買ってきたのよ……!

「やだねえ、まったく!」

しずかは廊下に出ていこうとしたが、霧山が追いかけてきた。

「これ、食べないの?」

霧山がしずかの食べかけのコロッケを差し出す。しずかは冷たく言い放った。

「いらない」

「じゃあ、食べちゃうよ」と言って、霧山はコロッケを頬張った。

「え……？　いいの？　私の食べ残し……」

しずかはびっくりして、霧山を見つめ返した。霧山はうなずく。

「だって、勿体《もったい》ないじゃない」

「えぇ〜……!?」

しずかは口では嫌がったが、実はちょっと感激していた。霧山が嬉《うれ》しそうにつぶやく。

「うーん、庶民の味だ」

果たしてこれは喜んでいいのか、悲しむべきなのか、しずかは複雑な思いだった。

第八話
桜咲く合格通知は死への招待状？

時効管理課のいつもの昼下がり――。

霧山たちは、又来が小学生の息子の算数ドリルを間違ってカバンに入れてきてしまったのをきっかけにして、仕事もそっちのけでドリルに夢中になっていた。熊本が、ドリルの文章問題を読み上げる。

「『太郎くんは果物屋さんへ行き、一本十五円のバナナを二本と、一個二十五円のリンゴを三個買い、次に魚屋さんへ行って一匹七十円のサンマを二匹買おうと思ったら、三十円足りませんでした。さて、太郎くんはいくら持って家を出たのでしょうか？』……はい、最初に正解した人には、いいものをあげます」

一生懸命、問題をメモしていたサネイエがふと、顔を上げる。

「一本十五円のバナナって、それいつの話ですか？」

「っつーか、哀れになるね。サンマ買おうと思ったら三十円足りないって……」

又来もペンを持つ手を止めて、しみじみと言う。霧山もついボヤいた。

「子供でしょ……魚屋さんもそのくらい、まけてあげればいいんですよね」

「意外と、ヒゲボウボウのおっさんかもしれませんよ。四十がらみの」

サネイエがクールな表情でそうつぶやく。霧山は反論した。

「でも、〝太郎くん〟ですよ。くん付けですよ？　子供でしょう」

「七十歳くらいの視点から見た問題かもよ」と、又来。サネイエがうなずく。

「ああ、七十歳から見ればねぇ……」

「そっか、四十がらみなんか、まだまだ子供ですね」

霧山も同意した。すると、黙ってやり取りを聞いていた熊本がつぶやく。

「君たちは、あれだね……まったく問題を解く気がないね」

「子供の頃から、算数ダメなんですよ」

サネイエが暗い顔で言った。又来が教室の子供のように手を挙げる。

「ミー・トゥー」

「あ、じゃ、僕もミー・トゥー」

霧山も真似た。何故か熊本も手を挙げる。

「じゃ、私もミー・トゥーだ」

するとそこに、トランプ片手にしずかがやって来た。

「ねえねえ、トランプ手品やってほしい人——？」

しずかは明るくそう言ったが、霧山たちは誰も反応しない。

「よし、じゃあ、霧山くん、この中から一枚だけカードを抜いて下さい」

しずかはまったく動じることなく、カードを広げて、勝手に霧山の前に差し出した。

「いいよ……」と、霧山は拒否したが、しずかは有無を言わせぬプレッシャーをかける。

「抜いて下さい！」

霧山は仕方なくその中から一枚抜いた。横でカードを覗《のぞ》き込んだ又来がつぶやく。

「おっ、ダイヤの7」

「ちょっと、言わないで下さいよ！」と、しずかが口をとがらせた。

「だって、ダイヤの7だもん」

又来がそう言うと、しずかはふくれっ面で、霧山からカードを回収した。

「もう一回！　早く！」

霧山はしずかの剣幕を警戒しながら、一枚のカードを抜いた。その時、蜂須賀が時効管理課のスペースに近づいてきた。

「裏の大学、今日合格発表だね」

蜂須賀は何故か左手で亀をつかんでいる。サネイエが訊《き》いた。

「なんで、亀持ってるんですか？」

すると、蜂須賀は初めて気づいたのか、自分の手を見て驚きの声を上げる。

「亀……？　あ、亀だ」

「気づかずに持ってたの？」と、又来。

「だけど、亀は甲羅が硬いから、ある程度強く握っても大丈夫だよね」

蜂須賀はそう言って、亀の甲羅を二、三度指で押した。又来がもう一度、尋ねる。

「気づかずに持ってたの？」

霧山は抜き取ったカードを手にしたまま、つぶやいた。

「持ってたのが、ヤギの赤ん坊じゃなくてよかったですね」

「気づかずに持ってたの？」と、又来がもう一度、訊いた。しずかが叫ぶ。

「霧山くん！　そのカード、私に見せないで戻して！」

「ああ……うん」

霧山はしずかの迫力に気圧《けお》されて、カードをしずかの手の中の束に戻した。

「これを、よ〜く、切ります」

しずかがカードをシャッフルしはじめる。又来が蜂須賀に食ってかかった。

「気づかずに持ってたのか？　って聞いてんだけど！」

しかし、それと同時に熊本が尋ねたので、蜂須賀はそっちに気をとられたようだった。

「何？　裏の大学？」

「朝日ヶ丘大学……合格発表ですよ」

「へぇ〜……」と、霧山がうなずくと、しずかが得意気に言った。

「霧山くんの選んだカードは……ハートの8ですね？」

「え……？」

霧山はしずかを見つめた。しずかが急に不安そうな顔になる。

「違う？」

「いや、わかんない……よく見なかったから」

「ええ……!?」と、しずかは霧山を睨《にら》みつけた。霧山はつぶやく。

「じゃあ、それでいいよ……」

「じゃあ……って、何よ!?」

「数字覚えるのとか、ミー・トゥーなんだよ」

霧山がそう言うと、しずかはますます不機嫌になり、カードを机の上にぶちまけた。

「何、言っとるのかわからん!」

すると、熊本が傍らの段ボール箱から捜査資料のファイルを取り出し、立ち上がった。

「合格発表って言えば……霧山くん、こんなの、どうだ?」

「はい……?」と、霧山は熊本を見つめた。

「いやね、ちょうど十五年前の春、朝日ヶ丘大学に合格したばかりの女子高生が殺されるという事件があったんだよ」

熊本はファイルをこちらに向けて掲げながら、そう言った。ファイルの表紙には、「厳毛森における女子高生スカーフ絞殺事件(事件発生平成三年三月三日)」と書かれている。

又来も思い出したのか、大きくうなずいた。

「あったあった……やっと受験勉強から解放されて、大学入って、メチャクチャやる予定だったろうに……可哀想にねぇ」

「え……? 合格発表の日に殺されたんですか?」

霧山がそう訊くと、熊本は神妙な面持ちでうなずいた。

「そうなんだよ……殺されたのは、羚羊《かもしか》高校の三年生・立花律子《たちばなりつこ》、当時十八歳……合格発表の夜、合格祝いをした店から帰る途中、何者かに襲われたんだ……まあ、詳しい説明はあとにして、ひとまず――」

そう言うと、熊本はファイルを机の上に置き、表紙に判子を押そうと手を振り上げたが、つかんでいたのはさっき蜂須賀が持ってきた亀だった。

「あれ……？　なんで？」

動揺した熊本は慌てて亀を置き、改めて「時効」の判子をバンと押した。


その夜、捜査資料を持ち帰った霧山は、事件の詳細を確認した。

遺体が発見されたのは、十五年前の平成三年三月三日、午後十時三十分頃。立花律子は、羚羊市郊外の森林で、セーラー服姿のまま殺害されていた。死因は窒息死で、凶器は現場に残されていたスカーフと推定された。

遺体発見当日、律子はその直前まで「森の荒熊」という行きつけの喫茶店で、友人である同級生の関ヶ原《せきがはら》弥生《やよい》と合格祝いをしていた。店のマスターが用意した「祝・合格」のケーキを食べ、ろくに知らない歌を適当な歌詞で即興で歌いながらカラオケをしたりと、かなり羽目を外して、盛り上がっていたらしい。

「森の荒熊」が閉店になり、合格祝いが終わったのが午後十時頃。門限を過ぎているから帰ろうと主張する弥生に対し、律子はまだまだ遊びたいと最後まではしゃいでいたが、結局、マスターと弥生に説得され、店の前で弥生と別れると、ひとりで帰路についた。弥生と律子がそれぞれ家がある方向へバラバラに帰っていくのをマスターが見送っている。

律子の自宅は、店から徒歩十分ほどの距離にあったが、律子の殺害現場は自宅から一キロほど離れた森の中だった。現場には遺体が引きずられた跡がないことから、律子は無理やり森へ連れてこられたのではなく、自分から出かけたとされている。

当時、その森では若い女性が痴漢の被害に遭《あ》う事件が相次いでいた。羚羊警察署は、律子の事件も同様の変質者による犯行と断定し、半年後の九月十一日、羚羊市在住の無職の青年・山崎晋也《やまざきしんや》、当時二十六歳を逮捕した。

山崎の逮捕によって事件は解決したかに思われたが、その後の捜査の結果、山崎は犯行時刻に別の女性やメスの羊にいたずらをはたらいていたことが判明した。山崎は強制わいせつ罪で逮捕されたが、律子の殺害容疑からは外された。それ以降、立花律子殺害事件はなんの手がかりもないまま、十五年の歳月が経過し、とうとう時効を迎えたのである。

そこで霧山は、ファイルに貼られていた山崎晋也の写真を見て、思わず息を呑《の》んだ。

「えっ……!?」

逮捕写真だというのに妙に爽《さわ》やかに笑って写っているその男は、髪形こそまったく違うが、それ以外は霧山に瓜二《うりふた》つだったのである。これがメスの羊にいたずらして捕まった変質者……。

「え〜っ!?」と、霧山は顔をしかめた。

　翌日、霧山はしずかを誘って、さっそく関係者への接触を始めることにした。霧山はひとまず昼食をとろうと、行きつけの定食屋「多め亭」にしずかを誘った。カウンター席に座った霧山としずかは、事件の概要をもう一度確認し合った。

「ここは痴漢が出ますよって言われてる場所に、わざわざ出かけてったりしないよね」

　しずかが疑問を口にする。霧山はじっと考え込んだ。

「おかしいよね、絶対……ねえ、聞いてる?」

　しずかに詰問され、霧山はつぶやいた。

「聞いてないよ……」

　しずかは不貞腐《ふてくさ》れた。そこへ、店のおばちゃんがお茶を運んでくる。

「いらっしゃい……」と言って、おばちゃんはお茶の入った湯呑みをカウンターに並べた。何故か四つの湯呑みを置いたところで、おばちゃんは、はっと気づいたらしい。

「あ、ふたりか……七つ持ってきちゃった」

　おばちゃんは苦笑して、余分な湯呑みを引っ込めようとしたが、霧山はそれを止めた。

「あ、いいですよ。飲みますから」

「あ、そう? よかった」

　おばちゃんは、結局、七つの湯呑みをすべて、ふたりの目の前に並べた。

「ここ、なんでも多めに出てくるから、お腹が膨れるんだよ」と、霧山はしずかに説明した。

「あなた、毎日来てくれるから、助かるわよ、こっちも」

おばちゃんがそう言って、豪快に笑う。しずかがびっくりして、霧山を見つめた。

「え……？　毎日来てるの？」

「いや……いやいや、毎日は来てませんよ」

霧山は苦笑いを浮かべた。おばちゃんが屈託なく笑う。

「多めに言ったのよ」

おばちゃんが手にしていたお盆も、何故か三枚重ねだった。

「それで……？　今日は何にするの？」

おばちゃんが伝票を手にして訊《き》く。霧山は壁のメニューを指差した。

「じゃあ、この〝豚肉のローステーたった二切れ〟を……多めに出てきますよね？」

「二十六切れ」と、おばちゃんはあっさり返事する。

「三日月くんは？」

壁にはまだまだたくさんのメニューが並んでいる。バッファローまる揚げ定食　九百五十円、旬無い御膳《ごぜん》　時価、カジキマグロの姿盛り　千二百八十円、多め亭スペシャル殺人的定食　千円……。霧山は、食べる前から胃もたれを起こしたような顔をしているしずかに訊いた。

「私、あんまりお腹空いてないから……」

「あ、じゃあ、これがいいんじゃない？」

霧山はメニューの「ほとんど何もない　千二百円」という文字を指差した。

「あ、はい……」と、おばちゃんがうなずく。しずかは納得いかないという顔をした。

「ほとんど何もないのに、千二百円……!?」

「大丈夫だよ、多めに出てくるから」

霧山がそう言うと、おばちゃんはうなずく。

「うん……実際は、かなりあるから」

「え……？　何が……？」

しずかは不安そうだったが、おばちゃんはさっさと厨房《ちゅうぼう》に戻っていってしまった。

「ねえ、さっきの週刊誌、もう一度見せてくれる？」

霧山はしずかに言った。

「ん……？　あ、うん……」

持ってきた『週刊実は実話』をしずかが取り出す。霧山は受け取り、「美貌《びぼう》の数学者、彼女に解けない謎はない？」という見出しが躍っている記事を広げた。クールに微笑む女性の写真が掲載されており、それは、母校である朝日ヶ丘大学の数理学部で今は助教授をしている関ヶ原弥生の姿だった。しずかがしみじみと言う。

「人生、わからないわよねぇ……仲良しふたり組で同じ大学に合格して、ひとりはすぐに殺され、ひとりは出身大学の助教授……」

「綺麗《きれい》な人だよねぇ」と、霧山はつぶやいた。

「そうかな……？　白衣着てるから二割増しよ」

「何が……？」

「だから、女の人って白衣を着ると綺麗に見えるのよ。場合によっては三、四割増しかな」

「へぇ〜、そんなに多めに……」

「多めっていうか……」

するとその時、おばちゃんが料理を運んできた。

「お待ちどおさま」

目の前に置かれたロースソテーを数えて、霧山は言った。

「あれ……？　十二切れしかないですよ、これ……さっき、二十六切れって」

「多めに言ったのよ」と、おばちゃんは笑う。霧山は渋々納得した。

「はい、〝ほとんどない〟――」

おばちゃんは、しずかの前に、山盛りのおかずが並んだ定食をドンと置いた。

「わ！　ものすごくある！」

しずかは思わず叫んだ。

「うん、大根多めにおろしといたから」

おばちゃんは、さんまの塩焼きの横にうずたかく積み上げられた大根おろしを指差した。

「おばさん……この店の名前、最初から多めに料理を出そうとして、『多め亭』にしたんですか？」

霧山がそう尋ねると、おばちゃんはあっさりと答える。

「ううん……昔、青梅《おうめ》に住んでたから」

霧山は感心してうなずくと、しずかに耳打ちした。

「食べ終わったら、ちょっと付き合ってくれる……？」

「食べ終わらないと思う……」と、しずかはうんざりしたような顔でつぶやいた。


朝日ヶ丘大学の構内までやって来た霧山としずかは、関ヶ原弥生が講義中の大教室に潜り込んだ。正面の黒板には呆《あき》れるほどびっしりと数式が書き込まれていて、弥生が複雑な証明問題を説明している。スライド式の黒板を移動させると、その下にもさらに大量の数式が書かれていた。霧山としずかは、必死にノートをとっているたくさんの学生たちに交じって、後ろのほうの席に座った。

「満腹の時にこんなたくさんの数字見たら、吐きそうになる……」

しずかがお腹をさすりながら、そう独りごちた。霧山は小声でつぶやく。

「無理して、全部食べるからだよ」

「あなたに悪いと思ったのよ。奢《おご》ってくれるんだと思ってたから……なんで、私が奢るのよ！　メニューに書いてあった値段より、多めにとられたし……」

「最近、金欠なんだよ……時効捜査の経費、全部自腹だから」

「しょうがないじゃない、趣味なんだから……ああ、ヤダ、数字」

「ミー・トゥー」

霧山は笑いながら、そう言って手を挙げた。ところがその時、弥生の声が教室に響く。

「はい……後ろから四列目の席の君……」

「え……？」と、霧山は教室中の視線が集まっているのに気づいて、固まった。

「この定理を説明できるんでしょ？」

弥生にじっと見つめられ、霧山は思わず答えてしまった。

「はい……」

「はいって言っちゃったよ……」

しずかが呆れる。弥生はさらにたたみかけた。

「前に出て……早く」

「あ、はい」と、霧山は立ち上がった。しずかが小声でささやく。

「なんで行くのよ……？　わからないって言いなさいよ！」

しかし結局、霧山は黒板の前まで歩み出た。大量の数式を眺めて、つぶやく。

「えーと、すごいですね、これは……なかなか、ひと言で説明するのは……」

「有名なオイラーの公式ですよ」

弥生が冷ややかな視線を投げかける。

「オイラー……オイラ、霧山修一朗……なーんちゃって」

振り返ると、静まり返った学生たちの中で、しずかが頭を抱えていた。


それから、霧山としずかは、弥生の研究室で彼女と向かい合った。

「くだらないことを言ってしまって、すいませんでした」

霧山が頭を下げると、横でしずかも平謝りをする。

「ホントに……」

しかし、弥生はまったく気にするふうでなく、霧山の名刺を眺めていた。

「そんなことより……趣味って、なんですか？」

弥生に訊かれ、霧山は慌てて説明を始めた。

「ああ……時効になった事件を、趣味で捜査してるんです」

「趣味なんて言われると、傷つきますね……律子は私の親友だったんです」

霧山はまた頭を下げた。

「すいません……でも、あの……だからこそ、親友だった律子さんのためにも、犯人を突き止めたいとは思われませんか？」

すると、弥生は毅然《きぜん》とした態度で答える。

「思われますよ、もちろん」

「……そうですか」

その時、ノックの音がして、弥生の助手らしき青年が研究室に入ってきた。

「失礼します……」

「何かしら……？　接客中なので、あの、あれに……手短に」と、弥生が見やる。

「ゲーデルの不完全性定理の論文のことなんですけど……」

助手の青年がそう言うと、弥生は立ち上がり、彼の前まで近づいた。

「はい……何？」

「また、私が口述筆記するんでしょうか？」

「嫌なの？」

「いえ……嫌なわけでは」

「じゃあ、お願い」

「はい……スケジュールがあるので、一応確認をと思って」

「用件は、それだけ？」

「はい……お邪魔しました」

助手の青年が出ていくのを見届け、弥生はソファのほうに戻ってきた。

「失礼しました」

「あの……先生は、論文をご自分で書かれないんですか？」

霧山がそう尋ねると、弥生は不機嫌そうに眉《まゆ》をひそめる。

「聞き耳を立ててたの⁉」

「いえ……普通に聞こえてしまう距離だったので」

霧山はそう説明した。弥生は納得したのか、平然とした態度に戻る。

「私は、数字は大好きだけど、文章を書いたり読んだりするのは好きじゃないの……文章って、はっきりしないでしょ……？」

「はあ……そうですかね」と、霧山が言うと、弥生は突然、叫んだ。

「タコ！」

霧山としずかは、びっくりして弥生を見つめた。弥生はまた普通の顔になる。

「……って言ったって、あなた、私が生き物の〝蛸《たこ》〟のことを言っているのか、足にできる〝タコ〟のことを言っているのか、凧揚《たこあ》げの〝凧〟のことを言っているのか、あなたのような〝タコ〟のことを言っているのか、わからないでしょ？」

弥生は最後にふたりを指差した。しずかは納得している様子だった。

「わからないんですよ、この人、〝タコ〟だから」

「私、そういう、まいまいなのは嫌いなの。だけど、数字はどこまでいっても〝1〟は1で、〝2〟は2なの……わかります？」

「はあ……」と、霧山はうなずいた。すると、弥生はまたまなじりを上げる。

「はあ……っていうのは、何かしら？」

「え……？　いや、はあ……っていうのは……はあっ……ていう……」

霧山がうまく説明できずにいると、弥生は急に語気を強める。

「はっきりして下さい！　私の話に納得したなら『はい』、していないなら『いいえ』、わからないなら『わからない』……『はあ』じゃ、こっちがわからない！」

「すいません」と、霧山は弥生の態度に気圧《けお》されて、頭を下げた。

「私は全然まったくわかりませんでした」

しずかがきっぱりと言うと、弥生は納得したようにうなずく。

「あなたはわかりやすくていいですね……今度お会いすることがあるのなら、次はもっと予習していらして下さいね」

弥生は最後に、にっこりと微笑んだ。


弥生の研究室を出て、霧山としずかは大学のキャンパスを歩いていた。

「なんか、あたしたち、怒られに来たみたいじゃない？」

しずかが思い切り伸びをしながらつぶやく。霧山は疑問を口にした。

「ねえ……〝まいまい〟って何？」

「え……？　〝まいまい〟？　かたつむり？」と、しずかがきょとんとした顔をする。

「あの人、さっき、『そういう、まいまいなのは嫌いなの』って……」

「言い間違えたんじゃないの？　だって、そんな突然、かたつむりが嫌いだなんて——」

「あと、ほら……僕が犯人を突き止めたいとは思われませんか、って訊《き》いたら、『思われますよ、もちろん』って……変でしょ、日本語として」

「わざと言ったのよ、きっと。だから、皮肉で……私、苦手だな、ああいう人。人生は割り切れないから面白いんじゃない……ねえ？　聞いてないね」

「聞いてないね……」

霧山はキャンパスの一角に立てられた「入学手続き案内」という看板を見つめた。その横の建物の中に、合格者と思われる若者たちが入っていくのが見える。霧山はつかつかとそちらに近づき、入口付近にたむろしていたふたりの若者に声をかけた。

「あの……新入生？」

振り向いたふたりは、とまどった様子だったが、小さくうなずく。

「はい……新入生、ですけど……」

霧山は叫んだ。

「コングラッチュレーション！」

ふたりはあからさまに警戒していたが、霧山は構わず尋ねた。

「すみません……あの、数理学部の受験科目って、何か教えてもらえます？」

ひとりが、「なんだよ、こいつ、気持ち悪いな」という顔で答える。

「数学と英語と……小論文だよね？」

「うん……そう」と、別の若者がうなずく。

「え……？　それって、何年くらい前から？」

霧山が訊くと、若者は「知るか、そんなこと」という顔で答えた。

「知りません」

「難しいのかな？　小論文って……」

「ここの大学の小論文はレベル高いって、有名ですよ……なあ？」

「うん……」

ふたりは「早くあっち行けよ、こいつあっち系じゃねえ？」という顔でうなずき合っていた。

「ありがとう。あっち系じゃないよ」

霧山はそう言って、その場から離れた。

それから霧山はしずかと別れて、立花律子の行きつけの喫茶店だったという「森の荒熊」まで、ひとりでやって来た。店のマスターは、霧山が事件の話を切り出すと、目を丸くして、霧山を見つめ返した。

「十五年前の事件……？」

「ええ……立花律子さんが、この店で合格祝いをやったあとに、殺された事件です」

霧山がそう説明すると、マスターはさらにびっくりしたように身を乗り出した。

「え……？　この店で死んだんですか!?　どのあたりで？」

「いえ、ここじゃなくて、森で……覚えてないんですか？」

「覚えていないんですよ……」と、マスターはじっと考え込む素振りをした。

「またまたぁ」

「本当なんです」

「だって、殺人事件ですよ……しかも、律子さんはこの店の常連で――」

するとマスターは深刻な顔で説明した。

「私ね、前向性健忘症っていって、記憶が三、四十分しかもたないんですよ。部分的には、一、二分で消えてしまう記憶もあるんです」

「またまたぁ」

「刑事さんね、仕事柄、疑い深くなるのはわかりますけど、人を信じる気持ちをなくしちゃいけないと思いますよ」

「すみません……刑事じゃないんですけどね」

「ええ」と、マスターは聞いているのかいないのか、納得したようにうなずいた。

「じゃあ、まったく……？」

「ええ……ちょっと待って下さい。こんな時のために、私、ノートをつけてるんですよ。私が覚えてなくても、このノートが全部覚えてます」

そう言って、マスターは首からぶら下げていたノートを開き、書きはじめた。

「三月四日、午後四時過ぎ……霧山刑事さんと、愉快におしゃべり」

「刑事じゃないんですけどね……」

すると、マスターはポラロイドカメラを取り出した。

「写真いいですか?」

「え……?」と、霧山が聞き返すより早く、マスターはさっさとシャッターを切った。

「はい、チーズ」

「いや、もう写真、出てきてますよ」と、霧山は指差した。

「これ貼っておけば、あとで、顔見ただけでわかるでしょ」

マスターは出てきた写真をノートに貼り付ける。

「あの……十五年前のノートもあるんですか?」

「三十年前からありますよ」

そう言うと、マスターは一度奥に引っ込み、大量のノートを抱えて戻ってきた。そこから十五年前のものを探し当てると、マスターはぱらぱらとページをめくる。

「あ、あった、三月三日……夜七時十分、弥生ちゃん律子ちゃん来る。注文、森のトンカツ定食、オオカミのサラダ、白い妖精《ようせい》のジュース……夜八時、弥生ちゃん律子ちゃん、おしゃべり盛り上がり、仲間に入れてもらえない。カウンターに戻る……夜九時、律子ちゃんカラオケで盛り上がる……午後十時閉店。店の外までふたりを送る……午後十一時、二階に上がって、ばあさんの肩を揉《も》む」

マスターは書いてある通りそのままに読み続けた。霧山は覗《のぞ》き込んでつぶやく。

「これ、筆跡がところどころ違いませんか……」

すると、マスターは不意に叫んだ。

「見ちゃダメ！　これを見せるということは、僕の心の中を見せることなんですから！」

「ごめんなさい」と、霧山は頭を下げた。マスターが思い出したように聞き返す。

「え……？　筆跡？」

「ええ……違うなあ、と思って」

「どんな筆跡で書いてたか、書いてる途中で忘れちゃうんですよ」

霧山もさっきのマスターの説明を思い出して訊いた。

「おばあさんが、いらっしゃるんですか？」

「いたんじゃないですか、書いてあるんだから……今は、いません。だって、当時はポラロイドカメラ、持ってなかったから！」

「怒らないで下さいよ……十五年前の事件のことを、ちょっと調べたいだけなんです」

「十五年前の事件……!?　何ですか？」と、マスターが不思議そうな顔をする。

「忘れちゃったんですか？」

「私ね、前向性健忘症っていって……」

「ええ、それは伺いました……このノート、一日だけ借してもらえませんか？」

「貸すと思いますか？」

「いいえ……」

「あ、写真いいですか？」

そう言うと、マスターはまたすぐさまシャッターを切った。ポーズを決める間もなく、カメラから写真が吐き出される。

「また間に合わなかった……」と、霧山はつぶやいた。

「この写真をノートに貼っておくんです」

霧山は、マスターがそう言ってうつむいた瞬間に、テーブルの上に置きっぱなしになった十五年前のノートを、こっそり懐に隠した。何食わぬ顔をしていると、写真をノートに貼ろうとしたマスターが、驚いた声を出す。

「あれ？　もう貼ってある……」

「ええ……さっき、撮ってもらったんで」と霧山が言うと、マスターは不機嫌になった。

「言って下さいよ！」

「すいません……」

ところが、マスターはノートをめくって、急にびっくりしたようにつぶやいた。

「あれ……？　あなた、先週も来ました？」

「え……？」

「それ、カツラですか？」

マスターはノートに貼ってある写真と見比べながら、霧山の髪の毛を指差す。

「いいえ……」

「だって、一週間で、そんなに」

「ちょっと!」と、霧山はマスターからノートを引ったくった。そこには、あの山崎晋也とマスターのにこやかなツーショット写真が貼られていた。マスターが血相を変える。

「やめて下さいよ!　これを見せるということは、私の心の中を見せるということなんです!……あれ?　ここにノートありませんでした?」

マスターが、ノートを置いてあったテーブルを指差した。

「さっき、片づけたじゃないですか」と、霧山はとぼけた。

「そうでしたっけ……?」

「忘れちゃったんですか?」

マスターが、疑いの目を霧山に向ける。霧山は気まずさを取り繕うように、咳《せき》払いをひとつした。


その翌日、出勤してきたしずかは、時効管理課のスペースで、十文字たちが緊張した面持ちでモニターに群がっているのに気づき、そちらに近づいた。

「どうしたんですか?」

しずかが訊《き》いても、誰も答えようとしてくれなかった。十文字がいきなり振り返る。

「俺は今、どうしていいのかわからない……どうしていいかわからない俺の気持ちが、君たちにはわかるか……?」

「だけど、下北沢さんの気持ちも考えてあげて下さい」と、吉祥寺が真剣な顔で訴える。

「下北沢くん……告訴するか？」

十文字がそう言うと、下北沢は黙ったまうつむいてしまう。

「あの……いったい、何が？」と、しずかが横にいた蜂須賀に訊こうとした時、熊本がそこに戻ってきた。

「ああ、なんか、ヘソがかゆいな……かけばいいのか、ハハハ……どうしたの？」

熊本が呑気《のんき》に尋ねると、又来が深刻な表情で答える。

「大変な事実が発覚したんですよ」

「おっ、それは大変だ」と、熊本がヘソをかきながら、笑う。

「シャレにならないですよ」

サネイエが眉間《みけん》にしわを寄せてつぶやく。又来が下北沢を指差した。

「下北沢の下着が、先月からチョコチョコ盗まれてたの、知ってますよね？」

「いや、知らない……え？　私じゃないよ」と、熊本は動揺する。

「ビデオで撮ったんですよ、昨夜……彼女、犯行現場」

「私じゃないって……だって、昨夜、麻雀《マージャン》してたもの」

ひどく狼狽《ろうばい》した熊本を、十文字がなだめた。

「まあ、見て下さいよ……ハチさん、お願いします」

「自分のほうが全然近いじゃない……」

十文字に催促され、蜂須賀がビデオの再生ボタンを押した。画面に映ったのは、下着を盗もうとしている男の映像だった。その男はカメラの存在に気づいているのか、余裕の笑みを浮かべ、画面に向かってピースまでしている。ところが、問題なのはその顔だった。画面に映っていた男は、明らかに霧山だったのだ。

「……！」

しずかは、信じられない気持ちだったが、目の前の映像が作り物とは思えなかった。やがて、画面が途切れ、砂嵐が映し出される。十文字がゆっくり振り返った。

「俺は、あいつと同期だ。同じ釜《かま》の飯を食った仲だ。俺は今、とてもつらい……そして、俺のつらい気持ちも知らず、あいつがやって来た」

その言葉通り、戻ってきた霧山が自分のデスクに座ろうとしていた。

「え……？　つらいの？　大丈夫？」

霧山がそう言うと、下北沢がパニックを起こしたように走り去った。吉祥寺がそれを追いかけようとすると、霧山が呼び止める。

「あ、吉祥寺くん……セーラー服、持ってきてくれた？」

その言葉に、その場の一同が一斉に霧山を見た。

「セーラー服……言ったよね、ちょっと貸してほしいって」

「いいえ！」と叫んで、吉祥寺は走り去る。霧山がつぶやいた。

「ちょっと！　なんだよ……」

しずかもいたたまれなくなって出ていこうとしたが、霧山に呼び止められ立ち止まった。

「三日月くん……今晩なんだけど……ちょっとつきあってくれない〝変質者の森〟」

しずかは霧山の目を見ることができず、取り乱して叫んだ。

「今は混乱して、何も言えない！」

しずかは逃げるように、その場から離れた。


しずかの取り乱した態度や、みんなのぎこちない素振りは気になったものの、霧山は何も思い当たるフシがなく、とりあえず時効管理課のスペースを離れた。用を足そうと思ってトイレに入ると、ややあってから、熊本がのそっと姿を見せる。

「ああ……」

霧山はアサガオの前に立ったまま、首だけ熊本に向けて小さくお辞儀をした。熊本も軽くうなずきながら、霧山の隣に並ぶ。

しばらく沈黙が流れた。静寂の中、霧山が立てるちょろちょろとした水音だけがトイレの中に響く。

「……君の昨夜の行動、バレてるよ」

熊本が不意に小声でつぶやいた。

「昨夜……？」

霧山が思わず聞き返すと、熊本は首をこちら側に向けて、うっすらと微笑みかけてくる。押し殺した声で、熊本は続けた。

「いや、私に任せてくれればいい。内々のことにしておくから」

「えっ……？」

霧山は、熊本がなんのことを言っているのかまるでわからず、きょとんとした顔で見つめ返した。ひとりで納得している表情の熊本は、正面に向き直ってしみじみとした様子で語る。

「こう言っちゃなんだけど、気持ちはわからなくはないんだよなあ。たまたま、行動に出たか出なかったかの違いだよ……」

そして熊本は、自分の股間《こかん》のほうに視線を落とした。

「出るもんだね。別にしたくもなかったのに」

熊本がそう独りごちて笑う。

霧山はその前の熊本の言葉を頭の中で反芻《はんすう》してみたが、やっぱりなんのことだかさっぱりわからない。

「え……あの、なんの話してるんですか？」

霧山がそう尋ねると、熊本はさえぎるようにして言った。

「何も言うな。私に任せておけばいいから」

声をひそめる熊本の調子につられて、霧山もわけがわからないままうなずいた。

「……はい。じゃあ、よろしくお願いします」

ここは適当に話を合わせておいたほうがいいだろう。霧山はそう判断して、熊本に一礼すると、アサガオの前を離れた。洗面台で手を洗いながらもう一度、熊本のほうを振り返ると、熊本はまだ用を足している。

引っかかるところはあったが、霧山は気を取り直して、トイレをあとにした。


時効管理課を飛び出してから、しずかは神泉と組んで駐禁の取り締まりに出かけた。しかし、仕事にも集中できず、しずかはさっき見た映像の中の霧山のことで頭がいっぱいだった。

しずかの横で、違法駐車車輛《しやりよう》のタイヤにチョークで印をつけている神泉が、何やらぶつぶつとつぶやきはじめた。

「今朝、変な夢を見たんですよ……身長三メートルぐらいのおじいさんが、僕の顔見てニッコニコしながら『喉《のど》の調子が治ったんなら、再デビューを考えてはどうか』って言うんです。だから僕、『再デビューも何もデビューしたことありません』って言ったんですよ……そしたら、おじいさんが七メートルくらいになって……」

神泉の話をぼんやりと聞くともなしに聞いていたしずかだったが、そのうち、何気なく目をやった通りの向こうの案内標識に、「霧山君は変態」という文字が書かれているのを見つけ、思わずはっと息を呑《の》んだ。

しずかは目を凝らして、もう一度よく見てみた。すると、案内標識だけでなく、遠くのビルの屋上に掲げられている大きな看板や、その横の電光ニュース、信号待ちで停まっているトラックのボディなど、至るところに「霧山君は変態」の文字が浮かんでいた。

「えっ……!?」

驚いて天を仰いだしずかは、青空に浮かんだ雲までもが、「キリヤマクンハヘンタイ」という文字のように見えて、目をしばたたかせた。

神泉の話など何も聞こえなくなり、しずかは焦って手元の書類に目を落とした。駐禁の書類が挟まっているはずのバインダーには、「霧山君は変態」の文字がびっしりと書かれた紙が載っている。

しずかは思わず書類を手から落とし、ぎゅっと目をつぶった。しばらくして、神泉の呑気な声が再び聞こえてくる。

「……だからね、僕ももう、あったまきて『耳たぶのその〝たぶ〟ってなんなんだ!』って言ったら、おじいさん、二ミリくらいになって泣いてるんですよ……三日月さん?」

声をかけられ、しずかは目を開けて、ゆっくり振り返った。神泉がきょとんとした顔でこちらを見つめている。

「どうかしました?」と、神泉はチョークを握った手を止めて訊《き》いた。

しずかはそれには答えず、さっき取り落とした足元の書類に目をやった。「霧山君は変態」の文字は消え失せ、元の駐禁の書類がバインダーに挟まっている。

しずかは、決心して再び天を仰いだ。さっきの雲もきれいさっぱりなくなり、青空が広がっている。

「いい！　それでもいい！」

　自分に言い聞かせるように、しずかは叫んだ。仮に霧山が変態だとしても、それでもいいではないか。しずかは覚悟を決めた。

「え……？」

　間の抜けた声を出して、神泉がしずかを見つめていた。


　その晩、霧山としずかは、律子の遺体が発見された森の中を探索した。さっきの取り乱した様子とは変わって、しずかは落ち着いているようだったが、まだどことなくその態度はぎこちない。霧山は気にはなったが、特に何を尋ねるわけでもなく、森の奥へと進んだ。まだ夕刻だというのに、森の中はうっそうと繁った木々にさえぎられ、薄暗かった。

「このあたりかな……」と、霧山は辺りを見渡した。しずかがつぶやく。

「なんで、こんなところに夜遅く、わざわざ来たのかな……？　この時間でも、うす気味悪いよね」

「足元、気をつけなよ」

　霧山がそう言った途端に、しずかが何かにつまずいて、豪快に転んだ。

「……うわあ！」

「だから、気をつけろって言ったのに」

　見ると、瓶のようなものが埋まっていて、四分の一くらい顔を出している。

「何これ、危ないな……瓶？」

不貞腐《ふてくさ》れたしずかを置いて、先のほうに目をやった霧山は、人影を見つけてつぶやいた。

「あ、誰かいる……」

そこには花を手向けて手を合わせている中年男性の姿があった。

「あの……すいません」

霧山が声をかけると、男性はゆっくり振り向いた。霧山は身分を明かし、その男性から事情を訊くことにした。

「品川《しながわ》と申します」

男性はそう名乗った。聞けば、立花律子の高校時代の担任教師だという。

「一年から三年まで、ずっとですか？」と、霧山は森の中を並んで歩きながら、尋ねた。

「はい……」

「ということは、関ヶ原弥生さんの担任でもあったということですね？」

「そうですが……」

品川は怪訝《けげん》な顔をした。その途端、しずかがまた悲鳴を上げて転ぶ。霧山と品川が気にせず進むと、しずかが背後で叫んだ。

「また、瓶！」

「律子さんと弥生さんは、仲が良かったんですよね？」と、霧山は訊いた。

「ええ、幼なじみでね……関ヶ原くんが、何か？」

「あの……当時、ふたりの成績はどうだったんでしょうか？　律子さんは朝日ヶ丘大学の文学部、弥生さんは数理学部に合格してますよね……それは、なんというか、当然のことでしたか？」

「何が言いたいんですか？」

品川は不審がっている様子を隠さずに、そう言って霧山を見つめた。

森を出て品川ともしずかとも別れた霧山は、アパートに帰る前に「多め亭」に立ち寄った。店に入るなり、おばちゃんが霧山の顔を見て呆《あき》れたように言う。

「何、忘れもの？」

「はい……？」と、霧山はきょとんとして見つめ返した。

「忘れもの？　忘れものかって言ってんの……何、多めに聞いてんの？」

「いえ……トンカツ物足りないぐらい」

霧山は壁のメニューを指差して、そう言った。ところが、おばちゃんが呆れ顔で訊く。

「まだ食べるの？」

「まだって……お昼も食べてないし……」

霧山がそう言うと、おばちゃんはぽかんと口を開けた。

「え？　だって、今……あ……？」

そこで霧山は、もしやと思って訊いてみた。

「もしかして……来ましたか、僕？」

「来た……」と、おばちゃんはうなずく。

「髪の毛、違うでしょ？　服も……」

「違う……」

「ああ……それ、僕じゃないですね」

「え？　僕じゃないの？」

「ええ、いるんですよ」

「多めに？」

「って、いうか……僕と、もうひとり」

「え……？　どっちが本物？」

そう言われて、霧山は少し考え込んだ。

「本物……？　どっちだろう……」

「悩んじゃうんだ」と、おばちゃんは苦笑した。

「いや……彼には彼の変質者人生があるし……両方本物ですよ」

「いいね。とっかえがきいて」

「とっかえ……」

霧山はその言葉が妙に引っ掛かった。

数日後、品川から再び話を訊いたあとで、霧山はようやく考えがまとまり、再び朝日ヶ丘大学数理学部の弥生の研究室を訪ねた。

「替え玉受験……？」

霧山が単刀直入に疑問をぶつけると、弥生は大袈裟《おおげさ》にそう聞き返し、顔をしかめた。

「担任だった品川先生から、いろいろ伺いました。当時の作文なども読ませていただきました……失礼ですが、文章力のほうは、かなりアレですね……ボロボロですね」

霧山がそう言うと、弥生は不機嫌な顔でそっぽを向いた。

「だから、何？」

「作文、『栗拾い』っていう題名を、『栗捨い』って書いてありました……アガサ・クリスティ……なーんちゃって」

弥生は冷ややかな視線を向ける。霧山は照れ笑いを浮かべた。

「品川先生も笑いませんでした」

「それで、なんなの？」

「一方、亡くなった立花律子さんの作文はすごくこう、文学的で……運動会の綱引きを人生にたとえていたりして、ちょっと感動して、泣いちゃいました……彼女、ラジオの深夜番組にもよく投書して、ハガキを読まれていたそうですね。ハガキのネタにするために、プールの水を抜いたり、うさぎ小屋のうさぎを逃がしたり……自分の不幸も全部ネタにしていたって言って、品川先生、笑ってました」

「だから……？」と、弥生が睨《にら》みつける。

「おふたりの行きつけだった喫茶店『森の荒熊』にも行って来ました……あの店の名前の由来、マスターはもう忘れちゃったって言ってましたけど、あの唄《うた》から取ったんじゃないかと思うんですよ……『森のくまさん』？」

「そうですよ」

「やっぱり、そうですか……」

そして、霧山は唐突に「森のくまさん」を歌いはじめた。

「ある日　森の中　くまさんに　出会った　花咲く森の道　くまさんに出会った……アラくまさん――」

そこで、霧山はいきなり歌うのをやめた。弥生がぴくりと眉《まゆ》を動かす。

「この、『アラくまさん』のところを、マスターはずっと『荒熊さん』だと思っていて、それで、自分の店を『森の荒熊』っていう名前に……」

「だから、そうですよ」と、弥生がじれったそうにつぶやく。

「やっぱり……長々とすみません。あまり、唄はアレなんですけど……」

「アレってなんでしょう？　この前、申し上げた通り、私は簡潔なことが好きなんです」

「ですよね？　〝まいまい〟なことは嫌いなんですよね？」

「おわかりなら、簡潔に」

霧山は笑いをこらえて、うなずいた。

「何がおかしいの？」

「いえ……『森の荒熊』のマスターのノートをご存じですよね？」

そう言って、霧山は例のノートを取り出した。

「これが、事件があった日のノートです。『弥生ちゃんと律子ちゃん、替え玉の話』と書いてあります……ラーメン店などでは、替え玉と言えば、残ったスープの中に新しい麺《めん》を入れることですが、『森の荒熊』のメニューにラーメンはない」

「そうね……」と、弥生はことさら落ち着き払った素振りを強調しているようだった。

「立花律子さんと替え玉受験をされましたね？」

霧山はそう言って、弥生をじっと見つめた。弥生は視線を逸《そ》らしたまま、何も答えない。

霧山は構わず続けた。

「あなたは、律子さんの代わりに数学の試験を受け、律子さんは、あなたの代わりに小論文を書いた……同じ髪形、同じセーラー服。ひとつの教室に百人はいる受験生を、ひとりひとり確認するのは難しい……あなたたちは休憩時間にこっそり受験票を交換して、お互いの弱点を補い合った」

霧山がそこまで言うと、弥生は声を荒らげた。

「だから……？　それによってあなたは……霧山さんは、何を証明しようとしているのかしら。たとえ、私が律子と身代わり受験をしていたとしても、それと殺人事件とは何も関係ないでしょ？」

「身代わり受験したことは認めるんですね？」

「認めてほしい？」

「誰にも言いませんよ。趣味でやってることですから……残りは宿題にさせて下さい」

「いいですよ……あなた、今日はここに、ほぼ歌いに来たってことになるけど」

「ありがとうございました」と、霧山はお辞儀をした。

「頑張って……真理を証明するのは簡単じゃないわよ」

「ええ……真理求むれば、老いて積木崩さず……といいますからね」

「……そうね」

弥生は取り繕ったような態度で、そうつぶやいた。霧山は彼女の顔を覗《のぞ》き込む。

「意味わかってますか？」

「わかってるわよ……バカにしないで」

「僕はわかりません……今、テキトーに作ったんで」

霧山はそう言い残して立ち上がり、弥生の研究室をあとにした。


しずかはその夜、ベッドに寝転がって「恋愛のススメ　一問一答」という本を読んでいた。「彼氏がちょっと変態っぽいんですけど、別れたほうがいいのでしょうか？」という読者からの質問が載っている。しずかは、その答えが書かれているページを目で追った。

「人間は皆、少なからず変態です。常識外れな性癖を持っているからといって、別れてしまうのは勿体《もったい》ないんじゃない？……うん、そうだそうだ。勿体ないんじゃない？」

しずかは、懸命に自分を納得させてみようとした。その時、不意に携帯電話が鳴りだす。

着信表示は霧山だった。

「げっ、変態くん……もしもし」

「ああ、三日月くん？　今、ヒマだよね」と、霧山が屈託なく言う。

「ヒマだけど……」

「でしょ？　じゃあ、今から家に来てくれないかな」

「えっ……？」

「ヒマなんでしょ。ちょっと頼みたいことがあるんだよ」

「わかった……」

「急いでね。ひとりじゃ、駄目なんだよ」

「ひとり……会いたいの？」

しかし、そこで電話は一方的に切れた。しずかは携帯を見つめ、思わず独りごちた。

「いいよ、ちょっとぐらい、変態くんでも」

しかし、悩みながら霧山のアパートを訪れたしずかが見たものは、想像を絶する霧山の姿だった。しずかを出迎えた霧山は、何故かセーラー服を着ていたのだ。

「早く入んなよ」と、霧山はこともなげに言う。

「でも……」

「でも、じゃないよ……早く」

そう言って、霧山は強引にしずかを部屋の中に引っ張り込んだ。

「ちょっと待っててね」

奥の部屋に進んだ霧山は、しずかの目の前でいきなりセーラー服を脱ぎはじめた。

「え……？　え……？」と、しずかは目を白黒させる。霧山がきょとんと見つめた。

「何……？」

「いや、着てるのも困るけど、脱がれたら脱がれたで……そんな、急に……」

しかし、霧山はあっさりと言い放った。

「これ、着てくれる？」

「えっ……？　これを？」

しずかは、霧山が差し出したセーラー服をおそるおそる受け取った。

「ひとりじゃ、駄目だから……早く、それ脱いで」

しずかは意を決して、うなずいた。

「……わかった。ちょっと暗くしてくれる？」

「え、なんで？」と、霧山がしずかの顔を覗き込む。

「だって……」

「着替えたら呼んで……早くね」

そう言って、霧山は部屋から出ていった。

「人間はみな、少なからず変態です……よし、アリアリ。全然アリ」

しずかは自分に言い聞かせるようにつぶやいた。

しずかが着替えるのをアパートの階段で待っていた霧山は、携帯電話が鳴ったので、それをとった。着信はしずかからだった。

「……着替えたよ」と、しずかが甘ったるい声で喋《しゃべ》る。霧山はさっそく、部屋に入っていった。中には、セーラー服に着替え、髪をおさげにしたしずかが待っていた。

「ぴょ〜ン！　どうかちら？」

すっかり女子高生になりきったしずかが、はしゃぎ回る。

「よく……似合うよ……」

霧山が少し頰を引きつらせてそう言うと、しずかがはにかむ。

「そんなに見ないで……恥ずかしい」

「僕も恥ずかしいよ……じゃ、始めていいかな」

「……いいよ。あまり、よくわからないけど、こういう特殊な……やり方？」

しずかがぶつぶつ言うのを、霧山は適当に聞き流した。

「ちょっと、後ろ向いてくれる？　後ろに、僕がいることは忘れて」

「いいよ……もう、この際、とことんノーマルは忘れるから」

そう言うと、しずかは背中を向けた。

「いい？　後ろに、僕はいないよ」

「うん……」

そこで、霧山は後ろからしずかに近づくと、セーラー服の襟の部分を持ち上げ、素早くスカーフを引き抜こうとした。しかし、スカーフは引っ掛かってしまい、しずかが凄《すご》い勢いで倒れ込む。しずかは悲鳴を上げた。

「痛《い》ッたぁ〜！」

「やっぱり無理か……」と、霧山はつぶやいた。しずかが霧山を見上げて叫ぶ。

「なんなの、一体！」

「いや、立花律子が殺された様子を再現しようと思ったんだけどさ」

「言ってよ、先に！」

「だって、あらかじめ教えちゃったら、覚悟ができて実験にならないじゃない……立花律子だって、もし覚悟ができてたら、死なずに済んだかもしれないわけだから」

「だからって……痛ッたぁい！」と、しずかはスカートの上からお尻《しり》をさする。霧山は構わず話を続ける。

「でも、おかげで、わかったよ……立花律子の制服にスカーフがなかったことから、彼女は自分のスカーフで誰かに殺されたと考えられていた……だけど、実験の通り、急にスカーフを引き抜くことはできないんだ」

「……って、ことは？」

「スカーフは二枚あったんだよ……律子は、自分がしていたスカーフで殺されたんじゃない。誰か、別の人のスカーフで、いきなり後ろから首を絞められて殺された。そして犯人は、あたかも律子のスカーフで殺したように見せかけるために、律子のスカーフを持ち去った……」

「じゃあ、現場に残っていたスカーフは、律子のじゃなくて……」

「うん、犯人のスカーフだと思う」

「でも、どうして警察は、そんなことに気づかなかったんだろう」

「わかんない……」と、霧山は首を横に振った。

「わかんないんだ」

しずかが苦笑した。そこで、霧山はしずかを見つめた。

「三日月くん……そろそろ、帰ったら？」

「え……？」

しずかは目を真ん丸にして、真っ直ぐ霧山のほうを見つめている。霧山は彼女の肩に手を置いて、つとめて冷静に言い放った。

「そのセーラー服、プレゼントするよ。協力してくれたお礼に」

「いらないよ！」

しずかは口をとがらせて、怒った。

翌日、霧山は鑑識課の諸沢を訪ねた。霧山の顔を見るなり、諸沢は数枚の写真を取り出して、机の上に並べる。そこには「珍獣串焼《くしやき》」という看板が掲げられた店が写っていた。

「食べたんですか？」と、霧山は訊《き》いた。諸沢は首を左右に振る。

「いや、恐ろしくて入れなかった」

「ですよね……」

すると、諸沢はいきなり本題に入る。

「で……？　スカーフがどうしたって？」

霧山は、証拠品の赤いスカーフを取り出して、諸沢に見せた。

「ええ……このスカーフは、事件当時に被害者本人のものとされていたんですけど、その決め手は、なんだったんでしょう？」

すると、スカーフを受け取り、じっと見ていた諸沢は、スカーフの隅についているタグに書かれていた「R」という文字を指差した。

「これだな……ここに書いてあるよ、その子の名前の頭文字が……ほら、〝R〟」

「あ、ホントだ」

「立花律子っていうんだろ？　ガイシャの名前は」

「ええ……なんだ、そんなことだったんだ」と、霧山は拍子抜けして、つぶやいた。

「お前がホシだと踏んでいる女の名前は？」

「関ヶ原弥生、です……〝Y〟かぁ……」

「惜しかったなあ……ラヨイだったら〝R〟だったのにな」

「ですよね……レョイとか」

「ロヨイとかな」と、諸沢が苦笑いを浮かべる。

「ヨロイとか……」

霧山がそう言うと、少し間があり、霧山と諸沢は同時につぶやいた。

「ヨロイは〝Y〟だな……」

そして、霧山は改めてスカーフの文字を見つめた。

「あれ……？　これ、なんか変じゃないですか？　この〝R〟」

「どれ……」

諸沢はもう一度スカーフを手に取り、なんだか大袈裟《おおげさ》な機械にかけて、その分析を始めた。霧山はその作業を覗《のぞ》き込みながら、諸沢に訊いた。

「なんですか？　その機械……」

「うん……？　ああ、紙とか布とかの成分を調べるやつなんだけど……ああ、安くしといてやるよ」

「金、取るんすか、やっぱり……」

「これは、あれだな……　〝R〟という文字を裏側から書いてるなぁ」

「裏側？」と、霧山は聞き返した。

「マジックインクか何かで書かれているが、もともとは〝R〟を裏返した文字だな……裏返すと、普通の〝R〟に見える。鏡文字ってやつだ」

諸沢は、実際にスカーフをひっくり返しながら、そう説明した。

「なんで、わざわざ、そんな手の込んだことを……？」

「うーん……」と、諸沢は唸《うな》ると、紙に何かさらさらと書きはじめた。わかりにくい文字だったが、それを鏡に映すと「なんでかねえ？」と書かれている。霧山は思わず感心した。

「凄いなぁ」

「……って、言われたかったんじゃないか？」

諸沢はそう言って、霧山を見つめた。


その夜、霧山はしずかを連れて、羚羊市の商店街の外れにある「はつ」というクリーニング屋を訪ねた。店内はうす汚れた感じで、どことなくかび臭いような匂いがする。

「ごめんください」

奥に向かって、そう声をかけると、店主らしい女性の声が返ってきた。

「はい、ちょっと待ってね……」

しずかが店の中を見回し、小声でつぶやく。

「ここ、クリーニング屋さんだよね……」

「書いてあるじゃない、洗濯店って」

「あまり注文来なそうだよね……こんなとこで、洗ってもらっても」

そこで、霧山はしずかの肩にゴキブリがとまっているのに気づいた。

「あ、ゴキブリ……」

「キャア〜！」

しずかも気づいて悲鳴を上げた。その時、奥から店主らしい女性が出てきた。シミだらけの服を着た暗い感じの中年女性である。

「いらっしゃい……」

そこで、霧山は事情を説明し、遺留品のスカーフを店主に見せた。店主はしげしげと見つめる。

「ああ、立花さんね……うちの店で洗濯してましたよ」

「やっぱり、そうですか」

「むごい事件だったねえ」

店主はそう言って、くわえていたタバコを灰皿でもみ消した。

「そのタグに〝R〟を裏から書いたのは、この店の方じゃありませんか？」

霧山がそう尋ねると、店主はギロッとふたりを睨《にら》む。

「あんたら、この町の人じゃないね？」

「ええ……総武市から来ました」

「この辺りの人は、みんなゴーゴリを知ってるからね」と、店主は奥を振り返った。

「ゴーゴリ……？」

霧山が訝《いぶか》しんでいると、店主は店の奥に向かって声をかける。扉が開いて現れたのはいかつい顔をした髭《ひげ》面の外国人だった。

「この人たちが、あんたに訊きたいことがあるんだってさ」

店主がそう言うと、その男性は何かわからない言葉を並べた。

「ハロー」と、霧山が手を挙げる。しずかがたどたどしい英語で話しかけた。

「マイ・ネイム・イズ・ミカヅキ……」

「ミー・トゥー」

「ミー・トゥーじゃないでしょう……ヒズ・ネイム・イズ・キリヤマ……」

すると、ゴーゴリと呼ばれたその男性は、ベラベラと一方的に喋《しゃべ》りだした。

「あの……なんて、言ってるんですか？」

霧山が店主に訊くと、店主はこともなげに通訳する。

「このスカーフの文字はね、アルファベットの〝R〟じゃなくて、ロシア文字なのよ。〝R〟が裏返しになって、〝ヤー〟と読むの」

「ああ……ロシア語なんだ」と、霧山としずかは顔を見合わせた。

「つまり、〝ヤ〟で始まる頭文字のお客さん……ってことよ。そうでしょ、ゴーゴリ？」

すると、ゴーゴリはまた、何事かロシア語でまくしたてる。店主が通訳した。

「私は二十年間、この店に雇われているけど、ロシア語しか書けない。文句あるかって」

「ノーノー！　ノー・プロブレム」と、霧山は慌ててゴーゴリをなだめた。

「じゃあ、このスカーフの持ち主は……？」

しずかが尋ねると、ゴーゴリはまたロシア語を並べた。店主が言う。

「持ち主は、もちろん〝ヤ〟で始まる名前の人です……矢《や》井《い》田《だ》瞳《ひとみ》、八《や》代《しろ》亜《あ》紀《き》なんかが考えられるんじゃないかって……」

霧山は店主をじっと見つめた。

「言ってました？　そんなこと……」

「えっ……？」と、店主はとぼける。

「よくわかりました……ありがとうございました」

しずかが霧山に代わって、お辞儀をした。

さっきの店主がゴーゴリの言葉をどこまで正確に訳してくれていたかはわからないが、ようやくすべての命題に対して正解にたどりついたと感じた霧山は、関ヶ原弥生に会うべく朝日ヶ丘大学を訪れた。弥生を無人の大教室まで呼び出した霧山は、講義を行なうかのように黒板の前に立った。弥生はいつもは学生が座る最前列の席に陣取り、ふたりに注目している。霧山は一礼した。

「では、始めさせていただきます」

すると、弥生は小馬鹿にするようなわざとらしい拍手をする。霧山は眼鏡を外し、横で待機していたしずかにそれを手渡した。

「まず、森の荒熊……」

霧山がそう言うと、しずかが、黒板にあらかじめ描いてあった地図上の店がある辺りに「森の荒熊」と書き込んだ。しかし、しずかは前もって打ち合わせてあった通り、「熊」の字をわざと「態」と書き間違えるようにしていた。

「十五年前、身代わり受験で朝日ヶ丘大学に合格したあなたと律子さんは、この店で合格祝いをして、とても盛り上がった。本当ならそのまま幸せに終わるはずでした……ところが、カラオケではしゃいでいた律子さんは、歌詞をろくに知らない歌を適当に歌っている時に、自分たちの替え玉受験のことを無理やり歌詞にして、歌いだした……」

弥生がわずかに反応を見せる。霧山は続けた。

「あなたは焦って止めようとしたが、律子さんは、どうせマスターはすぐに忘れちゃうからと言って、聞かなかった……マスターはその時に、例のノートに『替え玉の話』と書き記したんでしょう……軽々しくそんなことを喋ってしまう律子さんのことが、あなたは心配だった。その時、あなたの脳裏には、例のラジオの深夜番組で、こんな投書が読み上げられる光景がよぎったんじゃありませんか？」

霧山はそう言って、弥生の瞳《ひとみ》を見つめる。彼女には明らかに動揺の色が浮かんでいた。

霧山がハガキを読むパーソナリティーを演じてみせる。

「はいはい、またまた羚羊市は立花律子、十八歳！『トンプクさん、聞いて下さい。あたし、この前、大学に合格したんですけど、実は、替え玉受験だったんです』。な、なんだってぇぃ！」

弥生の拳《こぶし》がわずかに震えていた。

「トンプクさん、今日は替え玉受験レポート第八弾を聞いて下さい。先週のハガキにも書いた通り、あたしの代わりに数学のテストを受けた関ヶ原弥生は、まったく冗談の通じないカタブツで……」

「もういいわ！」と、弥生は立ち上がって、霧山を睨みつける。霧山は愛想笑いを浮かべて、話を進めた。

「……とにかく、あなたは不安に怯《おび》えていた。律子さんが、いつ替え玉受験のことをネタにするかと、気が気ではなかった……律子さんにとっては、身代わり受験もラジオの深夜放送で取り上げてもらうためのイベントにすぎないんだと、あなたはそう思ったんですよね」

しかし、弥生はそれには答えず、真っ直ぐ黒板を指差した。

「その地図には、なんの意味があったの？」

霧山は振り返った。霧山が説明している間もずっと、しずかは地図の周囲にぎっしりと今回の事件のキーワードになる単語を書き続けていたのだ。霧山は口ごもった。

「あ、いえ……意味は……あ、じゃあ……」と、霧山は無理やり地図を指差し、両手を律子と弥生のつもりで示して、説明を続けた。

「『森の荒熊』を出て、いったん自宅に向かったあなたは、すぐに律子さんのあとを追いました……こっちが律子さんで、こっちが弥生さんです……律子さんは何故か、家へ戻る途中にある、変質者が出没する森へ入っていった……」

霧山は向き直り、じっと弥生を見つめた。弥生も黙って霧山を見返している。

「あなたはこっそりあとをつけ、森の中のある場所で律子さんがしゃがみ込んだ時に、自分のスカーフを外すと、それで律子さんの首を後ろから絞めた……律子さんが息絶えた後で、あなたは彼女のセーラー服からスカーフを外し、自分でつけて持ち帰ったんです……現場に残されたスカーフには、弥生の〝ヤ〟を示すロシア文字の〝Я〟が書かれていた。しかし、それを警察当局は、律子を示す〝R〟だと考えて、まったく問題にしなかった……」

そこまで言うと、弥生は薄く笑みを浮かべた。

「九十点といったところね……ほとんどは正解」

「ありがとうございます」

弥生は大きく息を吐いてから、遠い目をして喋りはじめた。

「私はね、ゲーデルの不完全性定理に魅せられてたの。それを学ぶためには、どうしても都会の大学に入りたかった……でも、あの子の将来の夢が、なんだったか知ってる？」

「はい……作文に書いてありました」と、霧山はうなずいた。

「律子は、バラエティ番組の放送作家になりたかったの……あの子にとっては、替え玉受験なんて単なるネタのひとつ。あの子のことだもの、私が有名になればなるほど、ウケを狙える。そんな身勝手な策略にのれるもんですか……だから、律子には消えてもらうしかなかった」

「お気持ちは、よくわかりました……あの、くれぐれも『森の荒態』のマスターを恨んだりしないで下さいね。あのノートに『替え玉の話』って書き加えたの、僕なんで」

「えっ……？」

「もともと筆跡がコロコロ変わってるんで、すぐ、なじみました……あと、さっきから何度もこれ、指してますけど、なんか変だと思いませんか？」

霧山は、黒板に書かれている「森の荒態」……いや、「森の荒態」を改めて指した。

「何が？」と、弥生は訝《いぶか》しがる。霧山は軽く会釈をした。

「いえ……九十点、ありがとうございます」

すると、しずかが口をとがらせた。

「なんで、九十点なの？　百点でもいいんじゃないの？」

「どうして、律子が家に帰らずにあの森へ入っていったのか……それが証明されてないわ」

そう言う弥生に、霧山は逆に質問した。

「弥生さんは、何故だと思いますか？」

「わからないから、知りたいの」と、弥生は吐き捨てるように言った。

そこで、霧山はしずかに合図をする。しずかが教卓の陰から紙袋を取り出し、こちらに手渡した。霧山は中から土で汚れたガラス瓶を取り出し、弥生に向けて掲げて見せた。

「何、それ……？」と、弥生は怪訝《けげん》な顔で、霧山を見つめる。

「あなたと律子さんが、八歳の時にふたりで、あの森に埋めたタイムカプセルですよ……覚えてませんか？」

「タイムカプセル？」

「律子さんはあなたへの、あなたは律子さんへの、将来の願いを書いた紙を丸めて、この瓶に入れ、もちろん、何を書いたかは教えずに、十年後、十八歳の三月に掘り起こすことを約束して、あの森に埋めた……」

そこまで言うと、弥生は、はっと何かを思い出したように顔を上げた。

「思い出しましたか？」と、霧山が訊《き》く。弥生はぽつりと言った。

「覚えてないわ……」

「律子さんは覚えていたんですよ。そしてあの晩、ふと、これを掘り起こして、中を見てみようと思い立った……八歳の律子さんが望んだ、十八歳のあなたの姿です」

そして、霧山は瓶の中から紙を取り出し、それを広げて、弥生に渡した。そこには「一りゅう大学にごうかくして、大よろこびのやよいちゃん」と書いてあり、八歳にしてはしっかりした可愛い絵も添えてあった。

その紙を見つめていた弥生は、突然その場に頽《くずお》れ、わっと泣きだした。

「律子さんは、十年前にあなたが何を書いたのか、どうしても知りたくなったんだと思います……」

弥生は声を上げて泣きじゃくる。

「では、あなたは何を書いたのか……」

霧山はもう一枚の紙を取り出して、広げた。そこには「りつこちんがまたぞろけむたりぃ」という意味不明の汚い文字と、何を描きたかったのかよくわからない絵があった。霧山からその紙を受け取った弥生は、涙に濡《ぬ》れた顔を霧山に向ける。

「なんて、書いてあるの……？」

「りつこちんが、またぞろけむたりぃ……？」と、霧山は首をひねった。

「何それ？」

「何でしょう……あなたが書いたんですよ」

「この絵は何？」

「いや……またぞろけむたりってる……ところ？」

霧山がそう言うと、弥生は表情を曇らせた。

「……十二点」

そう言われ、霧山はうつむいて苦笑した。しずかがつぶやく。

「あなたが書いたのに……」

霧山はしずかを制し、手を差し伸べた。しずかが眼鏡を手渡す。霧山はそれを受け取り、かけ直した。

「ご協力ありがとうございました。僕の証明問題は以上です」

そして、霧山は懐からカードと判子を取り出し、いつものように認め印を押した。カードを手渡すと、弥生は不思議そうに首を傾げた。

「何これ？」

「『誰にも言いませんがカード』です……」

霧山がそう言うと、しずかが不意に怪訝な声を上げる。

「が……？」

弥生に渡したカードは、いつもの「誰にも言いませんよカード」に、手書きで「が」の文字を書き加えたものなのだ。

弥生は黙ったまま、カードに視線を落としていた。

関ヶ原弥生様
この件は誰にも言いません。が

霧山修一朗

「弥生さんが、数学の命題を解くのがお好きなように、僕は時効になった事件を解くのが好きなんです。ですから、問題が解ければ、それでいいんです。このことは誰にも言いません……言いませんが、国語の勉強もしたほうがいいと、僕は思います」

霧山がそう言うと、弥生は力なくうなずいた。

「そうね……」

そして、霧山としずかは、律子からのメッセージを見つめたままうなだれている弥生を残し、教室を出ていこうとした。しかし、霧山はふと振り返った。

「あの……もし、『またぞろけむたりぃ』の謎が解けたら、教えて下さいね……」

弥生と会釈を交わし、霧山としずかはその場を離れた。


数日後、時効管理課はこの日も仕事そっちのけで、まったりとした昼下がりを過ごしていた。さっきから又来が、トランプ片手に手品らしきものを見せようとしている。

「あなたが選んだカードは、これですね？」

又来が一枚のカードを霧山に見せた。霧山は首を横に振る。

「いや、全然……」

すると、又来が首を絞めようかという勢いで、身を乗り出す。

「これだって、言え！」

「じゃあ、それです……それだ」

「フン！」と、又来は鼻を鳴らして笑った。

「それは、手品って言うのかな……」

熊本が呆《あき》れたように言った時、十文字と蜂須賀を連れたしずかが、はしゃぎながらやって来た。

「霧山くん！　やった！　霧山くん！」

しずかが肩を叩《たた》く。

「何……？　どうしたの？」

すると、十文字も興奮した様子で言った。

「真犯人が捕まったんだよ！」

「霧山くんじゃなかったんですよ！」というしずかの言葉に、又来たちも反応した。

霧山はわけがわからず、辺りを見回して訊いた。

「何が……？」

「バカヤロー！　俺がどれだけ苦悩したか、お前、わかってんのか！」

十文字がそう言って凄《すご》んでみせるので、霧山は思わず謝ってしまった。

「ごめん……」

熊本が笑顔でつぶやく。

「そうか、君じゃなかったのか……トイレであんなこと言わなきゃよかった」

「でも、似てる君も君だぞ」と、蜂須賀。

「ごめんなさい……で、なんの話ですか？」

霧山がしつこく訊《き》くと、サネイエがつぶやいた。

「知らないほうが、いいですよ」

「ああ……じゃあ、言わないで下さい」

するど、又来がはしゃいで言う。

「言わないでくれ……って言われると、言いたくなるね」

「え……？　じゃあ、言ってくれって言われると？」

蜂須賀にそう訊かれた又来は、きっぱり答えた。

「言いたくなるね」

「じゃあね、言いたくならんでくれ……って言われると？」と、蜂須賀はしつこく訊く。

「ちょっと言ってみて」

「言いたくならんでくれ」

その途端、又来は蜂須賀の頰を思い切り叩いた。蜂須賀が小さく悲鳴を上げる。

「そうだ、熊本課長……一本十五円のバナナ、ありました」

そう言って、サネイエがいきなり真っ黒に変色したバナナを取り出してみせた。

「おお、真っ黒……どこで買ったの？」と、熊本が訊く。

「駅前の果物屋さんで」

「な……ほら、あるだろ」

熊本が得意気に胸を張る。霧山も感心した。

「あるもんですねぇ～」

「ああ、この店で買ったんだなと思って、太郎くん」

サネイエが妙に幸せそうな顔でそう言うと、又来が笑った。

「流行《はや》るんじゃない？　〝太郎くんが来た店〟って」

すると、しずかが不思議そうな顔で訊く。

「誰ですか？　太郎くんって……」

「ヒ・ミ・ツ～」と、霧山はおどけた。

そこで、十文字が蜂須賀に声をかけた。

「よし、話題が時効管理課じみてきたところで、行きますか、ハチさん」

「うん、行こう」

蜂須賀がうなずき、ふたりは去っていった。その後ろ姿に又来が呼びかける。

「さらば、コートを着た、気の毒——」

その時、一本十五円のバナナの皮を剝《む》いたサネイエが、不意に叫んだ。

「あ……みどり」

バナナの身は見事な緑色だった。

第九話
さよならのメッセージは別れの言葉とは限らないと言っても過言ではないのだ！

山のように積み上げられた資料に黙々と目を通していた霧山は、視線を感じて、ふと顔を上げた。霧山は黒板のところに立っている又来とサネイエが、難しい顔をして自分のほうを睨《にら》んでいるのに気づいて、首をすくめた。

「いいなぁ、どこ行くの？」

例によって油を売りにやって来た蜂須賀が、黒板の「時効管理課の温泉計画」という文字を見ながら、呑気《のんき》な声で尋ねた。

「それが、まだ決まらないんですよ」

霧山は手にしていた温泉雑誌を机の上に放り投げた。さっきから又来たちといろんな資料を見比べているのだが、一向に意見がまとまらないのだ。

「決めて下さいよ……ポッネンさん、幹事でしょう」と、サネイエがむくれる。

するとその時、しずかが血相を変えて、時効管理課に駆け込んできた。

「ちょっと、誰ですか！　私のカバンを裏返したの！」

そう言って、しずかは裏返しになったカバンを突き出した。

「ふん！」

又来が、鼻を鳴らして笑う。しずかがぐっと詰め寄った。

「やっぱ、タメちゃんか！　いい加減にして下さいよ！」

「油断してるからだよ……ふん」

霧山はしずかに、にやにやと笑いかけた。

蜂須賀が不思議そうな顔で訊《き》く。

「ねぇ、そのタメちゃんって、何？　なんて言ってんの？」

「ウサギのタメちゃんだろう……『ふん』だよ」

そう言って又来は、黒板の余白に「ふん！」と大きく書きつける。霧山は机の上にあったタメちゃんの人形を手に取り、又来と声を揃えて、「ふん」と笑ってみせた。すると今度は、十文字がふらりと現れた。

「話は、すっかり聞かせてもらいましたよ」

十文字はそう言って、ポーズを決める。みんながぽかんと口を開けて見つめていると、十文字は、急に笑みを浮かべた。

「あぁ～、一生に一度でいいから言ってみたかったんだ、この言葉……話はすっかり聞かせてもらいましたよ。ねぇ、又来さん！」

そう言って、十文字は又来の肩を思い切りひっぱたいた。

「なんで、私なんだよ……」と、又来は身悶《みもだ》えしながら黒板のほうを振り返り、サネイエに指で合図を送る。チョークを手にしていたサネイエは、黒板の「正」の字に、縦棒を一本追加した。

「で、何の話？」

十文字はおもむろにそう尋ねる。

「全然、聞いてないじゃん」と、しずかが呆《あき》れた。

「ウサギのタメちゃんが、『ふん！』って、言ってる話」

霧山がそう言うと、十文字は何もなかったように蜂須賀に声をかける。

「あ、ハチさん、例のガイシャの手帳、どうなりました？」

「聞いてよ」と、霧山は口をとがらせた。

「あれだろう……鑑識からまだ返ってきてないよ」

蜂須賀がそう言った途端、乱暴にドアが開いて、いきなり諸沢が現れた。

「こっちだって、一生懸命やってんだよ！」

諸沢はそう怒鳴って、霧山に手帳を押し付けた。

「ポッネン、お前はちょっと、そういうところがあるぞ！」

それだけ言い残して、諸沢はあっという間に去っていった。霧山は呆然《ぼうぜん》としてつぶやく。

「僕、関係ないですよね……」

「霧山、そういうことだから、ポテチンとかいうあだ名をつけられるんだよ」

十文字はそう言って、霧山から手帳を取り上げた。

「ポッネン、なのに」と、又来がぼそっと言う。十文字は手帳を広げた。

「ほら、殺された、この人には予定がびっしり」

そして、十文字は机の上に置いてあった霧山の手帳も拾い上げる。

「生きてる霧山は、温泉旅行の計画がさっぱり」

確かに霧山の手帳は真っ白だった。又来が感心したようにつぶやく。

「そっちは聞いてんだ」

「皮肉な感じじゃ、あ〜りませんか。ねぇ、ハチさん」

すると、振り向いた蜂須賀は返事をする代わりに、いきなりおならをした。

「あ、ごめん、おなら出ちゃった」

両隣に立っていたしずかとサネイエが顔を背けながら、手で扇《あお》ぐようにする。

「どっか行けよ、お前ら」と、又来がしかめっ面で言った。

「言われなくても行きますよ……これから、命がけの張り込みでね」

十文字がそう告げると、蜂須賀がうなずく。

「あ……向かいのマンションの空き部屋、押さえといたから」

そんなことを言いながら、十文字と蜂須賀は出ていった。嵐が去って、又来たちはどっと疲れが出たので、それぞれ席に戻る。その時、入れ替わるように熊本が戻ってきた。

「あれ？　臭いね……サネイエくん、おならした？」

部屋に入ってくるなり、熊本は鼻をくんくんさせてそう言った。

「私じゃありません」

サネイエが口をとがらせる。

「なら、結構……あ、おなら結構って言えば良かった……悔しいな」

熊本はにやにやと笑いながら、自分の席に座った。

「いや〜、それにしても参ったな〜」と、熊本は不意に困ったという表情を浮かべる。

「どうかしました？」

しずかが尋ねた。

「いや、うちの息子が、市の作文コンテストで優勝しちゃってさ……」

「いいじゃないですか」

「いや、だって、その作文書いたの、霧山くんだもの」

「ダメじゃないですか」

しずかが呆れると、霧山は照れくさそうに頭を掻《か》いた。

「上手《うま》く、書きすぎましたかね……」

「やっぱり、正直に言ったほうがいいかな」

熊本がそうつぶやいた時、又来は裏返しになったしずかのカバンを元通りにひっくり返しているところだった。表になったスポーツバッグには、「ａｍａｄｅｕｓ」と書かれている。

「『アマデウス』って凄《すご》いよね」と、又来が笑った。

「これ、百五十円なんですよ」

しずかがそう言った時、霧山は手にしていた捜査資料のファイルをみんなに見せた。

「あ、偶然だ……この間、時効になった事件ですよ。ほら、『日本のアマデウス殺人事件』だって」

するとと、熊本が呆れ顔でつぶやく。

「そんなもの調べている暇はないぞ」

「ねぇ〜、仕事を終わらせないと、旅行に行けませんよ」と、サネイエ。

「あ、行くんでしょう？　慰安旅行」

しずかがうらやましそうに、みんなの顔を見回した。熊本がうなずく。

「悪いけど、三日月くん、邪魔しないでくれる？」

「絶対、終わらないですよ」

一瞬むっとした表情になったしずかが、小馬鹿にしたような顔で笑いながら、そう言った。熊本が不敵に笑う。

「なんだって、始まりゃ終わる」

「意味深ですね〜」と言いながら、霧山はファイルの表紙を熊本に突き出した。

「意味深ですよ〜……あ、それね、えい！」

熊本は霧山が構えたファイルに、ドン！　と判子を突き立てるようにして、「時効」の文字を押した。

昼休みになって食堂までやって来た霧山は、ひとりでファイルをめくりながら、煮麺《にゅうめん》を食べていた。向かいの席に定食をトレイに載せたしずかが来る。しずかは煮麺の丼《どんぶり》を覗《のぞ》き込んで言った。

「ねぇ、煮麺って、すぐ、お腹空かない？」

「早めにお腹減れば、夕飯、何食べようかなぁ……って思う幸せな時間が長くなる」

霧山はあっさりとそう答えた。しずかが感心する。

「あ、そうかぁ……私もそうしよう（趙紫陽《ちょうしよう》）副主席、なーんちゃって……さて、今度の事件は面白そうじゃない」

しずかが捜査資料のファイルを取り上げて、そう言う。

「うん……でも、これで最後にするかも」

霧山は、しずかの手からファイルを取り返した。

「え？　なんで？」

「お金なくなってきちゃったからさ……やっぱり、趣味の捜査って、お金がかかるよね」

「そっかぁ……」

「しかも、悪いことに、今度の事件は遠いんだよ」

しずかが、じっと霧山を見つめる。霧山は説明を続けた。

「今回の事件が起きたのは、十五年前の平成三年一月二十七日。場所は北総武市の塩砦《しおとりで》だ……死体の第一発見者は〝みの虫男〟と呼ばれる変わり者」

「みの虫男……？」と、しずかが訊《き》く。

「うん……ザイルで橋の下にぶら下がっているホームレスなんだって。その彼がいつものように橋の下にぶら下がっていた時に、遺体を発見した……遺体は数日後に、作曲家の雨《う》田潮《だうしお》であることが確認された。身元を確認したのは当時、雨田と同棲《どうせい》していた冴島翠《さえじまみどり》という女性。彼女は総武女子芸術大学の学生だった……」

霧山はそこで、しずかを見た。しずかはがつがつと定食を食べ進めている。

「雨田潮は天才と言われた作曲家で、生前に残した、たったふたつのピアノ曲が、今も多くの人々の心を捕らえている……だが、雨田は一風変わった性格の持ち主で、いかがわしい風俗店に足繁《しげ》く通い、酒の上での揉《も》めごとや、女性トラブルも多かった……その特異な行動から、モーツァルトとの類似点を挙げる評論家も多いそうだよ」

しずかが力強くうなずく。食べ終わって満腹になったから納得しているようでもあった。

事件の概要を聞きたがった熊本たちは、霧山を取調室に連れてきた。何故か小さなピアノが置いてあり、熊本がその前に陣取る。霧山はひと通りの事件の詳細をもう一度、説明する羽目になってしまった。聞き終えた熊本が、ふとつぶやく。

「じゃあ、雨田潮は、下町のモーツァルトってこと？」

「下町のモーツァルトって、『いいちこ』じゃないんだから」

又来が苦笑いを浮かべた。

「浪速《なにわ》のモーツァルトって、いましたよね」と、霧山は誰にというわけでなく尋ねる。

「キダタローだ、それは」

又来がそう言うと、熊本がおもむろにポロロンと鍵盤《けんばん》を叩《たた》きはじめた。

「あれ？　熊本さん、ピアノ弾けるんですか？」

しずかがそう言うと、熊本は得意そうな顔をする。

「まぁね」

そして、熊本は「線路は続くよどこまでも」を弾きはじめた。サネイエが顔をしかめる。

「あ、『線路は続くよ』だ……私、嫌いなんですよね～、その唄《うた》」

「私も嫌い。線路の匂いが嫌い」と、又来も眉間《みけん》にしわを寄せる。

「ですよね～」

又来とサネイエは、ふたりで納得し合っていた。

「やめた」と言って、熊本が手を止める。

「それで、この事件のひとつの特徴は、ダイイング・メッセージなんです」

霧山はみんなに向かって、そう言った。熊本が大袈裟《おおげさ》な旋律を弾いて、やみくもに盛り上げようとしたが、霧山はあえて無視した。

「殺された雨田が最後に書き残した文字……遺体のそばには、真っ赤な血で『サリエリ』と書かれていました……このダイイング・メッセージの意味は、時効になるまで、とうとう解けないままだったんです……」

すると、又来が何故か両手を前に伸ばす。

「犯人は……こう、腕を伸ばした時に、肘《ひじ》がくっつく男なのかぁ」

「サルウデですよ、それ」と、サネイエ。

「サリエリはクラシックの作曲家なんですけど、天才モーツァルトの才能を妬《ねた》んで、モーツァルトを殺害したという噂のある男ですね」

霧山はそう説明した。熊本が勢い込んで言う。

「ほら、『サルエル』は、殺した男のことを示してるんだよ」

「サリエリだっつーの」と、又来がつぶやく。

しずかが首をひねった。

「でも、なんで、直接犯人の名前を書かなかったんですかね？」

又来が首をひねった。熊本は急に目を閉じ、うつむく。

「寝るなよ！」と、しずかが口をとがらせる。そこに蜂須賀がやって来た。

「呼んだ？」

熊本が起き上がり、蜂須賀を手招きする。

「ああ、蜂須賀くん、刑事課の現役刑事としての意見が聞きたいんだけど」

「まかせなさいって。一応、現役のデカですよ」

得意気な顔の蜂須賀に、霧山がダイイング・メッセージを写した資料写真を見せた。

「この『サリエリ』って、どういう意味だと思います？」

蜂須賀はしばらく写真を睨《にら》んでいたが、やがてあっさりとつぶやいた。

「……う、全然、わかんない」

又来が、オーバーなアクションで、蜂須賀を二度見した。

「ちょっと……又来さん、二度見しないでよ」と、蜂須賀が顔をしかめて言う。

「いや、だって、あんまりだからさ……それとも、三度見してやろうか」

又来はそう言うと、本当に三度見した。蜂須賀がうんざりしたようにつぶやく。

「もう、勘弁して下さいよ」

霧山は訊いた。

「又来さん、二度見って、どうやるんですか？」

「だからね、一度見て、顔を戻したときに気づいて、もう一度見るのよ」

又来は実際にやって見せる。

「あ、なるほどね」と、霧山はうなずき、自分でもやってみた。

又来が不意に歌いはじめる。

「二度見、二度見、何見て二度見、十五夜お月さん見て、二度見～」

童謡『十五夜お月さん』の替え歌だ。霧山たちは、又来の歌声に合わせて、月でも見るかのように上を見上げながら、全員で二度見した。

次の日曜日、霧山はしずかを連れて、北総武市の北の果て、塩砦の麓《ふもと》の町までやって来た。今回の旅費を捻出《ねんしゅつ》するため、霧山は泣く泣く長年貯めてきた定期預金の五十万円を解約してしまったのである。田舎町の駅に降り立った霧山は、案内地図を探していたが、そこに露店で買ったらしいソーセージを握りしめたしずかが戻ってきたので、呆《あき》れてつぶやいた。

「またぁ……」

「だって、お腹空いたんだもん」と、しずかは口をとがらせる。

「どうして、こんな天気のいい日に、ソーセージを食べるかなぁ」

「え？　なんで？」

「ソーセージは、曇りの日に食べたほうが美味《おい》しいじゃない」

霧山がそう言うと、しずかは怪訝《けげん》な顔をして、何度も首をひねっていた。

それから山道をしばらく歩いて、霧山としずかは、山の中腹にある派出所までやって来た。若い警官に案内されて中で待っていると、やがて鍋《なべ》つかみのグローブを手にした初老の男性警官が現れた。

「お待たせしました」

その男性の顔を見て、しずかが悲鳴を上げた。

「キャー！」

「えっ……？　ああ、弟のお知り合いだそうで……林田です」

男性はそう言って、会釈をした。霧山もお辞儀を返す。

「はい、お世話になりまして」

彼は、笠松ひろみの事件の時にお世話になった西総武署の林田巡査長の兄なのだ。鼻の下と顎《あご》のところにうっすらと髭《ひげ》を生やしている以外は、ほとんど双子と言ってもいいくらい瓜二《うりふた》つで、しずかが見間違えたのも無理はない。

「雲山さんでしたっけ?」と、林田が尋ねた。

「霧山です……」

すると、林田はグローブをはめた手で、頭を掻《か》いた。

「あ、ごめんなさい……いや、ソーセージを茹《ゆ》でてたんで、雲が出ないかなぁとか思ってたんですよ。やっぱり、ソーセージは曇りの日に食べないとね」

「えっ……?」と、しずかの顔が歪《ゆが》んだ。林田は気にせず続ける。

「あの事件でしょう……私が塩砦にいる間で最大の事件でしたからねえ。もう時効ですかぁ」

「はい、少し前に」

霧山がそう言うと、林田は遠い目をした。

「被害者が死に際に書き残した言葉が『サリエリ』。一体、何が言いたかったんでしょうね……あ、何か言いたそうなお嬢さん、私の額が気になりますか?」

林田はいきなり話の腰を折ると、しずかの顔を覗《のぞ》き込んだ。しずかは口ごもる。

「あ、いや……まぁ……」

霧山もさっきから気づいてはいたが、林田の額の真ん中のところが、すりむいたように赤くなっているのだ。

「どうして、赤くなったか知りたいですか？」

「いや、特には」と、しずかが遠慮する。

「いや、でも、聞きたいでしょう。私があなたの立場だったら聞きたいですからね……実はこれ、トム・ソーヤーを剝《は》がした痕《あと》なんですよ」

「え……？」

「うっかり、小さなトム・ソーヤーを瞬間接着剤で貼り付けましてね。これですよ」

林田は灰皿の中に入れてあった小さなトム・ソーヤーの人形を拾い上げた。霧山としずかは、思わず顔を見合わせる。


それから、霧山としずかは林田に促され、派出所の表に出てきた。山登りの恰好《かっこう》に着替えた林田は、チロリアンハットまで被《かぶ》っていて、すっかり登山ムードである。

「お待たせしました。よろしかったら、どうぞ」

林田は、霧山としずかにもチロリアンハットを差し出す。

「あ、どうも」と、霧山はお辞儀をして受け取った。

「せっかく、山のほうに行くんだから」

林田はそう言って、さっさと歩き出す。霧山としずかはハットを被って、後に続いた。

「当時、『サリエリ』というのは、どういう意味だと思われてたんですか?」

山道を登りながら、霧山は林田に訊《き》いた。林田は神妙な顔でつぶやく。

「まぁ……サリエリは、かの天才モーツァルトを殺した人物ですからね。当然、被害者にとって、サリエリに当たる男を探したわけです。容疑者の筆頭は、金貸しの占部《うらべ》という男。金貸しといっても、実際のところはヤクザの組長なんですが、雨田さんとの間には、どろどろした金銭トラブルがあったようです」

「でも、結局、サリエリの特定には至らなかった……」

「ええ……初動捜査が、もう少し的確でしたらねぇ」と、林田は残念そうにつぶやく。

やがて、三人は見晴らしのいい場所に出た。この辺りが頂上らしい。

「あの辺りが、塩砦温泉です」

林田が峠の向こうを指差した。しずかが尋ねる。

「殺された雨田さんは、あんなところで作曲を……?」

「静かですからね。湖のそばに、女の別荘があったんです」

霧山は林田の顔を覗き込んだ。

「冴島翠の別荘ですか?」

「いや、これが違うんですよ。別の女で……あ、アンズとか言ったかな」

「アンズ?」

「ええ、なんでも、御田町《おんでん》のほうで、ピンクな仕事をしていたとか」

霧山は少し考え込んでから、林田に尋ねた。

「ここから、塩砦温泉まで行けますかね？」

「今からは無理ですよ。卑怯《ひきょう》なくらいの秘境ですからね……あ、痛〜、やっぱりトム・ソーヤーなんか貼るんじゃなかった」

林田はおでこを押さえて顔をしかめる。霧山は塩砦温泉の方角をじっと見つめた。


翌日、霧山としずかは、また熊本たちに結果を報告した。

「どうやら、雨田潮と冴島翠、アンズの三人は、三角関係だったみたいですね」

しずかがそう言うと、又来が怪訝な顔をする。

「事件と関係あるのかね」

「本人に会ってみないとね」と、霧山はつぶやいた。今度は熊本が訊く。

「その、アンズって人は？」

「今は行方不明なんですよ……あ〜あ〜、早く日曜になんないかなぁ」

「冴島に会うの？」

熊本に訊かれ、霧山はうなずいた。すると、しずかが尊大な口調で言う。

「霧山くん、会えるのかい？　世界的な作曲家だぞ」

「三日月くんって、なんか、ムカつきますよね」

霧山がそう言うと、その場のみんなが賛同した。

「あ〜、わかるわかる」

しずかが不貞腐《ふてくさ》れた。

「悪かったわね！……いい？　冴島翠は世界的な天才作曲家なの。『最悪』『激情』『豹変《ひょうへん》』……彼女は一年に一曲だけ、ピアノ曲を発表するんだけど、それが、どれも世界的な評価を得てるのよ！　今度、十五曲目を発表するけど、それを最後にするんだって。それが一体どんな曲になるのか、発表になるまで、誰も知らないのよ！　それが彼女の神秘性を高めているの！　わかった!?」

一気にそうまくしたて、しずかは、はあはあと肩で息をした。

「そんなに怒るなよ」と、霧山はしずかをなだめた。

翌週の日曜日、霧山は今度は、海岸沿いに建つ冴島翠の瀟洒《しょうしゃ》な邸宅までやって来た。豪華な調度品が並ぶリビングに通された霧山としずかは、緊張しながら冴島が現れるのを待っていた。出されたコーヒーをすすっていると、やがて聡明そうな痩身《そうしん》の女性が現れる。眼鏡の奥に静かな意志の炎が燃えているような人だった。

「そう、時効の事件を……ずいぶんと変わった趣味でいらっしゃるのね」

冴島は、霧山としずかの様子を一瞥《いちべつ》して、そう言った。

「ええ、まぁ……あと、これ、時効になったんで、雨田潮さんの遺留品です」

段ボール箱を差し出すと、テーブルごと動いてしまって、霧山は頭を掻いた。

「そちらで捨てていただいてよかったのに……おかしいかしら？」

冴島はそう言って、霧山を見やる。霧山は小さくうなずいた。

「いや、まぁ……そういう人もいました」

「あれから十五年、潮の面影は記憶の底に沈んでいく……でも、彼の作った曲は別。メロディーは永遠に私のものですわ」

冴島はぼんやりと宙を見つめた。眼鏡がうっすらと曇っている。

「冴島さん……雨田さんが残した『サリエリ』の文字に、何か心当たりは？」

「さぁ……どんな男にせよ、許せません。できれば、この手で殺してやりたい……あら、警察の方にそんなことを言ったら、逮捕されますわね」

冴島は少し笑って、さらに曇った眼鏡を外し、ティッシュで拭《ふ》きはじめた。

「私ったら、日曜日なのに眼鏡を……イギリス人みたいでしょ？」

その冴島の言葉に、しずかが敏感に反応した。

「だから、なんで？」

するとその時、長身の外国人男性が、リビングに入ってきた。

「ミドリ……話の腰を折って申し訳ない」

男性は流暢《りゅうちょう》な日本語でそう言った。冴島は振り返って、笑顔を向ける。

「いいえ、お話はもう終わり……こちら、デザイナーのリチャード・チェンバレンさん」

冴島は霧山たちにそう紹介した。リチャードは握手を求める。

「どうも、袖《そで》振り合うも多生の縁ですね」

「はじめまして」と、霧山は彼の顔を見つめた。

「日本語がお上手でしょう」

冴島がそう言うと、リチャードは眼鏡の奥で小さく微笑んでみせた。

「でも、イギリス人です」

霧山はうなずいた。

「日曜日の眼鏡でわかりました」

「ねぇ、リチャード……なんでイギリスの人は、日曜日に眼鏡をかけるの？」

冴島がそう訊くと、リチャードはあっさりと答える。

「だって、日曜日にかけとけば、月曜日にかけなくて済むでしょう？」

「あ〜、そういうことだったんですかぁ」と、霧山は感心した。冴島もうなずく。

「なるほど〜、やっと謎が解けましたわ」

「いやいやいやいや……」

しずかがひとりで、納得いかないと首を横に振っていた。

冴島の家をあとにした霧山としずかは、海岸に打ち寄せる波を横目に見ながら、家から続く坂道を下りてきた。

しずかがまだ不貞腐れたような表情をしているので、霧山はわざと明るい調子で声をかける。

「いつまで、もやもやしてるのさ？」

「だけどね……」と、しずかは口をとがらせた。

霧山はしずかの顔を覗《のぞ》き込むようにして訊いた。

「それより……わかったよね？」

すると、しずかはきっぱりとうなずく。

「うん。彼女、眼鏡が曇ってた」

「そう、心が曇ると、眼鏡も曇る。顔にかく汗の仕業だ」

霧山はそう言いながら、ポケットから眼鏡を取り出してかけた。

「冴島翠は何かを知っている……」

しずかがじっと考え込む素振りを見せる。霧山は立ち止まり、しずかに背を向けると海を見つめた。

「三日月くんって、よく見るとキレイだよね」

そう言って、霧山はしずかのほうを振り返った。しずかは嬉《うれ》しそうに笑っていたが、振り向いた霧山と目が合うなり、いきなり不機嫌な顔になる。まあ、無理もない。その様子を霧山は、うっすら曇ってぼんやりと見える視界の中で確認していたのだから。

「君はなんだ！」

しずかが声を張り上げる。霧山は眼鏡を曇らせたまま、肩をすくめた。

翌日、霧山は熊本たちに進行状況を報告しつつ、冴島翠のことを考えていた。

熊本がふとつぶやく。

「でもさ、やっぱり、『サリエリ』って書くってことはさ、犯人は男なんだろう？」

「そうですよね……」と、しずか。

「いや〜、今回は手がかりが少な過ぎですね〜」

霧山がそう嘆いたところに、又来が戻ってきた。

「あ、ポッネン、温泉旅行の候補地が見つかったって？」

霧山は気持ちを切り替えて、うなずく。

「ええ……塩砦温泉はどうかなと思いました」

「それって、犯行現場ですよね」と、サネイエが指摘する。

「さては、趣味の捜査を兼ねようとしているな？」

熊本に言われ、霧山は照れ笑いを浮かべた。

「ドキ……あ、でも、凄《すご》くいいところなんですよ」

「どの辺？　地図見せてよ」

熊本に訊《き》かれ、霧山は塩砦温泉の見取り図を机に広げた。

「これです……ほら」

温泉の中心街を指差すと、又来が口をとがらせる。

「あのさ、霧山……こんな地図を見せてほしいわけじゃないのよ。日本のどこにあるか!?が、知りたいのね」

「でました、難癖……絶対ですよね」と、霧山はおどけてみせた。

「あの……この、〝やわらか地蔵〟って、なんですか?」

サネイエが地図を覗き込んで言う。霧山は指差された場所を確認した。

「あ……なんだろう?」

「やわらか地蔵かぁ……」

又来も興味を持ったようだった。しずかが吐き捨てるように言う。

「そんなもん、印刷ミスに決まってますよ……本当は、〝さわやか地蔵〟なんじゃないですか?」

「それにしたって、わからんだろう」と、熊本。

「まぁ、そうか……」

しずかがぽつりとつぶやいた。

そして結局、霧山の思惑通り、時効管理課の温泉旅行の行き先は、塩砦温泉に決まった。というより、熊本以下全員が〝やわらか地蔵〟を確認したいがためだけに、それを選択したといってもよかった。現地に着くや否や、霧山たちは真っ先に〝やわらか地蔵〟に向かった。

「あ〜、これですよ、これ……〝やわらか地蔵〟だ」

霧山は小さな立て看板を指差して、みんなに声をかけた。

「軟らかいのかな？」

又来がわくわくした顔でつぶやく。

「軟らかいんじゃないんですか？」

サネイエも珍しく楽しそうだった。霧山は思い切って、地蔵に触ってみた。指がのめり込むというほどではないが、適度な弾力が指を押し返し、軟らかい感触が伝わってくる。

「あ〜、軟らかいですよ」

「ホントに？」

熊本も近づいてきて、触りはじめた。

「あ〜、軟らかい、軟らかい」

又来とサネイエも、我先にと続く。

「あ、なんか、思ったより軟らかいのね」と、又来。

「ですよね。私、もう少し硬いかと思ってました」

サネイエも納得したようだ。霧山はしみじみとつぶやいた。

「なるほど〜、軟らかいから〝やわらか地蔵〟だったんですね」

「なんか、得した気分だね」

熊本が満面の笑みを浮かべた。

霧山たちが温泉旅行に出発してしまったその日、しずかは誰もいない時効管理課の机にひとりで座って、空っぽの部屋をぼんやりと見つめていた。

「あれ？　今日は誰も居ないんですね」と、通りかかった吉祥寺が声をかける。

「課の旅行で温泉だって」

しずかはつとめて平静を装って、そう答えた。吉祥寺の横にいた下北沢がつぶやく。

「呑気《のんき》な感じですよね」

すると、ふたりの後ろに立っていた神泉が言う。

「時効管理課、廃止になるっていうのにね〜」

しずかは耳を疑った。

「ホント……!?」

「嘘です」と、神泉はあっさり答えて、さっさと交通課のほうに戻っていってしまった。吉祥寺と下北沢もいなくなり、しずかはまたひとりになって、ため息をついた。

「なんだかなぁ……」

すると、今度は十文字が通りかかる。十文字はしずかの顔を覗き込んだ。

「ちょっと、おセンチになってるだろう……妙に静かだよな。そこにあるべきものがないと、寂しい」

「まぁね〜、いないと寂しい感じがしなくはない……ですよね」と、しずかは答えた。

「どんな人間にも役割はあるからね……三日月くん、だから〝人〟っていう字は、支え合っているんだよ」

十文字は勿体《もったい》ぶった口調でそう言って、黒板に大きく「人」と書いた。

「そういうことだ……」

それだけ言い残して、十文字は去っていった。しずかは黒板を見上げる。十文字が書き残していったのは「入」という文字だった。

「〝入る〟だよ、それ……」


寂しさに耐えかねたしずかは、その日の仕事が終わると、電車とバスを乗り継いで塩砦温泉まで、霧山たちを追いかけることにした。彼らが泊まっているはずの旅館に着くと、差し出された宿帳には、一番新しいページの最後のところに、霧山の名前があった。

「へへ……」

しずかはひとりでほくそ笑み、「霧山修一朗」の文字の真下に、「しずか」とだけ書き記した。これだと夫婦のように見える。それからしずかは、霧山たちが泊まっている部屋に案内され、扉を開けた。

「こんばんは〜」

中に入っていくと、熊本が真っ先に大声を上げる。

「おぉ〜、三日月くん、よく来たね〜」

「あれ、いつ着いたんですか?」と、サネイエが訊いた。

「うん、最終バスで」

すると、霧山が何やら不細工なぬいぐるみを掲げてみせる。

「ほら、三日月くん、下のUFOキャッチャーの中に〝靴下さん〟が」

確かにそれは、いつか霧山が持っていた、魚のぬいぐるみもどきに似ていた。

「なんじゃや、そりゃ」と、しずかはつぶやいた。その時、又来が部屋に戻ってきた。

「いや〜、参ったよ……おう、三日月」

又来はしずかに気づいて、目を丸くする。しずかは首をすくめた。

「どうも……来ちゃいました〜」

「又来くん、どこにいたの?」

熊本が訊くと、又来は廊下のほうを指差した。

「いやあ、マッサージチェアで寝たら、やな夢見ちゃったよ……私、お葬式の受付をやっててね、誰か来たなと思ったら、それが喪服を着たショッカーの戦闘員なのよ。しかも、奥さんと……でね、職業のところになんて書くのかなぁと思って見てたら、『団体職員』って書くのよ〜」

「団体職員って……」と、しずかはつぶやいた。又来がうんざりした顔で言う。

「だろう?」

「まあ、ショッカーも団体だからな」

熊本はそう言って、納得したようにうなずいた。

「いいなぁ〜、やな夢見られて」

サネイエがうらやましそうに言うので、又来は聞き返した。

「なんで……？」

「私の夢って、いつもハッピーなんですよ……だから、起きるといっつも、やな気持ちになるんですの」

「だったらさ、やな夢見る方法って知ってる？」と、霧山が口を挟んだ。

「教えて下さい、ぜひ」

サネイエが食いついた。霧山は得意気な顔で説明する。

「寝る前に、『デュマ、デュマ、デュマ』って三回言うの。そうすると、かなりの確率で、やな夢が見られます」

「デュマって、なんなのさ？」

しずかは訊《き》いた。

「え、知らない？　アレクサンドル・デュマ……『三銃士』の作者」

霧山がそう言うと、熊本が納得したように声を上げた。

「あ〜、そのデュマか……なるほど」

「え〜？」と、しずかは抗議した。しかし、又来も納得しているようだった。

「デュマを三回言うのかぁ」

「デュマを三回です」

霧山は胸を張る。

「デュマ、デュマ、デュマ……よし」

サネイエが満足した表情で、うなずいていた。


翌日、熊本たちと別行動をとった霧山としずかは、雨田潮の遺体が発見された橋の下までやって来た。

「ここで、雨田潮は死んでいたのか……」と、霧山はぽつりとつぶやいた。

「『サリエリ』と、書き残して」

しずかが首をひねったその時、不意に頭の上のほうから、男の声がした。

「あんたら、何してんの?」

霧山としずかは、びっくりして上を見た。少し離れた橋の下のところに、一本のザイルでぶら下がっている男がいた。霧山は思わず声を漏らす。

「あ……みの虫男、さん……?」

それから、霧山としずかは、少しザイルを延ばして降りてきたみの虫男に近づいて、しばらく話を聞いた。

「あの事件も時効かぁ……」

みの虫男は、霧山が渡した名刺を顔の前に掲げ、しみじみと言った。

「ええ、先日」と、霧山はうなずく。「今頃だったよね〜……毎年、確定申告の頃になると思い出すよ」

しずかが驚いて、男を見上げた。

「確定申告なさってるんですか？」

「え……？　おかしい？」

「いえ……」

「いいよね！」

みの虫男は声を張り上げた。しずかが気圧《けお》されてうなずく。

「は、はい」

すると、みの虫男は手にしたマグカップに入っているコーヒーらしきものをすすった。

「でも、死体を発見した時は驚いたよ」

「前の晩も、こちらに？」と、霧山は尋ねた。

「ああ、ぶら下がってた……でも、何も見てないよ」

「そうですか……」

「あれから十五年か〜。ピアノの音が聞こえなくなって、寂しい……凄《すご》くいい曲だったのにぃ……」

しずかがおそるおそる訊く。

「どんなメロディーだったか、覚えてませんか？」

「覚えてないなぁ〜。木田《きだ》先生にも聞かれたんだけどね〜」

「え……？　どなたですか？」と、霧山は聞き返した。

「漠然と偉い人だよ。殺された雨田さんの研究じゃ、日本一だって……僕が結婚する前は、よく来てたし」

するとしずかがまた驚いて、声を上げた。

「ご結婚なさってるんですか？」

「え……？　おかしい？」と、みの虫男がまた凄む。

「いえ……」

しずかはますます恐縮した。

「いいよね！」

みの虫男はまたそう叫ぶと、どういう原理になっているのか、するすると吊り上げられるように橋の上に向かって消えていく。

「はい……」

霧山としずかは、ぽかんと口を開けたまま、遠ざかっていくみの虫男を見上げていた。

一泊二日の温泉旅行から帰ってきた霧山は、自分のデスクで冴島翠のＣＤをヘッドホンで聴いていた。隣では又来たちが別の事件の遺留品の整理をしている。遺留品の箱の中からアズキパンダが出てきたので、又来が首を傾げているのが見えた。

ヘッドホンを外した霧山に、又来がアズキパンダを顔のところに掲げて言う。

「ねえ、霧山……十文字、あのお土産見たら、激怒するかもよ」

「え〜、大丈夫でしょう」

霧山は軽い気持ちでそう答えた。

「だって、変ですよ、あれ」と、サネイエ。

「変って言えば、こっちも変なんですよ」

霧山は又来たちのほうに向き直った。黙って座っていた熊本が尋ねる。

「何が……？」

「今、冴島翠の曲を聞いてたんですけどね……たとえば、ベートーベンは——」

そう言って、霧山は手元の音楽図鑑を広げ、ベートーベンの顔写真をみんなに見せた。

「ジャジャジャジャーンって……いかにも、ああいう曲を作りそうじゃないですか」

「まぁ、そうだよな〜、うんこ硬そうだけど」

熊本が納得したようにうなずく。

「また、余計なことを」と、又来が呆《あき》れた。

それから霧山は、別のページのバッハの顔写真をみんなに見せた。

「こういう顔の人から、ジャジャジャジャーンはないでしょう」

「まぁ、ないな……うんこは軟らかそうだけど」

又来がきっぱりと言い切る。

た。


「また、余計なことを」と、サネイエ。

そして、霧山は冴島のCDのジャケットを広げた。

「冴島翠の場合、なんか、顔と曲が一致しないんですよね〜」

霧山は、ナンバー13の『下心』と、ナンバー14の『邪念』のジャケットをじっと見つめた。

その夜、霧山は仕事を早めに切り上げて、冴島の家を再び訪れた。冴島は相変わらずクールな面持ちで、霧山をじっと見つめる。

「どこまで、趣味に付き合えばいいのかしら?」

霧山はおそるおそる切り出した。

「ひとつ、お答えいただければ、嬉《うれ》しいんですが」

「尋問かしら?」

「いえ、趣味です。第一、犯人はサリエリ……男性です」

「そうよね……で、何?」

「まず、アンズさんと雨田潮さんとの関係に、お気づきになったのは?」

「そうね、別れる三ヵ月くらい前かな……でも、言っときますけど、私はアンズさんとかいう女性に雨田を取られたとは思ってないの。雨田の才能を一番理解していたのは、私よ!」

熱くなった冴島の眼鏡が、また曇りだした。冴島はすぐに眼鏡を外す。

「あ〜、鬱陶《うっとう》しいわね……あなたは眼鏡が曇らないの？」

そう訊《き》かれ、霧山は小声でつぶやいた。

「心が曇ってませんから……」

「え……？」と、冴島が反応する。

「あ、すみません……」

「とにかく、あんなことがなければ、雨田はきっと、私のもとに……さて、もうこれくらいにさせて。新曲の発表も近いので」

「いや、もうこれ以上、お気持ちを煩わすことはありません」

霧山がそう言うと、冴島は指切りでもするように小指を差し出し、くいくいと動かしてみせた。

「約束よ」

「はい……」

霧山は指切りをして、またお辞儀をした。

みの虫男の話に出てきた音楽評論家の木田次郎《じろう》の家を霧山が訪ねたのは、その翌日である。古風な木田の家の板塀には「おとこ教室」という貼り紙がしてあり、その横には「何でも調律いたします・木田次郎」と書かれていた。

しずかを連れてやって来た霧山は、木田自慢の豪華なオーディオルームに通され、彼が戻ってくるのを待っていた。やがて水が流れる音がして、木田が部屋に入ってくる。

「トイレの流れる音は、レ〜、ハ調のレ〜」

木田は戻ってくるなり、そう言った。

「え……？」と、霧山は思わず聞き返す。

「ジャーは、レー」

どうやらトイレの水が流れる音の音階のことを言っているらしい。要するに絶対音感があるという自慢だろうか。霧山はさりげなく本題を切り出すことにした。

「あの……雨田潮さんの件で……」

「あ〜そうだったな……雨田潮の曲の特徴を見事に捉《とら》えているのが、冴島翠の曲じゃ」

「ふたりの曲は似てるんですか？」

「ああ……餃子《ギョーザ》と春巻きぐらい似てる」

「ザックリしてますねぇ〜」

「ああ、ザックリだ……ふたりに共通する曲の特徴は、なんだと思う？」

「さぁ……？」と、霧山は首をひねった。木田は唐突に小指を突き立てる。

「これ……」

しずかが何か閃《ひらめ》いたようだった。

「恋人同士」

「ブー！　正解は小指」

木田は満足気に言い切る。霧山は訊いた。

「小指が何か？」

「ふたりとも、右手の小指に何か問題があるはずだ……そして、そのことが曲作りに大いに関係している。ピアノを弾く際に、右手の小指は高い音を奏でる確率が高い。高い音は飛躍……だが、小指に問題があると、小指を使うことを無意識に嫌うようになる。つまり、メロディーが行ききらない。ここで、抑圧が生まれる……その抑圧のエネルギーを超えて、メロディーの飛躍があるところが最大の特徴……」

霧山は木田の説明に先回りして、言った。

「だから、雨田も冴島も、右手の小指に問題ありじゃ……」

「正解！」と、木田が嬉しそうに、霧山のほうを指差した。


そのまた翌日、霧山はアンズという女性の消息を追って、繁華街の風俗店を探って歩いていた。しかし、いくら警察官とは言え、令状のない趣味の捜査では話すら満足に聞けず、なかなかその手がかりはつかめない。「火遊び」という名のピンクサロンから逃げるように出てきた霧山は、行き止まりになっている路地の暗がりで、いきなり頭に何か硬くて冷たいものを押し当てられた。

「よう、兄さん、何、嗅《か》ぎ回ってるんだよ……」

ガラの悪い男の声がした。ゆっくり霧山が気配を窺《うかが》うと、突きつけられていたのは、やはり拳銃《けんじゅう》だった。

それから、霧山はその男に無理やり組事務所まで連れていかれてしまった。応接セットのソファに強引に座らされた霧山は、正面の回転椅子の背中をじっと見つめた。

「はい、いらっしゃい」という声がして、回転椅子がゆっくりと回った。そこに座っていた強面《こわもて》の男と目が合う。霧山は身を硬くした。

「どうも、組長の占部です」

男はそう名乗り、傍らに置いてあった掃除機をつかんだ。

「何をしてたの？」

そう言いながら、占部は掃除機のコードをキリキリと引き出す。

「あ、人を捜してました」

「春だからね～……やっぱり人捜しは春でしょう」

占部はコードを少しずつ引き出し続けた。

「いや、まぁ……」

「世間的には、もうすぐ春だけどね、ヤクザには春が来ないのよ……やっぱ、春売らせてるから春が来ないのかね。どう思う？」

そして、占部が何か合図すると、霧山をここに引っ張ってきた男たちが、机の上に霧山の体を無理やり押し付ける。

「何を嗅ぎ回ってるんですかぁ？」

占部はそう言うと、掃除機のボタンを押した。目いっぱい引き出された掃除機のコードがシュルシュルと音を立てて、凄《すご》い勢いで巻き取られる。コードはちょうど霧山の目の前で、ピシャッと収まった。

「あ……十五年前に殺された雨田さんのことで……」

霧山がそう言うと、男たちの力が緩んだ。占部が霧山の顔を覗《のぞ》き込む。

「雨田って、雨田潮のこと？」

「あ、ご存じですか？」と、霧山は尋ねた。

「俺の舎弟だし」

「本当ですか！」

「小学校の時ね……でもよ、あいつは俺の好きだったエッちゃんに手ぇ出してな……それで指を詰めて、破門よ」

「指……!?」

「いや、ピアノの鍵盤《けんばん》のところに指を置かせて、ふたで、ガツン！　とな……」

「酷《ひど》いですねぇ〜」

霧山がそう言うと、占部も苦笑いを浮かべる。

「まったくだよ。可哀想になぁ〜……あいつそれで、ちょっと小指が駄目になってさ……こういうのとか、できねぇんだよ」

占部は小指を立てるポーズをしてみせた。

「酷いですねぇ……」と、霧山はもう一度言った。

「俺はね、だから、金はいつでも貸してやったんだよ」

占部はそう言って、満足気にうなずく。霧山は話題を変えた。

「あの……ところで、『火遊び』で働いていたアンズさんって、今どうしてますかね？」

「知りたい？」

「ええ……」

すると、占部は掃除機のスイッチを入れて、ノズルを霧山の頰に押し当てた。


またまたその翌日、霧山としずかは夕刻の公園でベンチに座っていた。

「やっぱり、雨田は右手の小指に問題があったのね……」

占部から聞いた話を説明すると、しずかはぽつりとそうつぶやいた。

「よく雨田は、大人になっても占部と付き合ってたよね」

霧山がそう言うと、しずかは小さく微笑む。

「何かされた人が、した人に対して、必ず恨みを持つとは限らないからね〜……いじわるする人と、いじわるされる人だって、立派な人間関係よ」

霧山はそこで閃き、思わず立ち上がった。

「あ！　そうか！」

「何……？」と、しずかも立ち上がって見つめる。

霧山は興奮して、しずかの肩を摑《つか》んだ。

「そうなんだよ……被害者が必ずしも加害者を恨むとは限らない。逆に加害者を庇《かば》うことだってある……殺された人が、殺した人を庇ったんだよ！」

すると、しずかは辺りをきょろきょろと見回して、ゆっくり目をつぶろうとする。

その時、少し離れた公園のトイレから、急に熊本が出てきた。

「あれ……!?」

熊本が叫んだので、しずかが慌てて霧山から離れる。

「熊本さん……」

しずかが呆《あき》れたようにつぶやいた。熊本は焦っているようだった。

「霧山くん、三日月くん、わかってるね……私がここでうんこをしていたことは……」

「……言いませんよ」

しずかが呆れた顔でそう答えた。

「よし！」と、熊本は満足そうにうなずくと、そそくさと帰っていった。

鑑識課の部屋を訪ねた霧山は、また諸沢に妙な写真を見せられた。一枚はラーメンが入った丼《どんぶり》が斜め上から写されている。もう一枚は、そのアップだった。

「どう、これ？」と、諸沢が不気味な笑みを嚙《か》み殺しながら訊《き》く。

「なんですか?」

霧山は意味がわからず聞き返した。諸沢が写真を指差す。

「これさ、ラーメンのもやしに、七味のゴマが載って、ヘビに見えた瞬間」

「こういうの、ムカつきますよね」

霧山がそう言うと、諸沢は不意に霧山の手を握った。

「君もムカつくのか……よかった」

霧山は苦笑して、本題を切り出した。

「それより、お願いしていた件は……?」

すると、諸沢は不敵に笑う。

「今回のは五十パーセントオフで、五百円」

「助かります」と、霧山はポケットから五百円玉を取り出し、諸沢に渡した。受け取った諸沢は、それを奥歯で噛む。

「いや、本物ですよ」

霧山がそう言うと、諸沢はじっと彼の顔を見つめた。

「疑いは、信頼の燃料だよ」

「説得されませんよ……で?」

「うん……小指の動きに問題があるかどうかを調べる最良の方法は、無意識に小指を動かさせること……たとえば、イチ、ニのサ〜ンの、シのニのゴ」

諸沢はリズムに合わせてそう口ずさみながら、次々と指を折り曲げた。

「なるほど……」と、霧山はうなずいた。


その翌日、霧山は何故か冴島に急に呼び出され、彼女の家まで出向いた。

「霧山さん、お呼び立てして、ごめんなさいね」

今日は少し露出度の高い服を着て、冴島が出迎えた。

「いえ……これは？」と、霧山はリビングに置かれている段ボール箱を指差した。前々回、霧山がここに運んできた遺留品の入った箱だった。

「これ、アンズさんとかいう女性に渡してほしいの。私より、その方が持っていたほうがいいと思って……私に必要なのは、雨田の才能だけ」

霧山はうなずいた。

「そうですか。わかりました……冴島さん、ひとつお願いがあります」

「何かしら？」

「冴島さん、あなたの十五番目の曲、聴かせて下さい」

すると、冴島は意味深な笑みを浮かべる。

「それは駄目よ……音楽はね、解き放つまでは、自分の中で育てるのよ」

「そうですか……」

「フフフ……がっかりしてる。あなたのがっかりした顔、ちょっと魅力的よ……その代わり、新曲発表のコンサートにご招待するわ。三日月さんもご一緒にどうぞ」

「冴島さん、三日月くんと僕は、どんな関係だと？」

霧山がそう訊くと、冴島は右手の小指をぴんと立てた。

「あなたの彼女でしょう？」

「なるほど……ありがとうございました」

霧山はそう言って、段ボール箱を持ち上げると出ていきかけた。出口のドアのところで立ち止まった霧山は、ゆっくり振り返る。

「あ、冴島さん……『デュマ、デュマ、デュマ』って、三回言ってみて下さい」

冴島は怪訝《けげん》な顔をしたが、すぐにつぶやいた。

「デュマ、デュマ、デュマ……」

「おやすみなさい。よい夢を」

霧山はそう言い残して、冴島の家をあとにした。


しずかはその頃、冴島の邸宅の物陰に潜んで、頭上にあるリビングの様子を窺《うかが》っていた。換気口の隙間から忍ばせた隠しマイクの音をヘッドホンで聴いていたしずかは、懐に入れておいた例の婚姻届を取り出した。そこに霧山と自分の名前が並んでいるのは相変わらずだが、しずかはこの前、とうとう〝霧山〟という名の三文判を買ってきて、婚姻届の署名の横に押してしまったのである。もちろん、自分の印鑑も捺印《なついん》済みなのは言うまでもない。

完全に婚姻届としての効力を発揮することになったその紙をぼんやりと見つめていたしずかは、又来が急に戻ってきたので、慌てて婚姻届をたたんだ。

「どうしたの？」と、又来が肉まんが入った紙袋を掲げる。

「あ、いや、別に……」

しずかは又来が差し出した肉まんを受け取り、並んで食べはじめた。

「どう？　冴島は曲、弾いた？」

又来が訊く。しずかはがたがた震えながら、首を左右に振る。

「弾いてませんよ……その代わり、私が風邪ひきそうですよ」

又来は鼻で笑った。

「ふん！……あ」

又来が急に何か叫んだので、しずかは見つめた。

「どうしました？」

「君が余計なこと言うから、肉まんの椎茸《しいたけ》が鼻に……フン、フン、フン」

又来が苦しそうに鼻を鳴らす。すると、その拍子に又来の鼻から椎茸の欠片《かけら》が飛び出し、しずかが手にしていた婚姻届にくっついた。

「ちょっと！」と、しずかは慌ててそれを弾《はじ》き飛ばす。

その時、しずかはヘッドホンから何からうめき声のようなものが聞こえてきた気がして、耳を澄ませた。

「あれ……？」

「どうした？」

又来がしずかの顔を覗《のぞ》き込み、もうひとつのヘッドホンを自分でもかける。

「う〜ん」という苦しそうに唸《うな》る声が聞こえてきた。

「何ごとでしょう？」

しずかと又来は顔を見合わせた。

やがて、その声はやみ、がばっと跳ね起きるような音が聞こえた。それから人の歩く気配がして、マイクのあるほうに近づいてきたのか、荒い息遣いが徐々に大きくなる。しばらくして、それが静かになったかと思うと、おもむろにピアノの演奏が流れてきた。

「やったなぁ〜」

又来が小声でそう言って、親指を立てる。

「霧山くんには、焼肉奢《おご》らせますよ」と、しずかも微笑んだ。

「当たり前だよ……うぉ！」

その時、不意に又来が足を滑らせ、倒れそうになった。

「危ない！」

しずかは又来の腕を間一髪で摑まえた。ところが、その拍子に、しずかは反対の手に持っていた婚姻届を離してしまった。

「あ〜！」

しずかは思わず叫んだ。バランスを取り戻した又来が訊《き》く。

「どうした？」

風に乗って飛んで行く婚姻届を見送りながら、しずかは今にも泣きだしそうな顔になっていた。ヘッドホンからは、ずっと冴島の演奏が聞こえていた。


ようやくアンズの居場所をつきとめた霧山は、今は平凡な家庭の主婦におさまっているという彼女のもとを訪ねた。潮風が吹き抜ける小高い丘の上に、彼女が現在暮らすアパートはある。霧山は、ベランダで洗濯物を干していた女性に声をかけた。

「アンズさん……ですか？」

女性はゆっくり振り向き、ぎこちない表情で小さくうなずいた。霧山は丁寧にお辞儀をしてみせた。

「あの、すみません……雨田潮さんのことで、ちょっとお聞きしたいことがありまして……」

霧山がそう言うと、アンズはわずかにとまどった様子を見せたが、すぐに作業を終わらせて、霧山を玄関のほうに促した。

室内に通された霧山は、雨田の遺留品が入った段ボール箱を傍らに置き、ごちゃごちゃと物があふれかえった食卓の横に立ったまま、アンズの様子を眺めていた。

「アイスコーヒーでいい？」と、アンズが訊いた。霧山はうなずく。

「すいません」

アンズは冷蔵庫から茶色い液体が入ったボトルを取り出し、グラスに注いだ。

「潮のことって？」

霧山は恐縮しながら、静かに答える。

「ええ……事件が時効になりました」

「……もう十五年かぁ。人生はあっという間ね……ねえ、座ったら？」

「いえ、座るほどのことではありませんから」

すると、アンズはグラスを霧山に向かって差し出した。霧山は恐縮して受け取る。

「それで、何が知りたいの？」

アンズが霧山の顔を覗き込むようにして訊いた。

「メロディーです」と、霧山はきっぱりと答えた。

「メロディー……？」

「はい……雨田潮さんが残した最後のメロディーです」

すると、アンズはぼんやりと窓の外を見ながらつぶやく。

「ああ、あのメロディー……思い出したら、私のこと、どっかに連れていってくれる？」

「どこか……ですか……」

霧山は返事をためらいながら、グラスに口をつけた。しょっぱい味が口の中に広がる。

「うわ、ソバつゆですよ、これ」

夕闇が迫る時効管理課のデスクに座り、霧山がここまでの捜査経過をすべて報告していると、又来がぽつりとつぶやいた。

「じゃあ、殺された雨田さんは、犯人を庇《かば》うために『サリエリ』って書き残したってこと……？」

「そう、だと思います」と、霧山は考え考え答える。

「なんでだろう？」

サネイエが首を傾げる。

「そこなんですよ」

霧山がため息をつくと、そこに熊本が慌ただしく戻ってきた。

「あ〜、よかった……例の息子の作文の代筆問題、無事に解決したよ」

「あ〜……そうそう、どうしたんですか？」

霧山が尋ねると、熊本は手にした携帯を示す。

「息子と相談したらさ、やっぱり、正直に言ったんだって」

それを聞いて、しずかが笑顔を向ける。

「えら〜い」

人さし指を立てて妙にくねくねした動きでそう言ったしずかに、熊本が反応した。

「あれ？　今のその言い方、妙にラブリーだったね……もう一度、言ってみて」

「え〜」と、しずかは口では拒否するようだったが、まんざらでもないという素振りを見せていた。熊本が懇願する。

「ねえ、もう一回」

　そこで霧山はすかさず言った。

「お願いできるかな」

「もう……」

　しずかは霧山を見つめ、微笑んだ。全員の視線が集まる中、しずかはさっきよりもオーバーな仕草で人さし指を立てた。

「えら～い」

　熊本の表情が強張《こわば》る。

「あ、まったく別物。お話にならない……なんでできないんだよ」

「知りませんよ！」と、しずかは口をとがらせた。

　そこで又来が、唐突に話題を元に戻す。

「で、先生は、なんだって？」

「いや、いい作文はいい作文だから、誰が書いたかは関係ない……だって。どんな形でも素晴らしいものが世に出れば、それでいいんだって」

　熊本はそう言って、うっすら微笑んだ。

「よくできた先生ですね」

サネイエが感心する。その時、霧山はパズルの最後のピースがハマったように感じた。

「あ〜、そういうことか……わかりましたよ！」

思わず叫ぶと、熊本が不思議そうな顔をする。

「何が……？」

「いや、全部……」

霧山は確かな手応《てごた》えを感じていた。


その翌日、霧山はしずかを連れて、冴島が新曲発表を行なうコンサート会場である音楽堂を訪ねた。明日の公演を控え、ホールは静寂に包まれている。「冴島翠・15・最終章」というモノクロームのポスターが貼られたロビーを抜けて、霧山はステージ上のピアノの前に座っている冴島に、ゆっくり近づいた。

気配に気づいたのか、冴島が顔を上げる。霧山は深く一礼し、すぐに本題に入った。

「ひとつお断りしておきますが、これからお話しするのは、あくまで僕の趣味の結果です。事件そのものはすでに時効ですから、たとえ、あなたが犯人でも、僕がどうすることでもありません……冴島さん、唄《うた》っていただけませんか？」

すると、冴島は怪訝《けげん》な顔をした。

「唄う？」

「ええ……警察用語では自白することを〝唄う〟と言うんです」

「おっしゃる意味が、わかりませんが……」

「十五年前の一月二十七日、雨田潮さんを殺したのはあなただという唄です……冴島翠さん、サリエリはあなたです」

霧山はそう言うと、眼鏡を外して、頭上に放り投げた。冴島が微笑む。

「霧山さん、サリエリは男ですよ……」

「そこです……今回のこの事件の特異な点は、殺された被害者が加害者を守るために、ダイイング・メッセージを残したことにあります」

その時、落ちて来た眼鏡を、しずかがキャッチした。霧山は続ける。

「あなたが殺人を犯した理由はわかりません……嫉妬《しっと》、独占欲、煩悩、あるいはよくわからない欲……あなたはあの橋の上から、雨田さんを突き落とした」

霧山は、雪がちらつく中、雨田が手にしていた楽譜が、主を失い、ぱっと空に舞い上がる光景を想像した。冴島がゆっくり立ち上がり、誰もいない客席をじっと見つめる。霧山は歩み寄り、話を続けた。

「転落した雨田さんは、即死ではなかった。彼は、消えゆく意識の中で最後のメッセージを書いたんです……『サリエリ』と。一見、犯人を示すメッセージ。でも、これは、犯人を隠すために書かれたものでした……彼の思惑通り、捜査は男性の被疑者に絞られた。そして、時効を迎えてしまったのです……この事件の最大の特徴は、殺された被害者が共犯者だったことにあります。殺人はあなたが実行し、殺された雨田さんが犯人を隠匿した形になりました」

「証拠は？」と、冴島がぽつりとつぶやく。霧山は彼女の代わりに、ピアノの前に座った。しずかが、すっと譜面を差し出し、譜面台に広げた。

「これを聞いて下さい……」

霧山はそう言ってピアノを弾きはじめた。旋律を確認すると、すぐに冴島の顔色が変わる。

「それは……」

霧山は手を止め、うなずいた。

「はい……あなたの十五番目の曲です。発表まで誰も知らないはずの曲を、何故、僕が知っているのか？　それは、この曲を作った人が他にいるからに他なりません」

すると、冴島は冷ややかな笑みを浮かべた。

「霧山さん、趣味にしては、ずいぶんと凝ったことをなさるのね……盗み録《ど》りですか？　三日月さん」

「あ、すいません……」と、しずかはあっさり認める。霧山は口をとがらせた。

「えぇ～……」

「あら、これで終わりですか？　霧山さんの趣味は？」

冴島が勝ち誇ったように霧山を見下ろすので、霧山は立ち上がり、カバンからカセットテープを取り出した。

「ちょっと段取りが多いんですけどね……」

横でしずかがカセットデッキを差し出す。霧山はテープを渡し、しずかに再生させた。女性の鼻歌が聞こえはじめる。

「これは、アンズさんが覚えていたメロディーです。もちろん十五年前、雨田さんがアンズさんと逢瀬《おうせ》を重ねていた別荘で作った曲……そして、もうひとつは、あなたの十五番目の曲です」

しずかが別のデッキに、もう一本のテープをセットすると、今度はピアノの演奏が流れはじめた。こちらはしずかがこっそり録音した、冴島の演奏である。スタート位置を微調整すると、ふたつの音がシンクロし、冴島の伴奏に合わせて、アンズが鼻歌を歌っているように聞こえだした。

「専門家の鑑定でも、同じ曲だそうです」と、霧山は告げた。しずかがテープを止める。

「偶然よ！　こんなの偶然にすぎないわ」

冴島は取り乱した。霧山はうなずく。

「はい……でも、冴島さん、この曲に後半があるのをご存じですか？」

「なんですって……？」

「おそらく、あなたが雨田さんを殺して手に入れた楽譜には、前半部しかなかったはずです……あの日、なんらかの理由で、あなたにあの橋の上まで呼び出された雨田さんは、この曲の前半部分の楽譜だけを持っていった……それは、その前に雨田さんと口論になったアンズさんが怒って、楽譜の後半部分を湖に投げ捨ててしまったからだったんです」

霧山の言葉を、冴島は黙って聞いていた。その表情の変化はわかりにくい。

「雨田さんを突き落としたあと、散らばった楽譜を拾い集めたあなたは、曲が途中で終わっていることに気づいた。あなたはそれを未完成の曲だと勘違いし、必要のない後半部分を作ってしまったのです」

そして、霧山はもう一度ピアノに向かい、曲の前半部分の最後のところを弾きはじめる。

「ここからが、あなたの作った後半です……」

そう言って、霧山は続きのメロディーを弾いた。

「長年、雨田さんの研究を続けてきた木田次郎先生に、あなたの演奏のテープを聴いてもらいました……先生は、前半の抑圧と葛藤《かっとう》は見事な情感だとおっしゃいましたが、後半があまりにも酷《ひど》い……と」

そして、霧山は演奏を止めた。

「『これは、深夜ドラマのテーマソングかぁ！』と、木田先生は憤慨されていました」

「そんな……」と、冴島の体が小刻みに震えていた。

「曲は、雨田さんの手により、ほぼ完成していました……あなたが、今度発表する曲の前半部分のあとに続くのに、本当に相応《ふさわ》しい後半は、これです」

そして、しずかが、ぼろぼろになった楽譜を譜面台に広げた。

「アンズさんは、雨田さんがあなたに会うために出かけた後で、この譜面を拾い集めていらっしゃったんです……本当の後半は、この楽譜のようになるはずでした」

冴島が雷に打たれたように、愕然《がくぜん》とその場に立ち尽くす。ぼろぼろに汚れた楽譜を、彼女は呆然《ぼうぜん》と見つめていた。

「冴島さん……音楽は、あなたが思っているより正直で、したたかです。あなたが作った後半部と雨田さんが作った後半部……どちらがこの曲に相応しいのか、それを一番ご存じなのが、あなたのはずです」

黙りこくったまま、冴島は動かなかった。

「前半を作ったのがあなたでないのは、明らかです……そして、雨田さんが作った前半部を手に入れる唯一の方法は、殺人が行なわれたあの夜、あの橋の上にいることなんです……以上が、僕が趣味で調べたすべてです。あとは、犯人であるあなたのご厚意に甘えたいと思います」

霧山がそう言うと、もう一度譜面に目を落とした冴島は、ぽつりと口を開いた。

「私は、ずっと嫉妬していました……アンズさんという女性にではありません。私が嫉妬したのは、雨田の才能にです……そして、いつしか雨田の才能を独占したいと思うようになりました……」

霧山は、冴島の目をじっと覗《のぞ》き込んだ。

「あなたは、雨田さんの才能まで手に入れようとした。そして、この十五年間、雨田さんの曲を盗作し続けてきた。雨田さんの才能を独占し続けるためです」

そして、霧山はいつの間にかステージに近づいてきていた熊本に合図をした。熊本はつかつかと歩み寄り、霧山と入れ替わりにピアノの前に座る。

「え……？」と、冴島が目を丸くした。霧山は熊本を紹介した。

「僕の上司の熊本です……反省の意味も込めて、あなたがお作りになった後半部を、もう一度お聞き下さい」

熊本は一礼してから、冴島が作曲した後半部を演奏する。冴島が表情を曇らせた。

「半分しかなかった十五曲目は、雨田が私にくれた作曲家としての最後のチャンスでした。でも、お話にならなかったようですね……私には、自分に才能がないことを知る才能しか、なかったんです」

すると、どこからかステージ上に風が吹き抜け、冴島の髪の毛が激しく乱れた。

「サリエリ……そう、まさに私のことよ。でもね、後悔なんかしてないわ。私より才能のある奴の曲が、これ以上世に出ないようにしてやったのよ……」

そう語る冴島の姿は、髪を振り乱した鬼神のようにも見えた。

霧山が目で合図すると、熊本は演奏を止め静かに立ち上がって舞台の袖《そで》に去っていった。

霧山は冴島に近づいた。

「そうでしょうか？」

「えっ……？」と、冴島が見上げる。

「才能はいろんな形で受け継がれます……雨田さんが亡くなった後、アンズさんは彼の子供を身ごもっていたことに気づきました。彼女は生まれた娘さんをひとりで育てた……娘さんは十五歳になります。中学でバイオリンを弾いていて、名前は潮さん……」

冴島は言葉を失い、うなだれた。霧山はしずかに手を差し伸べ、眼鏡を受け取る。それをかけ直して、顔を上げると、冴島はうっすらと悲しい笑みを浮かべていた。

「冴島さん……事件はもう時効ですから、僕がこの件を口外することはありません。それで、せっかくご協力いただいた犯人の方を、不安な気持ちにさせてはいけないと思いまして……」

そう言って、霧山は懐からカードを取り出した。

「これ、『誰にも言いませんよカードF』です」

「F……?」と、しずかが隣で怪訝《けげん》そうに声を漏らした。

「〝F〟はフィーメール……女性の〝F〟なんですが、角を丸くしてみました。角を丸くすると着物のたもととかに入れやすくなるでしょう。ほら、水商売の方の名刺と一緒ですよ」

「あぁ〜」

しずかが小さくうなずいた。

「あなたは、わかるんですか！」と、冴島が凄《すご》い剣幕でしずかを睨《にら》む。

「あ……ごめんなさい」

しずかが首をすくめた。霧山は取り繕うように笑みを浮かべた。

「ここに、僕の認め印を押しますから、お持ちになってて下さい」

霧山は判子も取り出し、息を吹きかけて捺印《なついん》した。

「どうぞ……」

冴島がカードを受け取り、そこに視線を落とす。

冴島翠様
この件は誰にも言いません。
霧山修一朗

冴島はぽつりとつぶやいた。

「私を庇《かば》った雨田は、私のことを愛してくれていたんだと思いますか?」

霧山は小さくかぶりを振った。

「いえ……残念ながら、あなたに対する愛情ではなかったと思います。曲に対する愛情……あなたが逮捕されてしまったら、曲を発表するものがいなくなってしまう。音楽は、誰が作ったかは問題じゃない。雨田潮さんは、曲が世の中に出るために、あなたを利用したんだと思います」

「さすがね、霧山さん。私は、もっと自分の才能に忠実になるべきだった……見てて」

そう言うと、冴島は突然、その場で見事にバック転を何度も決めた。

「どう？」と、冴島が微笑む。それは霧山が初めて見た、彼女の本当の笑顔だった。

「凄いですねぇ～」

「本当はアクションスターになりたかったんですよ……」

「才能ありますよ」

霧山はそう言って、彼女に微笑みかけた。

「どいつもこいつも、よくわからん」

しずかが隣で小さくつぶやいていた。


音楽堂からの帰り道、しずかは霧山と並んで、路線バスに揺られていた。疲れたのか、霧山はさっきから目を閉じたまま、じっと動かない。

しばらくして目を開けた霧山は、ぼんやりと窓の外に視線を向ける。

「あのさぁ……」と、不意に霧山がつぶやいた。

「え……？　何？」

「今まで、いろいろありがとう。僕の趣味に付き合ってくれて……楽しかったよ」

霧山がしずかを見つめる。しずかは、何故だか急に悲しくなった。

「あのさ……捜査の交通費、私の分は自分で持ってもいいよ」

しずかがそう言うと、霧山は無邪気なくらいぽかんとした顔をしずかに向ける。

「え……？」

「ディナーはイタリアンじゃなくてもいいし……平日の夜でも、土曜日の午後でも付き合うし……」

しずかはそう言いながら、涙があふれて止まらなくなってきてしまった。

「なんだよ、なんで泣いてるの……？」

霧山が呑気《のんき》な口調でつぶやくのを聞きながら、しずかは、ずっと泣きじゃくった。


またまた、いつもの時効管理課の昼下がり——。

熊本を取り囲むようにして、十文字と諸沢がにこやかに笑っていた。霧山は少し離れた自分の席に座って仕事をしながら、そんな様子を見るとはなしに見ていた。

「いや〜、皆さんに素敵なお土産もらっちゃって……」

十文字は高らかに笑って、霧山たちが塩砦温泉のお土産として買ってきた「ミニやわらか地蔵」のマスコットを掲げる。

「いやいや、いつも霧山くんたちがお世話になってるから」と、熊本も笑った。

「この銅鐸《どうたく》の下に入れとくのに、丁度いいんですよ」

十文字はそう言って、熊本のデスクのところに「ミニやわらか地蔵」を置き、小型の銅鐸を上からかぶせた。諸沢が苦笑する。

「俺はいらないな……」

「あ、知らないいな、諸沢くん……このお地蔵さん、軟らかいのよ」

熊本がそう言うと、諸沢が興味を惹《ひ》かれたように、目を丸くする。

「嘘……」と、諸沢は熊本が差し出した「ミニやわらか地蔵」を指で押した。軟らかい感触に、思わず顔がほころぶ。

「あ……ホントだ。意外と軟らかい。いいな〜」

するとそこにとぼとぼとした足取りで、しずかがやって来た。熊本が訊《き》く。

「三日月くん、どうしたの？　とぼとぼして……尻子玉《しりこだま》でも抜かれた？」

「違います……」

しずかは小声でそう言った。霧山はちらっと、しずかを見上げる。目が合ったしずかは、少し気まずそうに顔を伏せた。今度はそこに、又来も戻って来る。

「じゃ〜ん、再び！」

又来は手にしていた紙をみんなの目の前で広げた。それはまた婚姻届だった。

「あれ？　また婚姻届？」と、熊本が訝《いぶか》しんだ。

「また拾ったんですか？」

霧山が尋ねると、又来はにっこり微笑んでうなずく。

「そう。備品倉庫の前の廊下で……十文字、君のか？」

「やめて下さいよ、又来さん！」

そう言って、十文字は思い切り又来の体を突き飛ばした。そのまま黒板まで駆け寄った又来は、黒板の「正」の字を増やす。これで黒板には「正」の字が四つ並んだ。

「よし、じゃあ、やっぱりジャンケンで決めよう」

熊本がいきなり呼びかける。

「何？　負けたら、本当に婚姻届に名前書くの？」

十文字が出し抜けに素《す》っ頓狂《とんきょう》な声を張り上げた。熊本がみんなを煽《あお》り立てる。

「せ〜の、ジャンケンポン！」

その瞬間に、蜂須賀が駆け寄ってきてジャンケンの輪に飛び込んだ。霧山以外の全員がグーを出し、チョキの霧山が一発で負ける。

「やった〜！　やりぃ！」と、事情がわかっていないはずの蜂須賀が一番はしゃいだ。

「あいた〜」

霧山は頭を抱えた。熊本がしみじみと言う。

「霧山くん、ジャンケン弱いよな〜」

「なんで負けるんだろう……」

霧山がそう嘆くと、サネイエがささやく。

「チョキしか出さないからですよ」

「霧山、霧山、霧山、霧山……」

何か言いたそうに何度も呼びかけていた十文字は、そのまま何も言わずに去っていった。又来が婚姻届をバン！　と机の上に置く。

「さて、霧山くん、この婚姻届に名前とか書こうか」

「え〜、嫌ですよ」と、霧山は抗議した。しかし、又来は有無を言わせない。

「ジャンケンで負けたじゃないか！」

「そうだそうだ〜！」

明るく煽り立てたのは、しずかだった。霧山はその笑顔を見て、なんだか少しホッとした。霧山はペンを拾い上げ、ひとつ息をつく。

「そうですよね……」

霧山はおもむろに名前を書きはじめた。

この婚姻届もまた、いつの間にかどこかになくなってしまうのだろうか……と、霧山はぼんやりと考えた。自分も含め、誰もがいずれ、なくなったことすらも忘れてしまうだろう。でも、いつか誰かがふと思い出すこともあるかもしれない。

たとえば、十五年経っても忘れないでいる人も、いるに違いない——。

霧山はそう思った。

熊本は告白する

岩松　了

総武警察署《時効管理課》サネイエは週末の仕事を終え退社しようとして、熊本課長の机の上に、ノート数枚のしたためものが置いてあるのを見た。その置かれ方があまりにも誰かに読ませたがっている風だったのでついつい読んでしまったんです、とサネイエは言った。彼女はその内容に驚き、その日のうちに同課の又来に読ませた。又来は彼女なりにこれは名誉毀損《きそん》だと思ったし、ただの落書きではないと判断したので、署長に届けた。

月曜日の朝、熊本は署長に呼び出され、尋問を受けた。

「気は確か？」と署長は言った。

熊本は、読まれたのがいかにも心外だという風に署長の前で沈黙を通したが、自分の態度に業を煮やした署長が「黙秘か。そんなもの結局こっちの心証を悪くするだけだってことくらいキミだってわかってるだろう。警察官の端くれなら」と言って、はじめてまともに顔をあげた時、熊本は署長に向かってニヤリと笑ってみせた。

「魚のような目だったよ」と、署長は後になってその時の熊本のことを言った。

以下、その問題の〝したためもの〟を私は公にするわけだが、その意図は、他でもない熊本課長が黙秘した署長の「気は確かか？」に対するこたえを読者にゆだねんがためである。もはや内容の真偽は問題ではないと思っている。気は確かでないと判断されるなら、何故に一人の人間がそうなってゆくのかを考える材料にして欲しいし、気は確かであると判断されるなら、何のことはない、皆でそうやって人生を楽しめばいいだけのことだ。

一ページ目には毛筆で『熊本は告白する』というタイトルがつけてあった。

……サネイエくん、キミだね、これを見つけたのは。もう読んでいるだろう？　うん、キミはそういう女さ。キミが誰よりもスキャンダルを求める女だということをボクは知っているよ。それを知られたくないからキミはいつも能面顔をしている。でもダメさ、この熊本にはお見通しだよ。これを読んだキミは、そうだな、おそらく又来くんに報告するだろうね。報告された又来くんはキミの要領をえない話に苛《イラ》ついて「いいから、さっさとそれ私に読ませなさい！」と言うだろう。それでキミの役目は終わりだ。又来くんは、それでもう自分がこれを見つけた気になってしまうからね。あとは又来くんが、どう出るか、だ。

おそらく霧山くんの脇はすりぬけ、直接、署長のところへ向かうんじゃないかな。

とりあえずボクは、あの話から始めるよ。

　三日月くんは三日とおかず母親と電話で話している。そのことがボクには不安であり、不満でもある。まずそのことを言っておく。

　彼女が交通課であるにもかかわらず、よく時効管理課に顔を出すのも、元はと言えばこの母親にその因がある。忘れもしない、三日月くんがわが総武警察署に配属された日、母親がついてきた。上司から同僚から、たまたま来ていた出前のお兄ィちゃんにまで、娘をよろしくと頭をさげてまわるのだ。世にステージママという言葉があるが、三日月くんの母親はさしずめ、ポリスママと呼んでよかろうと思う。何がどうなってかわからない、ポリスママがこの熊本に挨拶《あいさつ》に来たのは、ボクが便所にいる時だった。男子トイレに女が入ってきただけでも驚くのに、彼女はいきなり「五百回になります」と言ったのだ。

　錯綜《さくそう》した。

「五百回？　何が？」

　ボクはチャックをまだ閉めきっていない。そのボクのあわてぶりを笑うようにポリスママは手をヒラヒラ振って「三日月しずかの母でございます」と赤い唇をすぼめてみせた。ほどなく「御厄介になります」の聞きまちがいだとはわかったが、五百回の印象があまりにも強烈で、トイレには何か五百回くり返されるものがあるのだとトイレに行くたびにそう思っては「ちがう、ちがう」と首を振るボクだ。ま、そんなことはいいのだが、それが縁でポリスママとはその後何度か上野あたりで逢瀬《おうせ》を重ねることになった（むろん、三日月くんにはすべて内緒だ）。夜も遅くなり、ボクが電車がなくなるからと言うと、彼女はホテルの前でボクの腕をつかみ「ねえ、経費でおちるんでしょ」と言うのだった。

「経費って、な、何を」

腕をほどこうとするボクの腕をさらに強い力でつかみなおし、彼女は言った。

「何のための税金よ」

そしてボクは知ることになったのだ。

ポリスママは若い頃恋をした。相手は、本人曰《いわ》く「メチャクチャかっこいい警察官だった」。しかしその恋人とは結婚出来ず、意に添わぬ結婚をしたらしい。明らかにその男との間に出来た子供であるのに、三日月くんは「あなたのお父さんは、メチャクチャかっこいい警察官だったのよ」と言われて育った。じゃあ今のあのお父さんは？　と幼い三日月くんが聞くと、赤い唇のママは「不自由な考え方をする子ねえ」と言って、娘の頭の上に手を置くのだった。

その「不自由」という言葉が、三日月くんのトラウマになった。

お察しいただけよう。三日とおかず母親と電話で話している三日月くんが、いつかボクのことを「お父さん」と呼びやしないかという不安を抱えていることは。「だってメチャクチャかっこいいのがお父さん！」と言われた時、ボクはどんな言葉で三日月くんの一途《いちず》な眼差《まなざ》しをかわせばいいのか。かっこいいという言葉にはすでに免疫がついているボクといえど、そこにお父さんという言葉がくっついてくるとなると……。

ボクは小心すぎたろうか？　まさかポリスママとのことが、かっこいいままでいることにブレーキをかけたとは思わないが、すでに女性からのアタックに応じる心の必然が自分の中に見つけられないボクだ。

「ボカァ、キミをしあわせにする男じゃないよ」と言ったりもするが、逆効果だ。「しあわせ？　そんな口だけのしあわせ！」と逆に腕にすがりつかれる始末。そう、人間には言葉以外のものがありすぎる！

かくして、にっちもさっちもいかなくなったボクは《私ではない熊本》を演じることになった。

そして、ふっと気づけば、灯台もと暗し、そこに霧山修一朗という男がいた。

三日月くんの心が、この熊本から霧山くんに流れるようにもっていくために、ボクが人知れずどんな苦労をしたか。

まず又来くんを利用した。出来るだけボクをバカ呼ばわりしてくれと頼んだのだ。他でもない「ボカァ、キミをしあわせにする男じゃないよ」と言ってやんわりとボクをあきらめさせようとしたのが又来くんだ。当時、又来くんはバクチ好きの旦那《だんな》と別れたばかりで幼子が一人いた。親切がアダになったと言えばいいのか、いやボクのミスだろう。腹をすかせてピーピー泣いている幼子に、いろいろと買い与えてしまった。どうにもボクにはそういう性分がある。かわいそうな人間を見て黙ってられないのだ。余談になるが刑事課の蜂須賀くんには寝たきりの母がいる。床ずれがするというので、背中から腰へとマッサージをしてあげてるうちに、何をまちがったか「息子と寝てやってくださらんか、結婚しなくていいから」と言われた。

「私をしあわせにしなくていいの、この子をしあわせにして欲しいの！　だって私のしあわせはこの子のしあわせだもの！」

目にいっぱい涙をためた又来くんにボクは言ったものだ。

「二年後に、そんなこと言った？　と言うのが女じゃないかな」

手に持っていたしゃもじをシンクに打ちつけ「私のくまもと……！」と言う又来くんを見てボクはいよいよ危険を感じ、幼子がボクから離れていくように、信じられないこと（何をしたかは想像にまかせるが）までした。あの子には悪いことをした。

「上司だけど、バカかあんたは！」

又来くんはボクに言う。が、それは、今ではわかってもらえたかと思うが、ボクの要望に添ったものだ。ただし、これは打ち明けるが、「上司だけど」という前置き、又来くんが、どうしてもそれは言わせてくれと言ったのだ。私の心は逆であるとボクに知らせるための又来くんなりの暗号のようなものだ。ボクをただバカ呼ばわりするには、二人の間に、あまりにも重い過去がある。「バカかあんたは！」の前に「上司だけど」と言う又来くんの女心を、ボクは見逃しはしない。

さてその又来くんの〝熊本バカ呼ばわり〟作戦が功を奏したかといえば、どうも今ひとつと言うしかない。先に、人間には言葉以外のものがありすぎる、と言ったが、あの三日月くん、バカ呼ばわりされる人間を見てバカだと思うほどバカではなかったのだ。彼女なりに言葉以外のものを見ているのだろうと思うしかない。今は形骸《けいがい》化した〝熊本バカ呼ばわり〟が、その度に又来くんの女心をチロチロと燃えあがらせるばかりだ。

三日月くんの心をボクから離したところで霧山くんに向かうとは限らないということに気づいたボクは、二人を直接近づける方法をとらなければならないと考えた。パンダ方式（上野動物園のランランとカンカンがつがうようにひとつところに入れられたひそみにならって）と自分では呼んでいるが、とにかく霧山くんを交通課に移そうと考えたのだ。それとなく本人の意向をさぐろうと霧山くんを行きつけの居酒屋に誘った。

「いいっすよ、ボクはどこでも」

肩すかし？　いや、そうではない。この拍子抜けした若者を恋の渦に巻きこんでやろうとボクの心は燃えあがったのだ。

「どうなの霧山くん、こっちの方は」と小指をたててみせると、彼は上半身をのけぞらせて「何スかそれ」と笑ったっけ。古めかしいかいこのボクは、フフフ、今に古いも新しいもないことを教えてやるさ、とボクの心はまた燃えた。えらい奴と同席してしまったなという風に居酒屋の入口（彼の右側にあたる方向）を見た霧山くんに、燃えたついでにボクは言ってやったさ「キミが右を見ようが左を見ようが、私にはどうすることもアイキャンノット」ってな、フヒャヒャヒャヒャ……！

悪酔い？　したさ、しましたとも。気づけば、署長の悪口バンバン言ってたよ。場を盛りあげるつもりが、ついつい本気になってた。あいつは金に汚いとか、女房が吐き気するほどブスだとか、肝心なことはあとで責任とらなくていいようにわざとボソボソしゃべるとか。熊本くんキミを変えてあげるよと言ってうしろから抱きしめられた時のことは盛りあげ材料としては切り札的なものだったが、霧山くんは「わっ、気持ちワル」で終わり。じゃなくって、オレ今かなりなこと言ってんだけど、と霧山見れば、箸《はし》で冷やっこがうまくつかめたと喜んでる。思わずこいつの今後の人生は、と考えた時には、すでに三日月くんとのことは頭の中から消えつつあった。

そのボクをいっぺんに正気に戻したのが、それ以前から、われわれの席の斜め横で飲んでいた真ピンクのストッキングの女だった。ミニスカートから伸びた二本のピンクの足を幾度もくみかえるその女に、バーカ、その手にのるかとボクは、あえて見ないようにしていたのだったが、……見た、その顔を。なんと、それはポ、ポ、ポリスママだったのだ。逢瀬を重ねた頃、何度か彼女をこの店に連れてきたことを思い出した。

「あう……」

真ピンクが目の前まで近づいてきた。

「熊ちゃん、男の人とも飲むんだ」

「く、熊ちゃんて、人をぬいぐるみみたいに言わないでよ」

ぬいぐるみ、と言って異常な高笑いをしたポリスママは、自分が飲んでいた席を振り返り、連れの青い顔した小柄な男に「知り合いなの」と言った。青い顔はこちらを見て少しばかり頭を下げた。横にわけた前髪が、ひとかたまり額の上にたれさがっていた。

「不動産屋さん。私お店を出すのよ」

「お店？ 何の？」

青い顔の不動産屋は今は誰もすわってない向かいの椅子をじっと見ていた。

「あ、これ、霧山くんと言ってボクの部下」

ポリスママは霧山くんを一べつすると「気さくなスナックよ、年中無休の」と言ってまた笑った。

青い顔が立ちあがり移動し、トイレのドアをあけるのが見えた。

次の日めざめるとボクの手に真ピンクのストッキングがからみついていた。そして脇腹に感じた重み。蒲団《ふとん》をはがすと、ペディキュアされた足が宙に浮いていた。その足をゆっくり持ちあげてボクは自分の体をずらし、つかんだ足をそっと蒲団の上に置いた。

かくしてパンダ作戦は頓挫《とんざ》し、すべては元に戻ったかに見えた。が、次の瞬間、掛け蒲団を抱きかかえるようにして眠っていたポリスママの口からもれた一言が、ボクに、歴史は確実に動いている、ということを教えた。

「キリヤマくん……」

ポリスママの口は、そうつぶやいたのだ。

情念、という言葉がある。その時のボクの心の中にわきあがったもの、それこそがこの情念と呼ばれるにふさわしいものだったろう。あれほど秘密裡《り》に事を運び、時にはうとましくさえ思ったこの女がその時、ボクの全人格を否定し、もはや救いはないよと言い残して遠ざかりゆくほの白い火炎と見えたのだ。

だらしなく脱ぎ捨てられたピンクのストッキングが、これもまたいずれ同じ言葉を残して遠ざかってゆくものと見えた時、ボクは、かきむしられるような寂寥感《せきりようかん》に襲われ、ここにとどまってくれとばかりに、それをつかみ、それにむしゃぶりつき、それとともに唾液《だえき》にまみれた。

箸で冷やっこがうまくつかめたと喜んでいる霧山くんの姿が脳裏を去らぬ。今はそれがこのボクに対するとめどない悪意とうつる。目的を持つ（冷やっこを食べたい或《あ》るいはつかみたい）→目的に向かってすすむ（箸で冷やっこをつかもうとする）→目的を果たして喜ぶ（つかめて喜ぶ）。この流れをあやまたずたどる者こそが正常だと、あの霧山くんの姿がボクに言う。

この熊本は、どんな目的を持ち、そのために何をしようとしているのか――。

その日からだ。署内をピョンピョンと数十匹のカエルが飛び跳ねているような幻想にとりつかれるようになったのは。署長のデスクにはゴロゴロとのどをならし、緩慢な動作で右を見たり左を見たりしているヒキガエル。

何のためにボクは三日月くんを霧山くんに近づけようとしていたのだったか——。ポリスママの、あの朝の「キリヤマくん……」が、ボクにすべてをわからなくさせてしまった。にもかかわらず、ポリスママのボクに対する態度には何ら変わるところはないのだ。その後霧山のキの字も彼女の口から聞いたためしはない。問題があるのに、なさそうに振る舞うポリスママの言動にボクは、しだいに《不自由》を感じるようになった。そして不思議なことに、そう感じる時、カエルは消えてゆくのだ。関係を公にしてはならないという抑圧が《不自由》の実体だったろうか。ボクはその《不自由》から逃れるために、こう思うようになってしまったのだ。

……三日月くんの父親は、他ならぬこの私ではなかろうか……。

⁂

ポリスママの手がボクの頭の上に置かれているのを感じる……。そして聞こえてくる。三日月くんに電話しているポリスママの声だ。

「……しずかちゃん、人間というのは面白いものよ……手玉にとったつもりが、とられてるってことがよくあるの……ううん、残念じゃないわ、だから面白いのよ、だから人間なのよ、……どうなの？　霧山くんとは。手玉にとってる？　私の意見を言うわ。彼ね、霧山くん、人間よ、ふところが深いわ。だからしずかちゃん、思いきり飛びこんでみなさい、飛びこんでいるように見せなさい。彼もね、あなたに溺《おぼ》れてみせるから。そこからよ、手玉のとりあいは。ドロドロよ、素敵だわ。照れ屋？　誰が？　霧山くんが？　何を言ってるのしずかちゃん、そんなもの、手玉の入口よ。まずはキミの方から手玉にとってくれる？　って合図じゃない、そうでしょう？」

「私、ママに助けてもらいたい」

「助けるって、何を？」

「霧山くんとのことよ」

「どういう風に？」

「だからその知恵をさずけて欲しいの」

「甘えん坊ね、誰に似たの？」

「私が霧山くんに何かしようとすると、必ず熊本さんが邪魔をするの。こないだなんか、霧山くんちに行って料理をつくってあげて、すごいいい雰囲気になった時、いきなり便所借りに来たのよ。近くまで来たからって」

「誰？　くまもとって」

「課長よ、時効管理課の」

「私、会ったことある？」

「あるでしょ？」

「くまもと……」

……声が遠のいてゆく。

私は居酒屋に向かった。電話がつながらなくて、もしやあそこにと思ったからだ。のれんをかきわけ、店内を見まわしたが、それらしい姿はない。あきらめて引き返そうとした時、一人の小柄な男が便所のドアをあけ、中に入ってゆくのが見えた。青い顔！デジャブ！あの不動産屋だ。私はそのドアに突進し「ちょっと話を」と言って、その個室に一緒に転げこんだ。

「な、何ですか！」

青い顔は力いっぱいボクを押し返そうとしていた。

「一人ですか⁉」

「ど、どういう意味ですか！」

「きょうは一人ですかと聞いてるんです！」

「きょうも明日も私は一人です！」

青い顔の手が水洗のノブをまわしてしまい、水が激しく流れ出した。

「こ、これは危険だ」と青い顔は言った。

「危険？　何が？」

「は、放して下さい。この手を！」

「手なんかどうでもいい。物件はもう見つかったんですか⁉」

「物件？　何の？」

「気さくなスナックのですよ！」

「手を、この手を」

「真ピンクのストッキング！　前にここにいたでしょ、一緒に！」

「放して下さい！　でないと私は変身しますよ。ああ、これは危ない」

さらに青い顔の腕をつかもうとしたボクの手が宙をつかんだ。

カエルが一匹、便器の水槽タンクの上に飛びのった。そのカエルの顔だけが青い。

カエルは流れる水を喜ぶようにピョンピョン跳ねている。

ボクはそれをつかまえようとしたが、カエルはその度に跳ねた。

「ボクは会わなければならないんだ。会っていろいろ確かめたいことがあるんだ。今どこにいる!?　あの女は！」

カエルはピョンピョンと跳ねるばかり。

言葉もつきて、ボクはカエルをただ見ている。いつまで跳ねるんだ、このカエル。見ているうちにしだいに笑いがこみあげてきた。今にこのカエルは、ピョンピョンと跳ねることを止め、ボクに向かって言うにちがいないと思ったからだ。

「五百回になります」

以上が〝したためもの〟の全文であるが、文字はところどころ何か液体のようなものでにじんでいた。それがよだれなのか涙なのか、はたまた何か食べ物の汁なのかは知る由もないが、いずれにしても目のあたりにして快くはなかったというのがサネイエの言葉だ。しかしながら、以後数日間サネイエは少女のように明るく振る舞い、能面顔という言葉に反旗を翻そうとしたが、結果人を遠ざける事態を招いてしまい、また無表情にシュレッダーをまわすだけの女に戻っていった。

熊本はといえば、まるで何事もなかったかのようにその後も時効管理課のデスクに座り、よく晴れた日には「いい天気だね」と言い、雨が降れば「みんな傘は持って来たかい？」と言って、皆の曖昧《あいまい》な反応にヘラヘラ笑う日々を送っている。

時効警察

＜Staff＞

第１話：脚本・監督／三木 聡
第２話：脚本・監督／三木 聡
第３話：脚本・監督／岩松 了
第４話：脚本・監督／園 子温
第５話：脚本／高山直也、塚本連平　脚本協力／山田あかね
　　　　監督／塚本連平
第６話：脚本・監督／園 子温
第７話：脚本／岩松 了　監督：塚本連平
第８話：脚本／ケラリーノ・サンドロヴィッチ、山田あかね
　　　　監督／ケラリーノ・サンドロヴィッチ
第９話：脚本・監督／三木 聡

主題歌：「雨」CEYREN（J-more）
音楽：坂口 修
チーフプロデューサー：黒田徹也（テレビ朝日）
プロデューサー：横地郁英（テレビ朝日）　遠田孝一（MMJ）
制作：テレビ朝日／MMJ

＜Cast＞

霧山修一朗――――オダギリ ジョー
三日月しずか――――麻生久美子
十文字疾風――――豊原功補
又来――――ふせえり
蜂須賀――――緋田康人
サネイエ――――江口のりこ
下北沢――――大友みなみ
吉祥寺――――星野奈津子
神泉――――永田良輔
諸沢――――光石　研
熊本――――岩松　了

ナレーション――――由紀さおり

＜Guest Cast＞

第１話「時効の事件には、おいしい御飯の湯気が似合うと言っても過言ではないのだ」

笠松ひろみ――――――――――――――東ちづる
林田――――――――――――――――――笹野高史
水岡由起子――――――――――――――高田聖子
笠松道夫―――――――――――――――岡田　正

第２話「偶然も極まれば必然となると言っても過言ではないのだ！」

藤山しおり――――――――――――――池脇千鶴
小原安雄―――――――――――――――田中要次
山村荘八――――――――――――――佐藤蛾次郎
藤山光二郎――――――――――――――岡本信人
小原和恵――――――――――――――片桐はいり
味見啓之助――――――――――――――村松利史

第３話「百万人に無視されても一人振りむいてくれれば人はしあわせ…じゃない？」

藤沢道子（旧姓・浜野）――――――緒川たまき
藤沢郁也―――――――――――――――田中哲司

第４話「犯人の５７５は崖の上」

アヤメ旅子――――――――――――――永作博美
白河湯舟――――――――――――――広田レオナ
黒田史郎――――――――――――――柳ユーレイ
湯河原雄二――――――――――――――麿　赤兒

第５話「キッスで殺せ！　死の接吻は甘かったかも？」

本郷雪絵―――――――――――――――奥菜　恵
及川正義―――――――――――――――東　幹久
本郷高志―――――――――――――――乃木涼介

第６話「恋の時効は２月14日であるか否かはあなた次第」

レイコ（茗荷谷かよ子）――――――――森口瑤子
真弓――――――――――――――――吉高由里子

第７話「主婦が裸足になる理由をみんなで考えよう！」
秋津聡子――――――――――――――――葉月里緒奈
大宮敏彦―――――――――――――――――モロ師岡
大宮夏美―――――――――――――――――松井涼子
伊東友彦―――――――――――――――――田山涼成

第８話「桜咲く合格通知は死への招待状？」
関ヶ原弥生―――――――――――――――櫻井淳子
立花律子――――――――――――――――真木よう子
多め亭のオバサン――――――――――――犬山イヌコ
森の荒熊マスター――――――――――――廣川三憲
洗濯舗はつ店主―――――――――――――根岸季衣
山崎晋也――――――――――――――オダギリ ジョー

第９話「さよならのメッセージは別れの言葉とは限らないと言っても過言ではないのだ！」
冴島翠――――――――――――――――――りょう
雨田潮―――――――――――――――――ROLLY
アンズ―――――――――――――――――――つぐみ
みの虫男―――――――――――――――――村松利史
木田次郎―――――――――――――――――三谷　昇
林田の兄―――――――――――――――――笹野高史

※このドラマはフィクションであり登場人物・団体名等は架空のものです。

本書は、2006年１月13日から３月10日まで全９回放送された、テレビ朝日系金曜ナイトドラマ『時効警察』の脚本をもとに、小説化したものです。小説化にあたり、若干の変更がありますことをご了承下さい。

本書は平成18年３月、小社より刊行された単行本に加筆・修正したものです。

時効警察《じこうけいさつ》

三木《みき》　聡《さとし》
岩松《いわまつ》　了《りょう》
園《その》　子《し》温《おん》
ケラリーノ・サンドロヴィッチ
塚本連平《つかもとれんぺい》

角川文庫　14617

JASRAC 出 0702665-704

平成十九年三月二十五日　初版発行
平成十九年五月二十五日　四版発行

発行者―井上伸一郎
発行所―株式会社角川書店
東京都千代田区富士見二―十三―三
電話・編集（〇三）三二三八―八五五五
〒一〇二―八〇七八
発売元―株式会社角川グループパブリッシング
東京都千代田区富士見二―十三―三
電話・営業（〇三）三二三八―八五二一
〒一〇二―八一七七
http://www.kadokawa.co.jp
印刷所―旭印刷　製本所―本間製本
装幀者―杉浦康平

ん 25-1　ISBN978-4-04-384401-2　C0193